ELAINNE OURIVES

DNA REVELADO DAS EMOÇÕES

COMO AS EMOÇÕES AGEM SECRETAMENTE EM NOSSAS VIDAS

Diretora
Rosely Boschini

Gerente Editorial
Rosângela de Araujo Pinheiro Barbosa

Assistentes Editoriais
Giulia Molina e Rafaella Carrilho

Produção Gráfica
Fábio Esteves

Preparação
Amanda Oliveira

Capa
Vanessa Lima

Adaptação de Projeto Gráfico
Vanessa Lima

Diagramação
Vanessa Lima e Abreu's System

Ilustrações
Elainne Ourives

Revisão
Natália Domene Alcaide

Impressão
Assahi

CARO LEITOR,

Queremos saber sua opinião sobre nossos livros. Após a leitura, curta-nos no facebook/editoragentebr, siga-nos no Twitter @EditoraGente e no Instagram @editoragente e visite-nos no site www.editoragente.com.br. Cadastre-se e contribua com sugestões, críticas ou elogios.
Boa leitura!

Rua Original, 141/143 – Sumarezinho São Paulo, SP– CEP 05435-050 Telefone: (11) 3670-2500

Site: www.editoragente.com.br
E-mail: gente@editoragente.com.br

Esse livro foi impresso pela gráfica Assahi
em papel pólen bold 70 g em agosto de 2021.

Dados Internacionais de Catalogação na Publicação (CIP)
Angélica Ilacqua CRB-8/7057

Ourives, Elainne
DNA Revelado das Emoções: como as emoções agem secretamente em nossas vidas / Elainne Ourives. – São Paulo: Editora Gente, 2021.
288 p.

ISBN 978-65-5544-135-2

1. Desenvolvimento pessoal 2. Emoções I. Título.

21-2641 CDD 158.1

Índice para catálogo sistemático:
1. Desenvolvimento pessoal

NOTA DA PUBLISHER

Desde meu primeiro encontro com Elainne, eu soube de seu potencial em ajudar as pessoas a transformarem suas vidas. Poder publicar seus livros, para mim, equivale a ajudá-la nessa missão tão nobre que, tenho certeza, está em seu DNA. Também cumpro meu papel como editora, dando suporte para que sua mensagem vá mais longe, alcançando cada vez mais pessoas.

De presença marcante e envolvente, esta autora é capaz de despertar emoções muito poderosas em todos com quem interage. Além de ser estudiosa, destemida e disciplinada, Elainne tem uma força impressionante: com seus livros, ela propicia que cada um se reconheça como o agente de transformação da própria vida. Isso porque ela permite que destravemos em nós algo que todos temos: o poder de cocriar.

Em *DNA Revelado das Emoções®*, você aprenderá a harmonizar mente, coração e corpo e calibrar suas frequências para curar as feridas emocionais. Embarque nesta leitura única de conteúdo rico e poderoso. Boa leitura!

Rosely Boschini
CEO & Publisher da Editora Gente

Aponte a câmera do celular para o QR Code ou acesse o site www.dnareveladodasemocoes.com.br, para baixar os áudios das técnicas do *DNA Revelado das Emoções®* e o Treinamento O CÓDIGO DO NOVO HUMANO – Um novo mundo, um novo VOCÊ!

APRENDA COMO ELIMINAR SEUS PADRÕES DE REPETIÇÃO E ACESSAR SEU NOVO EU!
C.Ó.D.I.G.O. DA MUDANÇA!
O MUNDO MUDOU, o que você escolhe ser agora?
Eu vou ensinar você a desconstruir sua velha versão para criar um NOVO EU, sintonizar uma nova realidade por meio da mudança de pensamentos e aumento da sua frequência energética!

VOCÊ VAI DESCOBRIR COMO HOLO COCRIAR® SEU NOVO EU

O mundo já mudou e você precisa mudar também. Um renascer para este NOVO mundo!

Esse é o exato momento em que você precisa PARAR! Parar para refletir que tipo de ser humano você têm sido? Que legado tem deixado para a humanidade? O que construiu até aqui?

O novo mundo está nos obrigando, a duras custas, a olhar para o lado de dentro. Curar nossa alma e nossas vidas, enquanto ainda existe tempo e luz dentro de nós.

Tudo isso serve para que despertemos nosso olhar para a família, para nós mesmos, para dentro de nossas casas... Repensando atitudes, comportamentos, ações, a respeito de dinheiro, sucesso, carreira, saúde, hábitos alimentares, nossas relações e sem dúvida a vida.

Pensando em tudo isso e em como ajudá-lo na construção dessa nova Jornada de Transformação...

Criei este treinamento gratuito, com duração de oito horas, para fazer minha parte pelo mundo, apoiando por meio do meu conhecimento e da força de minhas poderosas técnicas.

Eu vejo relatos de sofrimento, angústia, incertezas... Vejo pessoas desempregadas, perdendo a esperança e a vontade de viver... E não há como não remeter tudo isso à minha história!

Há poucos anos, saí de uma dívida de quase 1 milhão de reais. Uma falência generalizada que desequilibrou todos os meus principais pilares, me fazendo sentir que havia morrido em vida. Um processo depressivo que me levou a tentar contra minha vida cinco vezes, em um período de total desespero e frustração.

Eu morri em vida e renasci nesta mesma vida. Consegui sair de todo sofrimento, fracasso e pensamento de escassez, para me tornar uma treinadora de sucesso, com reconhecimento internacional.

Hoje consigo contar minha história com ALEGRIA, pois sei que tudo o que passei foi necessário para que eu pudesse me reconectar com minha missão de transformar vidas e ensinar o passo a passo que apliquei em mim mesma.

Foram vinte e cinco anos de estudos, pesquisas, noites em claro, muitas vezes deixando de comer para comprar um livro. Até conseguir acessar os melhores treinadores da atualidade.

Mais poderosa, mais forte, mais intensa, mais transformadora!!

NOVOS COMANDOS PARA COCRIAR SUA NOVA VERSÃO, sintonizar o EU DO FUTURO e codificar uma nova Assinatura Vibracional em sua vida!

Sua Nova Vida. Sua NOVA VERSÃO.

O que você vai aprender:

- Segredos ocultos para COCRIAR seus sonhos, mesmo diante da escassez, falta, depressão, angústia, sofrimento, ansiedade;
- Técnicas cientificamente comprovadas para COCRIAR UM NOVO EU;
- Formas de vencer e prosperar no NOVO MUNDO;
- Tesouros jamais antes revelados para reprogramar sua mente, magnetizar tudo o que deseja e cocriar uma nova vida;
- Comportamentos inconscientes que cocriam escassez, traição, dor, depressão, ansiedade, destruição e caos. Esses comportamentos vão manter você para sempre no VELHO MUNDO! Se não souber quais são eles, permanecerá no mesmo lugar para sempre!

Seu passaporte para um NOVO MUNDO foi liberado AGORA!

DEDICATÓRIA

O **DNA Revelado das Emoções**® é dedicado aos meus leitores, alunos e seguidores, pois são minha inspiração diária. Eu estava preocupada quando comecei a escrever este livro, pois não sabia se conseguiria levar um conhecimento tão diferenciado adiante, atribuindo grandes revelações nesta minha terceira obra. Porém, meus mais de 100 mil alunos, bem como os milhões de seguidores e leitores, me tornam melhor e mais preparada para a responsabilidade que tenho nesta vida e carrego comigo todos os dias desde o acordar! Estou verdadeiramente vibrando 1.000 Hertz dentro de mim e não tenho dúvida de que este é o livro mais incrível que já escrevi. Falar isso com certeza é uma responsabilidade sem dimensões, pois o *DNA Milionário*® e o *DNA da Cocriação*® se tornaram *best-sellers* em poucas horas. Então, prepare-se, pois grandes revelações serão feitas aqui.

Eu agradeço à minha irmã de jornada, missão e luz, Jaqueline Bresolin, sem a dedicação da sua vida ou até da sua alma aos meus projetos, nada do que sou existiria, muito menos este livro. Eu amo nossa vida, nossos projetos, e a forma como escrevemos um livro. Um dia contaremos ao mundo nossas trapalhadas para escrever um verdadeiro *best-seller*.

Sou grata ao Fernando, minha cocriação mais perfeita de todas, por compartilhar comigo esta vida incrível!

Dedico este livro aos meus três filhos: Arthur, Laura e Julia. Eles são minha faculdade e doutorado em emoções humanas todos os dias da minha vida.

Eu dedico e honro a minha amada mãe, em memória, Juraci Ourives, que sempre soube que eu iria brilhar. Meu pai Erevaldo Ourives, meu maior exemplo de vida, e minha família linda, amo todos vocês.

Todo meu amor e carinho à minha equipe de trabalho que, carinhosamente, chamo de Equipe de Luz, porque vocês são, sim, a luz da minha vida. Vocês são a base de quem eu sou, por tamanha dedicação aos nossos alunos. Agradeço aos nossos mais de 2 milhões de seguidores de todas as redes sociais. Gratidão pelo amor de vocês. Sou grata e honro com todo meu carinho os nossos mais de 100 mil alunos, entre cursos gratuitos e pagos, por confiarem a mim tamanha responsabilidade e permitirem que eu fizesse parte de suas grandes transformações.

Agradeço a você que está lendo, pois sua vibração sintonizou com este livro e, sem nenhuma dúvida, ele só existe por você. Sempre acreditei que o mais importante não são os acontecimentos, sejam eles bons ou ruins, mas como agimos diante deles. Para mudar a minha vida e construir uma nova história de luz, eu precisava agir com amor. Deste amor, nasceu este livro, que já deixa seu recado no próprio nome, *DNA Revelado das Emoções*®.

Gratidão Editora Gente por confiar em mim. Honro imensamente essa parceria e confiança.

Um Beijo de Luz,
Elainne Ourives

SUMÁRIO

Prefácio 10

Introdução 13

CAPÍTULO 1

Decodificando as emoções 28

CAPÍTULO 2

Mapa da consciência – calibrando as frequências humanas para curar as doenças emocionais que causam o caos e a desordem 66

CAPÍTULO 3

Emoções de baixa vibração e suas consequências – como mudar esta realidade! 119

CAPÍTULO 4

Roda das emoções – compreendendo a roda das emoções de Plutchik 150

CAPÍTULO 5

Emoções humanas e a aplicação para aumento de frequência 175

CAPÍTULO 6

Fase I - Método de Blindagem Emocional 1.000 Hertz®
Coerência Cardíaca 211

CAPÍTULO 7

Fase II - Método de Blindagem da Frequência
Emocional 1.000 Hertz® 232

CAPÍTULO 8

Fase III - Campo Vibracional de Defesa 1.000 Hertz® 244

CAPÍTULO 9

Holo Cocriação® 1.000 Hertz para Sempre - Sua Vida
em Alta Frequência 251

CAPÍTULO 10

DNA Revelado das Emoções® - Ativação das Doze
Emoções de Alta Frequência para Cocriação de Sonhos
na Roda da Cocriação 261

Conclusão 272

PREFÁCIO

Certa vez, li algumas frases de Alberto Caeiro, heterônimo de Fernando Pessoa, que muito chamaram minha atenção. Elas diziam: "Preciso despir-me do que aprendi. Desencaixotar minhas emoções verdadeiras. Desembrulhar-me e ser eu, não Alberto Caeiro...";[1] e "Uma aprendizagem de desaprendizagem...".[2] Fez muito sentido citá-las aqui pelo fato de que muitas vezes é necessário desaprender, desapegar de tudo o que você acha que sabe, para receber o novo. Arrancar as máscaras, libertar-se de armaduras, permitir que suas verdadeiras emoções ganhem asas e reconectem-se com sua essência.

Desaprender para aprender é o que, em minha opinião, resume o significado da Holo Cocriação®. Desprogramar para programar uma nova realidade. Deixar aflorar o que estava escondido no mais íntimo dos pensamentos e sentimentos. E do que são feitas as emoções, senão de nossos melhores sorrisos, nossas lágrimas, nossas lembranças?

Falar sobre o que você vai aprender nesta leitura certamente vai parecer clichê ou demagogia pois, literalmente nada do que vai ver aqui pode ser explicado, precisa ser sentido, experienciado.

Por isso, escolhi prefaciar esta obra iniciando pela minha própria emoção. Emoção em ter recebido este convite. Emoção por fazer parte de mais uma construção que, sem dúvidas, vai impactar o mundo todo de modo inenarrável. Emoção por saber que cada letra impressa aqui tem significado de Amor, de Cura, de Proteção, de Iluminação.

Com muita honra apoio o fechamento de um ciclo, finalizo a trilogia que começou com *DNA Milionário*®, seguido do *DNA da Cocriação*® e agora o *DNA Revelado das Emoções*®. Três livros, três filhos, três motivos de orgulho e de extrema doação.

E o que significa Doação? Três sílabas que resumem um mundo de infinitas possibilidades e descrevem muito do que você vai encontrar nesta Jornada de pouco mais de duzentas páginas, mas que vai lapidar toda a sua vida, pois como a Elainne ensina, "Doar é o mesmo que receber".

Aprender a receber é fundamental para fluir o processo de cocriação. Por isso, minha alegria multiplica ao poder doar minhas palavras em formato de amor e profunda gratidão por estes quinze anos de parceria e fortes emoções. São muitas histórias, muitos tropeços, muitas conquistas, muito trabalho... E a certeza de estarmos seguindo uma única missão: transformar vidas, ajudando cada um na descoberta de sua real essência.

Foi com essa virada de chave que Elainne compreendeu o sentido da vida – da própria vida –, e tornou-se um canal de transmissão de energia frequencial por meio de seus mais de vinte anos de estudos, pesquisas e experiências vividas. Não vejo no mundo alguém com tamanha capacidade e know-how para ser sua treinadora e mostrar a você como tudo pode ser direcionado pelas suas escolhas.

---

1 CAEIRO, A. Deste modo ou daquele modo. *In* CAEIRO, A. **O guardador de rebanhos.** 1925. Disponível em: http://www.dominiopublico.gov.br/download/texto/pe000001.pdf. Acesso em: 30 jul. 2021.

2 CAEIRO, A. O meu olhar. *In* CAEIRO, A. **O guardador de rebanhos.** 1925. Disponível em: http://www.dominiopublico.gov.br/download/texto/pe000001.pdf. Acesso em: 30 jul. 2021.

DNA Revelado das Emoções®, além de provar cientificamente que todos os seus sentimentos e pensamentos estão intimamente relacionados ao que vai projetar na sua vida, também discorre sobre a possibilidade real de mudança.

É um manual, uma cartilha, uma Bíblia da Física Quântica, feita para que você carregue para todos os lugares e possa compreender qual a influência do campo emocional na construção de toda a sua vida. Você vai decifrar como as emoções, sentimentos, pensamentos e atitudes diárias interferem diretamente na realização dos seus sonhos, e como manifestar todo o seu poder interior, criando uma nova realidade, acessando o seu Eu Ideal, seu melhor Potencial Futuro. Essa é uma informação que não pode ser apenas percebida, necessita ser interiorizada de fato. Precisa fazer parte das suas células e do seu coração.

DNA da Cocriação®, best-seller da autora e um dos mais vendidos do ano de 2020, teve como estudo principal o Desdobramento Quântico do Tempo. Nesta nova obra, há um diferencial: já conta com conteúdos das novas formações da imparável Elainne Ourives, realizadas no Instituto HeartMath, onde obteve a comprovação da existência da coerência harmônica, que é o alinhamento entre mente, coração e corpo.

Com base em exercícios, técnicas e fundamentos científicos, você vai conseguir decodificar a verdadeira função de cada emoção. Além de intensificar o estudo promovido pela Escala de frequências das emoções do cientista e psiquiatra David Hawkins; você terá acesso à Roda das Emoções, desenvolvida pelo psicólogo Robert Plutchik, que traduz a psicologia e a história da formação dos sentimentos. A teoria de Plutchik defende a adaptação de seres humanos e animais ao meio em que vivem, baseada no fato de que as emoções apresentam funções concretas que se relacionam e promovem a sobrevivência e a adaptação.

Você vai decifrar o código das emoções primárias e secundárias. Quer um spoiler que vai deixá-lo muito curioso e fazer com que não queira parar de ler? Lembra da tabela periódica que você estudou na disciplina de Química na escola? Ela é organizada pelo agrupamento de elementos com propriedades comuns. Por exemplo, a junção de duas moléculas de Hidrogênio + uma molécula de Oxigênio forma a água (H_20), certo? Nesta leitura, você vai compreender que nossas emoções funcionam exatamente da mesma forma. É possível unir a vibração de sentimentos e emoções de alta frequência – como Amor e Alegria –, para expandir e alterar a realidade. Esse processo é simplesmente magnífico.

Dessa união, formam-se as díades, que permitem que você passeie por suas emoções, despertando a impressão de que pode alterar tudo. É neste ponto que vai descobrir como eliminar sentimentos de baixa frequência, como medo, angústia, tristeza, depressão, vitimização, culpa etc. A partir desse aprendizado, vai entrar no mundo da cocriação instantânea, outro grande trunfo desta leitura.

"Meu Deus, mas o que são díades? O que é cocriação instantânea? Como eu posso fazer tudo isso?" Ah, você nem imagina quanto aprendizado vai receber aqui! Está sentado em um lugar confortável e tranquilo? Faça isso, pois não perde por "continuar"!

Vai descobrir segredos nunca revelados a respeito da cocriação de sonhos, acessar um conhecimento exclusivo que Elainne intitula como "Não Eu". São aqueles minutos onde simplesmente parece que o tempo congela. Quando você consegue, de fato, alinhar mente, corpo e coração, saindo da identificação do corpo e transformando-se no seu próprio sonho. Uau, parece que ouvi Elainne dizendo "Bingooo!". Quando as horas parecem minutos e não percebe o tempo passar, parece que saiu do próprio corpo para acessar uma nova dimensão.

Nesse ponto do livro, vai se deparar com uma grande revelação. Qual é a emoção que atinge a Frequência 1.000 Hertz, a mais poderosa frequência do alinhamento central? Como é possível acessá-la? Como alterar a polaridade das emoções? Escreva o que estou dizendo, essa informação vai mudar o rumo da sua história. Você vai receber ainda, os Algoritmos Secretos do Universo para Cocriação de Sonhos, que vão transportá-lo para um conhecimento extremamente relevante, tanto para o que vive hoje quanto para o destino que deseja alcançar.

A obra inteira é repleta de surpresas. Cada capítulo faz uma junção perfeita com o anterior, transformando o livro em uma envolvente história de despertar de consciência. Quando compreender que sua mente é infinitamente mais complexa e divina do que pode imaginar, vai ser como uma combustão. Uma explosão de ideias, aspirações e vontade de aplicar tudo imediatamente para entrar em total conexão com quem você realmente pode ser.

Não há como sair deste livro sem a total certeza do verdadeiro significado de "ser para ter", pois você vai decifrar os segredos das suas emoções e utilizar o poder oculto trazido do inconsciente e do núcleo do seu DNA Emocional, e alcançando por meio do Método de Blindagem da Frequência Emocional 1.000 Hertz®, para criar a realidade que deseja.

Mas para que isso ocorra, precisa entender a origem das suas dores, da sua confusão mental, dos sofrimentos e conflitos que guarda internamente e das suas dificuldades em persistir e tirar projetos do papel. É preciso compreender qual é o seu verdadeiro estado emocional para, então, alinhar sua frequência com uma mentalidade de sucesso e alterar seus padrões energéticos.

A partir desse ensinamento avançado, vai aprender a elevar sua frequência e sua vibração. O *DNA Revelado das Emoções®* é um livro que vai prender sua atenção do início ao fim, fazendo você viajar até outras esferas. Prepare-se, pois eu tenho certeza de que quando iniciar, não vai conseguir para de ler, pois vai querer descobrir, o mais breve possível, como se tornar o protagonista da sua vida. Aproveite, desfrute sem moderação e tenha uma extraordinária vida.

Minha irmã de alma, receba todo o meu amor e minha gratidão por me permitir fazer parte dessa história, por me envolver em tantos projetos grandiosos e engrandecedores que me transformaram no que sou hoje. Me redescobri como pessoa e como profissional, compreendi que não existe vida sem missão. Falar sobre emoções é transcrever a nossa história e é impossível não reviver cada momento ao escrever este prefácio, que me transportou a uma viagem no tempo. Relembrar dos inúmeros dias em que o almoço era um sanduíche, ou de nossas viagens a trabalho, dormindo em hostels, o medo de barrarem nossas malas no aeroporto, lotadas de produtos vibracionais...

Foram tantos desafios, que só me fazem sentir ainda mais orgulho e admiração. Orgulho por conhecer suas raízes, por acompanhar sua trajetória e saber que teu sucesso é completamente merecido. Obrigada por me fazer sentir mais viva, unindo meu propósito ao seu e edificando minha alma. Te amo!

Jaqueline Bresolin
Diretora geral da Hertz Academy

INTRODUÇÃO

Eu poderia dizer que o objetivo deste livro é dividir com vocês minhas pesquisas e aprendizados sobre assuntos que sempre me fascinaram: a mente humana, o mundo secreto das emoções e o poder de cocriação. Isso porque, por meio dos meus estudos sobre Frequência Vibracional®, fundamentados na Física Quântica e nas Neurociências, você vai entender como o que você pensa hoje determina o que vive amanhã. Com esse objetivo, eu criei o movimento Holo Cocriação®, um estilo de vida pelo qual você vai se apaixonar e com certeza vai cocriar para sua vida.

Dividir meus trabalhos científicos com o mundo é um dos propósitos essenciais deste livro. Mas, além disso, o conteúdo que trago nesta terceira obra publicada é muito mais profundo e libertador. Nele, você vai encontrar a verdadeira cura das feridas emocionais e de todo sentimento de dor que há na sua criança interior, como culpa, tristeza, vergonha, ansiedade, depressão, desânimo, escassez, angústia, preocupação, luto, reclamação, julgamentos, condenação, melancolia, preocupação, ansiedade, desespero, baixa autoestima, falta de amor-próprio e de autoperdão.

A partir da Teoria Quântica e de um método poderoso, vou ensinar, ao longo do livro, a descobrir a fundo quais emoções dominam e interferem em sua existência. Além disso, você vai saber, com precisão científica, o que as emoções desestruturadas, incoerentes e desequilibradas causam em sua vida. O que, afinal, se pode provocar ao manifestar derrota, escassez, separação, fracasso, dívidas, doenças, traição, miséria, falência e todo tipo de contratempo em torno de você e de sua vida.

Nós vamos, juntos, dar um mergulho nas próprias emoções, nos níveis emocionais mais sutis, no *DNA Revelado das Emoções*® e em suas frequências emocionais, para encontrar a saída do labirinto mental que você mesmo criou. Analisaremos a fundo qualquer tipo ou gênero de problema que nesse momento possa estar prejudicando a cocriação dos seus maiores sonhos. Esse conteúdo vai ajudá-lo a manter e elevar sua frequência à dimensão 1.000 Hertz®, quando há o maior potencial efetivo de cocriação universal, direto no campo de infinitas possibilidades.

Para isso, eu desenvolvi o Método de Blindagem da Frequência Vibracional® 1.000 Hertz®. O modelo está divido em três fases de ativação:

FASE 1: Coerência Cardíaca e Harmônica – Limpar e Aumentar;
FASE 2: Emosentização Hertz® – Alinhar e Manter;
FASE 3: Blindagem Emocional 1.000 Hertz® – Blindar e Proteger.

A aplicação dessa tríade poderosa vai auxiliar na limpeza e na blindagem das emoções, assim como trazer a cura e a reprogramação de baixa frequência e promover o seu alinhamento vibracional instantâneo, quando mente (pensamento), coração (emoção) e corpo (fisiologia) entram no estado de pura harmonia. CORAÇÃO, CORPO E MENTE em mesma sintonia de expansão de poder para cocriar.

Diante disso, o Método de Blindagem Emocional 1.000 Hertz® vai produzir a emoção acelerada necessária para entrar em coerência harmônica e ativar o processo de mudança de vibração por todo o seu sistema emocional e energético. Ou seja, o método vai mudar suas emoções para alterar a realidade e vibrar na frequência de luz 1.000 Hertz®.

O conteúdo do livro converge com tudo o que decodifiquei no Universo e com o processo da Holo Cocriação®. Todos esses fatores são essenciais para nos tornarmos cocriadores de sonhos e curarmos nossas feridas emocionais. Por isso, vou ensinar técnicas e meditações simples, capazes de projetá-lo para além dos limites das suas crenças, convicções e emoções, permitindo reprogramar sua mente e emoções de maneira consciente e assertiva.

Meu objetivo é ensinar a criar novas redes neurais para Holo Cocriar® uma nova vida, mudar o passado e alterar seu futuro agora, a partir da mudança da vibração e da cura emocional, tornando-a cheia de saúde, alegria, amor, dinheiro, riqueza e sucesso para, finalmente, transformar o seu mundo dos sonhos em realidade.

Você vai aprender que, se quiser conquistar seus sonhos, precisará criar uma nova versão de si, ter uma nova vida, se desprogramar e parar de se identificar com o *Eu* presente, com seu tempo, seu ambiente, suas dores e com todas as circunstâncias da sua vida atual; e começar a se identificar com o novo potencial, aquele que está dentro da sua mente, só aguardando o seu despertar.

Para isso, eu vou apresentar o Mapa da Consciência Hawkins, que mostra como calibrar as frequências humanas para curar suas doenças emocionais. Você vai compreender o que é a emoção, qual a sua natureza, a sua força e o seu poder na manifestação da realidade. E o que são os campos de atração (poder) e os campos de retração ou repressão (força emocional), que você precisa conhecer para saber usar ou evitar ao cocriar seus sonhos.

Vou apresentar um estudo completo sobre a Roda das Emoções de Plutchik. Com ela, é possível compreender como as emoções são formadas e observar suas derivações em vários cenários atuais e históricos. Além disso, vamos entender o que existe por trás dos sentimentos mais intensos e profundos, numa análise minuciosa da psicologia das emoções humanas e você conhecerá a aplicação prática desse conhecimento para aumento de frequência.

Você vai compreender o que é a emoção, qual a sua natureza, a sua força e o seu poder na manifestação da realidade.

Você também vai aprender a acelerar suas Holo Cocriações® por meio de Algoritmos da Holo Cocriação® inéditos. Vai entender cientificamente por que é preciso agradecer antes da manifestação material do seu desejo, ou seja, agradecer a potencialidade do Campo Quântico como se já tivesse se manifestado na realidade física.

Além das explicações e práticas inéditas sobre o poder das Holo Cocriações®, vou descrever conceitos modernos e avançados da Física Quântica, associados ao tema central deste livro: Emoções.

Apresentarei uma prática poderosa para acelerar o ritmo da sua emoção e colocá-la em sintonia com o fluxo do Universo, até alcançar e ativar a Fórmula da Emosentização Hertz® para colapsar na velocidade 1.000 Hertz®.

Esse será o movimento necessário para acionar, de modo pleno, a fase total do Método de Blindagem da Frequência Vibracional® 1.000 Hertz®. Com certeza você vai acessar uma ferramenta de potencial infinito, que multiplicará e potencializará, ilimitadamente, sua capacidade para cocriar, em alta voltagem, a partir da cura emocional, do aumento da Frequência Vibracional® e da expansão de sua consciência universal.

Todo o conteúdo será apoiado por técnicas exclusivas apresentadas em imagens, gráficos e boxes explicativos, e por vários conceitos científicos. Vamos juntos aplicar técnicas exclusivas para potencializar a sua energia emocional. Você será capaz de ajustar comportamentos emocionais para acelerar a manifestação de seus desejos, com autoconsciência, amor, afeto e alegria, utilizando o Método de Blindagem da Frequência Vibracional® 1.000 Hertz®.

Meu desejo é que você tome consciência de suas emoções e comportamentos diários para que aprenda mais sobre a influência das emoções vibracionais, sobre como blindar seu campo, sua frequência, curar suas feridas emocionais e, assim, cocriar a vida dos sonhos. Será uma jornada de imersão em sua vida, apoiada pelos estudos da cinesiologia, Frequência Vibracional®, epigenética e da neurociência.

Você vai descobrir quais comportamentos e atitudes aumentam sua frequência ou reduzem a vibração do seu campo instantaneamente. O que expande ou retrai seu campo de força, criando uma nova versão de você, um novo Eu Ideal, a partir de um campo de alta frequência, em estado harmônico.

Verá tudo que adere à fisiologia emocional e comportamental criada por você, o que afeta a produção dos neurotransmissores de prazer e satisfação no cérebro. Descobrirá sobre a vibração no corpo e no sistema relacional de cada um, da onda de energia emanada pelo coração ao Universo por meio do sentimento e, consequentemente, da sinergia necessária para a criação da realidade material.

Você vai desvendar o que é negativo e positivo, caos e ordem, força e poder, para cocriar emocionalmente e vibracionalmente, a matriz de seus próprios sonhos a partir do estudo prático deste livro. Serão apresentados gráficos, tabelas, anotações e dicas quânticas para manter a frequência emocional em harmonia com o Universo, estabelecendo, ainda, uma profunda conexão entre as emoções de afeto e de abundância, para acelerar todo o processo de cocriação de sonhos.

Meu desejo é que você tome consciência de suas emoções e comportamentos diários para que aprenda mais sobre a influência das emoções vibracionais.

Você compreenderá, ainda, a influência do estudo sobre a coerência cardíaca no ajuste vibracional e no alinhamento emocional necessário para formar a onda material de seu maior desejo.

Nos QR Codes ao longo do livro, você vai receber técnicas, práticas e exercícios para manter a frequência emocional blindada e elevar sua vibração até a chamada dimensão de 1.000 Hertz®. Nessa frequência, além de cocriar seus sonhos espontaneamente com a emoção certa, você se torna inatingível e impenetrável energeticamente, um verdadeiro Deus ou Deusa da Holo Cocriação®.

Prepare-se, pois o conteúdo a seguir traz um estudo completo e será um guia incrível para conhecer mais sobre as 48 emoções humanas e para aprender a usar os comportamentos atuais para elevar seu potencial energético, evitando qualquer desequilíbrio emocional, desalinhamento vibracional ou obstáculo comportamental contrário à cocriação da realidade sonhada.

Vamos decodificar vinte senhas para elevar a frequência e os 26 passos para a cocriação emocional da realidade, sempre validando comportamentos emocionais de poder no dia a dia para manifestar (cocriar) o que você busca no mundo ou evitar bloqueios.

SEU CÉREBRO

É importante saber ainda que o seu cérebro está envolvido em tudo o que você faz, desde seus pensamentos, sentimentos e emoções até a maneira como você age e se relaciona com os outros, de modo que, quando o cérebro está em equilíbrio, harmônico e funcionando bem, você também funciona melhor, com mais equilíbrio e em harmonia com tudo e todos. Por isso, quanto melhor for o funcionamento do seu cérebro em estado de bem-estar e prazer, maior é a sua capacidade de ser feliz, saudável, criativo e próspero. Quanto maior a coerência harmônica entre emoções, pensamentos e fisiologia, mais elevada será a frequência.

Ao longo de sua vida, desde o ventre de sua mãe, podem ter ocorrido diversas situações que comprometeram o funcionamento saudável do seu cérebro, como traumas físicos (pancadas), feridas e traumas emocionais do passado e os pensamentos negativos do presente. Essas feridas levam a um estado de caos e desordem que coloca sua vida e sua felicidade em risco, pois sintonizam mais eventos correspondentes a essa vibração de desequilíbrio.

Seu cérebro é como um computador, possui um *hardware*, que é efetivamente a parte física, e um *software*, que corresponde às programações instaladas nele ao longo da vida.

Quando esses programas negativos que "rodam" no seu cérebro são decorrentes de eventos traumáticos, de memórias de dor e de crenças limitantes, a fisiologia do cérebro fica comprometida e você não consegue cocriar seus sonhos. Você somente cocria mais desses traumas e sentimentos negativos, pois, inconscientemente, está programado para viver conforme as dores do seu passado. Como sempre digo: bingo!! O resultado é a expressão de vibrações de baixa frequência em volta do seu campo. Consequentemente, mais e mais problemas são materializados por você mesmo.

O CAMINHO DA MUDANÇA

Obviamente, os altos e baixos fazem parte da vida, todos temos dores do passado, mas o que nem todo mundo sabe é que é possível reprogramar tudo isso, curar as feridas emocionais e alterar essa realidade para, literalmente, mudar toda sua vida, abandonando essas dores decorrentes de experiências ruins que ficaram implantadas no cérebro, e transformá-las em conhecimento. Aí sim, você acessa a tão sonhada sabedoria, um novo estado mental que o torna um verdadeiro Holo Cocriador®, o dono da sua vida e de suas emoções.

Para alterar a realidade e criar um Novo Humano dentro de você, é preciso passar pelo desconforto da mudança. Entretanto, somos resistentes a transformações, só decidimos mudar quando acontece alguma coisa muito impactante, algo como uma dor muito grande, um acidente, uma situação de desemprego, uma dívida, uma separação, um diagnóstico de doença grave, um trauma ou uma perda muito significativa.

Frequentemente, é preciso um grande choque: o famoso "aprendizado pela dor". Talvez você tenha chegado até aqui por meio de uma dor assim. Esta é a natureza humana: esperamos inconscientemente por uma grande dor para, finalmente, permitirmos nos abrir para a mudança e começar a olhar para quem somos, o que sentimos, o que fazemos, o que acreditamos e como vivemos.

Mas você não precisa esperar que uma tragédia ocorra para sair da inércia. Você tem a opção de escolha e pode decidir agora mesmo encarar o incômodo e sair da zona de conforto, romper com hábitos, crenças, padrões e rotinas!

Para que mudanças efetivamente ocorram, você precisará se dedicar, e ser capaz de renunciar a quem você é agora e a realidade que está vivendo hoje, ou seja, você precisará abrir mão dos programas automáticos que rodam na sua mente e estão cocriando mais das mesmas situações. Se você quer ter uma nova vida e ser um Novo Humano, precisará se tornar uma nova pessoa!

Para alterar a realidade e criar um Novo Humano dentro de você, é preciso passar pelo desconforto da mudança.

Com uma mudança no mundo interior das suas emoções, por meio do alinhamento consciente (coerente e harmônico) de seus pensamentos, sentimentos e da vibração do corpo, você começará a perceber sinais de mudanças no seu mundo exterior instantaneamente, o que provará que você pode alterá-lo com sua mente, mas saberá que a mudança externa pressupõe uma mudança interna prévia. Ou seja, a cura emocional, comportamental e energética.

Para mudar, você precisa aprender a não permitir que os acontecimentos da sua realidade controlem a maneira como você pensa, sente e age. Para tal, como ensinam o neurocientista Joe Dispenza e o biólogo Bruce Lipton, ambos estadunidenses, é necessário dominar o corpo, o ambiente e o tempo, pois o processo de mudança consiste basicamente em transcender as reações emocionais automáticas memorizadas com base nas experiências do passado, o que significa parar de revisitar e reviver o passado com seus pensamentos e deixar de criar o seu futuro com base nas experiências do passado, de modo a permitir que o novo se manifeste.

Para lhe orientar no caminho da mudança, eu criei uma metodologia, o Método de Blindagem Emocional 1.000 Hertz®, dividido em três fases. Por meio dele, você vai entrar em um processo de mudança mental e emocional que começa internamente e irá espelhar o seu mundo externo, sua realidade, seu corpo e seu tempo. Em resumo, você vai aprender o que fazer para deixar de ser você e se tornar um Novo Humano, um Holo Cocriador®, e viver em uma nova realidade, uma nova emoção, uma nova vibração, totalmente alinhado com o sucesso e com a realização dos seus sonhos!

Nos primeiros capítulos, você vai adquirir os conhecimentos necessários para entender como é possível fazer tamanha mudança. Nos capítulos posteriores encontrará ferramentas, métodos e técnicas para levar o conhecimento até a experiência e executar a mudança em seu corpo, especialmente por meio de uma meditação quântica guiada por mim, a DNA Emotion Healing®, uma ferramenta de reprogramação emocional destinada a Holo Cocriar® uma nova versão de você por meio do aumento da Frequência Vibracional® e da reprogramação das emoções.

ENTENDENDO O CAMPO INVISÍVEL DE ENERGIA POTENCIAL

Antes de seguir para os capítulos iniciais, quero que compreenda alguns fundamentos importantes, pois serão a base para compreender o método e toda a dinâmica da cocriação em alta frequência. De acordo com a Física Quântica, nós somos parte de um imenso campo invisível de energia que contém todas as realidades possíveis e que responde à nossa consciência, aos nossos pensamentos e aos nossos sentimentos. Isto é, responde ao poder do observador da realidade, conceito que vamos aprofundar em breve, quando você descobrir o que fazer para cocriar a realidade que deseja viver e como se tornar quem quer ser.

Segundo a Física Quântica, os átomos são predominantemente constituídos de energia: eles possuem 99,99999% de energia e 0,00001% de matéria, ou seja, são praticamente "nada" de matéria, mas potencialmente são "tudo". Sabendo disso, até parece irônico o fato de focarmos toda nossa atenção a esse mísero 0,00001% que representa a realidade física.

Com certeza uma das mais incríveis descobertas da Física Quântica é de que, no mundo subatômico, a atividade dos elétrons é extremamente volátil: eles aparecem e desaparecem a todo momento, ora se manifestando como partícula, ora como onda, conforme a consciência que os observa.

Em outras palavras, os elétrons existem simultaneamente enquanto onda e partícula nas infinitas possibilidades ou probabilidades desse campo invisível de energia. Somente quando são observados é que se apresentam na realidade material, no espaço-tempo, pois a energia reage à consciência e à atenção do observador, tornando-lhes matéria. Esse fenômeno, que foi explicado nos meus livros anteriores, *DNA Milionário*® (Gente, 2019) e *DNA da Cocriação*® (Gente, 2020), é conhecido por Colapso da Função de Onda.

Se tudo no Universo é feito de átomos, se os átomos contêm elétrons e se os elétrons existem como ondas de potencialidade infinita quando não são observados, isso significa que, ao mesmo tempo, são potencialmente *tudo* e *nada*. Então, tudo aquilo que podemos imaginar para o nosso futuro já existe como possibilidade no Campo Quântico. Somos, portanto, capazes de observar e colapsar um número infinito de possibilidades.

Sabendo disso, imagine tudo o que você poderá ser, ter e fazer quando aprender a usar sua consciência para sintonizar e colapsar em matéria as ondas infinitas de probabilidades, de acordo com a realidade que você escolher?

ASSINATURA VIBRACIONAL

Todos nós temos a capacidade de colapsar as ondas e cocriar o que desejamos, isto é, temos a capacidade de afetar a energia dos átomos para que se materializem simplesmente porque nós também somos energia e emitimos um padrão energético único, que é nossa Assinatura Vibracional – Assinatura Eletromagnética®, a qual transporta toda a informação correspondente a quem somos. Por isso, não holo cocriamos® o que queremos, mas sim, o que somos!

Nossa assinatura vibracional (nosso estado de espírito, alma) é formada pela soma vetorial das frequências em que vibramos por meio do nosso estado de ser, que é composto pelos nossos comportamentos, pensamentos, emoções e sentimentos. Também pelo que reclamamos e agradecemos, o que assistimos, falamos e ouvimos.

É por meio dessa assinatura vibracional que nos comunicamos com o Campo Quântico, que eu chamo de Matriz Holográfica®. Essa matriz só vai responder às nossas cocriações se nossas emoções e comportamentos, assim como nossos

Tudo aquilo que podemos imaginar para o nosso futuro já existe como possibilidade no Campo Quântico. Somos, portanto, capazes de observar e colapsar um número infinito de possibilidades.

pensamentos e sentimentos, estiverem alinhados em estado de coerência, ou seja, o Campo Quântico não responde ao que queremos de maneira consciente, e sim ao nosso estado de ser. Bingo! Por isso, você precisa mudar quem você é hoje!

Quando você está holo cocriando® e projetando suas visualizações, os seus pensamentos ativam as redes neurais no cérebro. Elas produzem descargas elétricas que sinalizam a liberação de substâncias químicas responsáveis pelas emoções correspondentes ao pensamento. Essas emoções despertam sentimentos que programam suas ações e que produzem cargas magnéticas, as quais, por afinidade subatômica, unem-se às descargas elétricas dos pensamentos e, assim, formam o seu campo eletromagnético, a partir do qual é emitida a frequência com as informações correspondentes ao seu estado de ser, que é o seu "código de barras vibracional" que será lido pelo Universo.

Portanto, você tem um campo eletromagnético ao seu redor que emite uma assinatura vibracional, assim como todas as infinitas possibilidades do Campo Quântico da Matriz Holográfica® também existem como assinaturas eletromagnéticas. Desse modo, neste Universo de infinitas realidades, existe uma assinatura eletromagnética que corresponde a uma realidade em que você é rico, saudável, bem-sucedido e tem a vida dos seus sonhos pois, na Matriz Holográfica®, seus múltiplos Eus do Futuro® estão vivendo, agora e simultaneamente, todas as realidades emaranhadas, o que o torna um Holo Cocriador® de tudo!

A vida que você tanto deseja já existe em potencial infinito, como uma frequência de energia que está lá, esperando você mudar suas emoções e alterar sua vibração, para que seu novo estado de ser emita a frequência correspondente, ressonante com seu campo eletromagnético e se alinhe com o campo do seu Eu do Futuro® agora!!!

Explicando de maneira mais simples: se sua assinatura emocional é criada pela soma dos elementos que compõem seu estado de ser, então você precisa se tornar, antecipadamente, aquilo que deseja Holo Cocriar®: você precisa encontrar uma nova versão sua, um novo modo de sentir e pensar que lhe permita emitir a frequência correspondente à realidade que deseja materializar.

Se você deseja uma nova realidade e uma nova vida, jamais conseguirá pensando, sentindo e agindo do mesmo jeito de sempre. Você precisa primeiro mudar quem é para se tornar quem quer ser.

Na linguagem da Física Quântica, isso quer dizer que você precisa gerar uma nova assinatura eletromagnética. Este livro vai ensinar exatamente o que fazer para emitir uma nova assinatura capaz de vibrar em ressonância com a frequência da realidade potencial que você deseja Holo Cocriar®.

SINAL COERENTE

Para conseguir gerar essa nova assinatura, você precisa enviar a frequência correta, o sinal coerente, para possibilitar que os picos e vales das duas ondas (a sua e a da realidade desejada) entrem em fase com o Universo. Bingo! Quando as ondas coerentes entram em fase, elas se tornam muito mais poderosas.

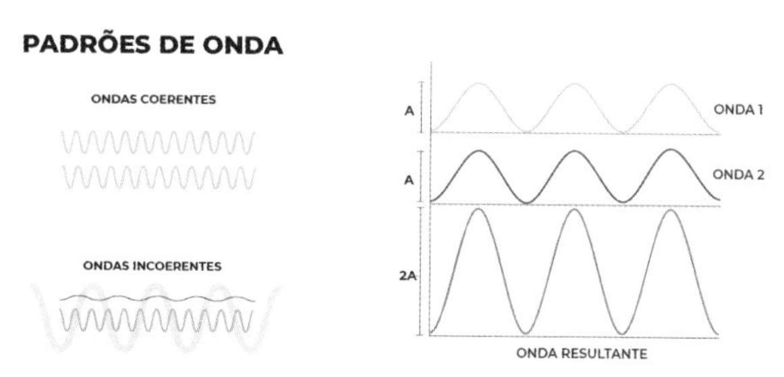

Duas ondas coerentes entrando em fase

Do mesmo modo que duas ondas coerentes entram em fase, sua assinatura vibracional, ou seja, seus pensamentos, sentimentos e comportamentos, quando coerentes, isto é, alinhados na mesma frequência, transmite um sinal eletromagnético mais forte, capaz de sintonizar a realidade potencial correspondente aos seus desejos e, assim, você sintoniza e acessa a realidade que deseja.

Por exemplo, se você deseja Holo Cocriar® riqueza, não adianta pensar em riqueza, mas sentir pobreza e agir como pobre ou ficar paralisado, pois assim você não atrairá prosperidade financeira. O pensamento tem uma frequência diferente do sentimento e da ação, formando um conjunto desarmônico, ou melhor, incoerente.

Quando seus pensamentos, sentimentos e comportamentos têm direções diferentes, sua mente se encontra em oposição ao corpo e, assim, o campo da Matriz Holográfica® não responde de maneira coerente. Quando estão alinhados, você entra em um novo estado de ser e envia um sinal coerente e correto para o Universo.

O PROCESSO

Todo esse processo de Holo Cocriação® de sonhos tem uma regra muito importante: você não pode ficar preocupado ou ansioso tentando prever a *forma* como suas novas cocriações se manifestarão, é preciso renunciar ao controle e permitir que a inteligência do campo possa agir na benevolência do Universo.

Tudo que você precisa é ter uma intenção clara (pensamentos) sobre o que quer, sentir a emoção do estado desejado, cultivar sentimentos coerentes e agir de acordo com esse sonho, renunciando ao controle e deixando os detalhes do *como* para o Universo. Assim, você se torna um Holo Cocriador® Quântico, que deixa de ser regido pela causalidade do mundo material e passa a reger a própria realidade.

GRATIDÃO ANTECIPADA

Se você sentir sofrimento ou escassez, acaba transmitindo essa assinatura energética para o campo, e a Inteligência da Matriz Holográfica® enviará situações para validar, confirmar e reforçar esses sentimentos negativos em *looping* infinito. Entretanto, ao agradecer antecipadamente, você emite um sinal de vibração presente e a Matriz Holográfica® sintoniza os acontecimentos, eventos e circunstâncias correspondentes a essa vibração.

Por meio da gratidão antecipada, transmitimos para a Matriz Holográfica® o sinal de que o evento desejado já ocorreu, que já faz parte de nossa realidade presente e o campo eletromagnético traz mais do mesmo. Bingo!

O *DNA Revelado das Emoções*® ensina exatamente isso: você só precisa mudar sua realidade interna (emoções) antes de experimentar as provas materializadas da mudança por meio dos seus cinco sentidos físicos. Viver como se o seu desejo já fosse realidade é um estado de ser; viver como se seus sonhos já fossem realidade é o que este livro ensina e você poderá experienciar e treinar isso em cada página.

A IMPORTÂNCIA DA CONSCIÊNCIA

Para se tornar um Holo Cocriador® Quântico, você não pode usar os cinco sentidos (olhos físicos/externo), mas a sua consciência (olhos da alma/interno). Os seus sentidos são limitadores, pois não são capazes de acessar as infinitas possibilidades que existem e apenas mostram a realidade desagradável em que você se encontra agora.

Os seus sentidos apenas mostram como você *está* e não o que você *é*. A Física Quântica não trabalha com sentidos, apenas com a consciência, de modo que, no processo de Holo Cocriar® uma realidade futura, os nossos sentidos são os últimos a experimentar aquilo que a mente criou.

Quando somos Holo Cocriadores® dos nossos sonhos, a última coisa que fazemos é experimentar a realidade com os sentidos porque, no mundo quântico, a realidade é não sensorial, nele não existem corpos, apenas ondas e energia.

Por isso, se você deseja se conectar com essa realidade imaterial, precisa esquecer temporariamente que tem um corpo, um nome, um endereço, precisa se despir de tudo isso e se sentir ou ser apenas onda e energia; precisa transferir sua consciência para além do mundo exterior, ou seja, se dissociar de todas as coisas com as quais se identifica enquanto corpo e matéria e se sentir verdadeiramente energia; você precisa se tornar menos matéria e mais energia. O estado profundo de meditação é um bom exemplo de quando uma pessoa perde a noção de espaço e tempo. Bingo!

No momento em que, no mundo interno da sua imaginação, você visualizar e então vivenciar o seu Eu Ideal do futuro, você precisará estar totalmente presente, ignorando seu mundo exterior e perdendo a noção de tempo para se tornar *consciência pura*. Se o mundo subatômico do Campo Quântico é pura consciência e energia, então a única forma de acessá-lo e sintonizá-lo é sendo uma consciência sem corpo, pura onda e energia.

Ao agradecer antecipadamente, você emite um sinal de vibração presente e a Matriz Holográfica® sintoniza os acontecimentos, eventos e circunstâncias correspondentes a essa vibração.

Nas próximas páginas, vou ensiná-lo a fazer isso intencionalmente por meio das minhas técnicas Holo Cocriadoras® e, então, você será capaz de acessar o campo da Matriz Holográfica®, pois ele existe para além do tempo e do espaço e tudo que precisa fazer é entrar em um estado equivalente. Você saberá como entrar propositalmente no estado de consciência de cura a partir do qual todas as suas Holo Cocriações® se realizam.

AS EMOÇÕES

Tudo isso é possível porque, no centro da cocriação da realidade, todas as emoções interagem e se expandem a partir do Universo interior de cada um, do íntimo de cada pessoa, pois tudo se manifesta por meio das nossas emoções conscientes ou inconscientes, de sentimentos, de cada atitude ou comportamento emocional cotidiano.

Toda a realidade é arquitetada e construída desta forma: a partir de uma sensação interna, de alguma emoção contagiante, daquilo que vibra e pulsa no campo eletromagnético do coração. É disso que precisamos tomar consciência, assumir o controle e calibrar, todos os dias, para vivermos em um estado de paz, harmonia, coerência e esperança universal.

O que você sente, você cocria, invariavelmente. O sentimento ou a emoção gera a força vibracional para produzir hologramas da realidade, que permitem a qualquer pessoa transformar a própria existência e dar um contorno diferente às diretrizes do destino.

São os seus comportamentos emocionais que condicionam ou expandem as possibilidades da sua vida, que geram a bioquímica no cérebro, a onda frequencial, ou ativam o poder da visualização (imaginação) no processo, reconhecido pela Física Quântica como Colapso de função de onda.

Esse é o mistério da vida revelado! A realidade maior e fundamental é criada com o poder da emoção. Quando duas ondas entram em fase, integram-se quanticamente e se fundem em uma mesma sintonia energética; quando a onda emitida por você se une à onda original de Deus; quando dois se transformam em um; quando sua mente emocional e inconsciente entra em plena harmonia com a frequência de Deus, forma, assim, a gama e o molde dos seus sonhos.

Emoção, pensamento e comportamento são os alicerces quânticos para formar o esquadro de cada evento, acontecimento, episódio ou encontro no Universo. As consciências se relacionam, dessa forma, por sinergia emocional e vibracional.

É essa sinergia que dá a liga e provoca a comunicação entre as partículas subatômicas, formando a argamassa da realidade e o palco do mundo no plano físico. A emoção é o combustível para todo o movimento cósmico, para toda criação e toda interação, independentemente da escala ou da intenção.

O pensamento é a razão, o comportamento a ação; e são elementos necessários para criar versões do presente e do futuro desejado ou mesmo para alterar bases comportamentais e crenças desconfortáveis do passado. O mundo é uma criação mental que passa pela força da emoção emanada por cada coração, e essa criação está apoiada ainda na interpretação emocional ou estado de percepção. Afinal, sem dúvida alguma somos um estado de percepção quântica e emocional.

Em todo o processo, a razão (pensamento) é apenas um argumento lógico para equalizar a conta toda, para tentar metrificar e quantificar a matemática do Criador, a química de Deus, a arquitetura do Universo. Por isso, você cria ou cocria – termo que vou explicar e desdobrar mais à frente – com o coração e com seu impulso frequencial por meio do amor, do humor do sentimento e da sua emoção maior.

Daquilo que mais vibra intensamente no seu peito, que faz você se encher de alegria, entusiasmo, fé, afeto, paixão, carisma, coragem e harmonia. Algo que ilumina de dentro para fora e faz seus olhos brilharem como o cintilar das estrelas. É isso que você precisa compreender e aceitar neste momento: sua vida depende do seu comportamento emocional, do que faz você sonhar, sorrir, desejar e ousar, de como suas emoções e suas atitudes funcionam. É isso que gera a energia de combustão para materializar a realidade que você tanto sonha.

Toda a realidade é arquitetada e construída desta forma: a partir de uma sensação interna, de alguma emoção contagiante, daquilo que vibra e pulsa no campo eletromagnético do coração.

O CAMINHO DA PROSPERIDADE

Além de ajudar a conhecer suas emoções, seus comportamentos emocionais e a influência dessas vibrações para manifestar seus desejos no mundo, eu quero indicar o caminho da prosperidade em todas as áreas e possibilidades, algo que também está implícito e íntimo à sua emoção interior, ao seu estado de ser, abundante ou não.

Conforme vou especificar mais nesta obra, a primeira ação necessária para você prosperar e ser abundante é se sentir dessa forma, confiante em todas as coisas do Céu e da Terra. O sentimento ou emoção da abundância traz o sucesso que se espera receber, e isso é o que chamo de efeito de ressonância eletromagnética ou entrelaçamento quântico, ou seja, emoção gera mais emoções com a mesma vibração e frequência.

EMOSENTIZAÇÃO®

Como suas emoções estão no comando – seja de modo consciente ou mesmo inconsciente – para criar a realidade, você precisa potencializar a emoção e acelerar esse movimento, ou seja, a expansão da sua onda emocional ou informacional no Universo. Você aprenderá isso no decorrer do livro, quando conhecer a fórmula da Emosentização®, que significa, basicamente, acelerar a potência vibracional da emoção. Essa fórmula representa a Fase 2 do Método de Blindagem Emocional 1.000 Hertz®.

Ao acelerar sua emoção intencionalmente, você também aumenta suas probabilidades quânticas para cocriar ou produzir seus sonhos no campo das infinitas possibilidades, direto do Vácuo Quântico ou da Matriz Holográfica®, como prefiro nomear.

Para explicar melhor, o Universo vibra em uma frequência elevada, acima de 500 Hertz de potência. Essa mesma frequência acompanha o fluxo do amor, pois vibra na mesma velocidade e, por isso, para sintonizá-la, é preciso estar na mesma frequência, no mesmo movimento, experimentando a mesma sensação e o mesmo poder.

Porém, essa fórmula não é o ponto central do livro, ela é apenas um aspecto importante, a fase inicial de toda a mudança de realidade e das suas emoções. O meu objetivo principal é ensinar a utilizar suas emoções de uma forma muito mais inteligente e autoconsciente para curar suas feridas e dores emocionais e entrar no processo da cocriação da realidade, razão pela qual você será apresentado ao Método de Blindagem da Frequência Vibracional® 1.000 Hertz®.

Você vai descobrir como identificar seus pontos de dor, suas emoções de baixa frequência – as chamadas doenças emocionais –, as díades das emoções primárias e secundárias, e o que o tem deixado emocionalmente enfermo. Vai aprender o que precisa fazer para se libertar da culpa, do medo, da escassez, da falta de perdão e de todo e qualquer vício emocional.

Você vai conhecer e ser convidado a praticar, em três fases distintas, o Método de Blindagem 1.000 Hertz® para expandir e proteger sua frequência emocional em menos de vinte e quatro horas!

Por meio desse método incrível que criei, com base em conceitos da Metafísica da Saúde, em conhecimentos extraídos da Física Quântica e em princípios da Holo Cocriação® da realidade, vou mostrar como proteger seu campo eletromagnético e manter o padrão elevado ao preservar sua frequência emocional sem qualquer oscilação no dia a dia, em um Campo Quântico harmônico e em fase com o Universo, pois o equilíbrio ou harmonia é a chave para o seu sucesso, para conquistar e cocriar todos os seus sonhos, para viver uma existência ilimitada de recursos, dinheiro, amor, felicidade e possibilidades.

Nessa metodologia, você vai passar, em uma das etapas principais, por sete dias de libertação, com um passo a passo descritivo para elevar e manter sua frequência emocional blindada. Você deve aplicar tudo como se estivesse adotando uma dieta emocional para manter a coerência harmônica das próprias emoções e para potencializar a vibração do seu Campo Quântico. Vou apresentar um protocolo de aplicação do método para mudar a Frequência Vibracional® e experimentar uma nova vida.

Vamos trabalhar juntos para compreender aspectos que podem aumentar ou diminuir sua frequência emocional, descobrir quais são as principais crenças e sabotadores que minimizam a força emocional do seu campo, decodificar e eliminar suas doenças emocionais, bem como analisar uma tabela exclusiva com as emoções consideradas inadequadas à expansão da sua consciência cocriadora.

Ao aplicar o conhecimento deste guia completo sobre as emoções humanas, você será capaz de ativar o poder máximo da sua consciência para cocriar uma nova vida em alta frequência, blindada energeticamente e alinhada emocionalmente com seus mais genuínos sonhos.

Talvez você tenha estranhado algum termo ou tópico mais científico que citei nesta introdução. Caso ainda não tenha familiaridade com a Física Quântica ou com os princípios mais avançados da ciência da criação da realidade, não se preocupe, pois vou conceituar e explicar vários termos ao longo do livro.

O mais importante aqui é você compreender, ou melhor, perceber, que o *sentir* é a razão da vida e da própria existência. Por isso, quero que tenha clareza para seguirmos com a leitura e a percepção nítida de que a vida representa a expansão de um sentimento maior.

Você deve aplicar tudo como se estivesse adotando uma dieta emocional para manter a coerência harmônica das próprias emoções e para potencializar a vibração do seu Campo Quântico.

Eu decodifiquei tudo com muito estudo, ao longo de anos e anos de pesquisas sobre a consciência, a mente humana e a Física Quântica. Tudo com base no poder da reprogramação mental e emocional, a partir dos princípios da cocriação da realidade, da minha auto-observação emocional, removendo camada por camada, casca por casca, ao aceitar e perceber as variações do meu próprio ego, curando minhas feridas emocionais e as dores da minha alma.

Decodifiquei, após passar por profundas transformações na minha consciência, e uma brusca mudança de comportamento emocional e de *mindset* - a forma como interpretava o mundo - ao aprender a sentir, se é que é possível racionalizar a própria emoção.

Valorizando meus próprios sentimentos, percebi, de fato, o que anulava os meus sonhos e não me deixava cocriar minha realidade por tantos anos. Compreendi o que me mantinha no caos e em profunda desordem, fora de alinhamento vibracional e emocional com o meu Eu Interior e com Deus, completamente falida, em uma vida de complicações em diferentes áreas.

Eu entendi, senti e percebi que todos aqueles problemas eram a expressão das minhas emoções negativas, das memórias do passado e de um contínuo estado de vitimização e culpa. Entendi que vibrava emoções densas que geravam frequências baixas em torno de mim, da minha consciência, do meu campo relacional e da minha aura de energia, impedindo, como se fosse um muro energético, o acesso ao espaço superior do Criador, ao campo amorfo do Universo, onde todas as possibilidades coexistem e podem ser manifestadas livremente por cada um ou, de acordo com a Física Quântica, pelo observador da realidade.

Toda minha experiência, acumulada por anos de estudos e pesquisas em Física Quântica, Neurociência, Cinesiologia, Epigenética, Fisiologia Humana, Desdobramento Quântico do Tempo, Hipnose e Reprogramação Mental, Emocional e Vibracional, me deram o *conhecimento* necessário para ser a sua treinadora.

Além de todo esse conhecimento teórico, eu vivenciei tudo na pele. Saí de uma morte em vida, de cinco tentativas suicidas e de 700 mil reais em dívidas para uma vida de prosperidade! Todas essas experiências me acrescentaram a *sabedoria* necessária para ser sua mentora emocional neste verdadeiro manifesto de cura e libertação do ser que apresento aqui.

Um beijo emocional de luz!!!
Elainne Ourives

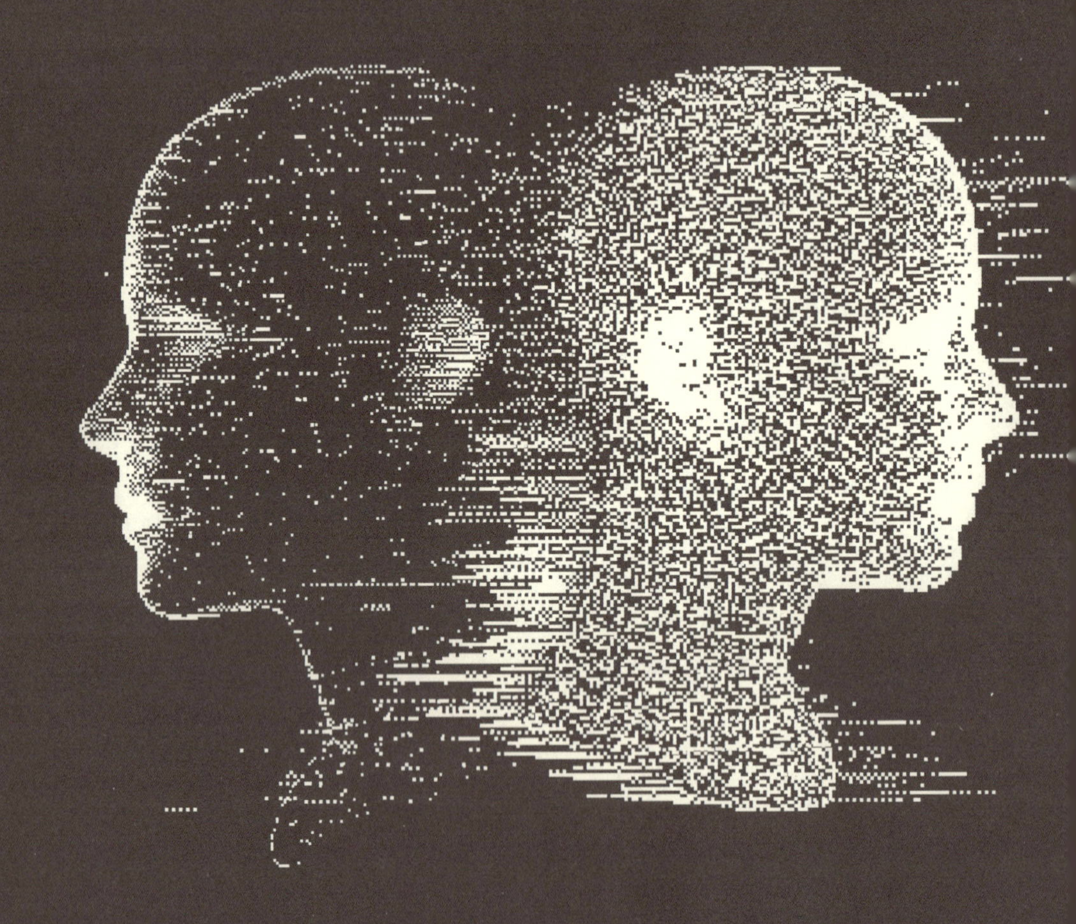

CAPÍTULO 1 DECODIFICANDO AS EMOÇÕES

Antes de compreender e aplicar o poder do Método de Blindagem da Frequência Vibracional® 1.000 Hertz® ou qualquer outra prática para aumentar o nível de energia emocional, você deve conhecer um pouco sobre as emoções humanas e saber como elas funcionam dentro da mente e do sistema fisiológico, o seu corpo.

Esta parte é essencial para dar a base teórica, científica e prática para todo o restante do livro, pois ao compreender as emoções e tomar consciência sobre sua influência decisiva em cada momento, situação ou decisão que se apresentar na vida, você assume o controle da própria existência e passa a criar os melhores acontecimentos.

Assim, você deixará de ser refém de comportamentos, sentimentos e sensações antagônicas e encontrará o verdadeiro estado de coerência harmônica dentro de si, algo que começa com os estados emocionais, envolve o cérebro com a bioquímica do bem, do amor e da alegria, e atinge a vibração nuclear do DNA, das células, das moléculas e de cada neuroassociação ativada no cérebro.

APOIO CIENTÍFICO

O que vou apresentar para você tem significado ainda mais profundo porque envolve o estudo das emoções a partir da ótica da Física Quântica, das Neurociências, da Neurogênese, da Epigenética e da Holo Cocriação® da realidade, com apoio da ciência mental, do estudo das frequências emocionais e do poder da reprogramação vibracional.

Seguramente, você terá acesso a um conhecimento avançado sobre as emoções humanas e sobre como seus estados de humor cotidianos podem implicar todo o processo de cocriação da realidade. Você é o observador da realidade e pode colapsar qualquer realidade – desde que use a emoção certa para gerar a vibração necessária a sua volta – a partir do seu Campo Quântico, e pode entrar em fase com a onda frequencial do Universo.

METAMORFOSE EMOCIONAL

Se você não me conhece ou ainda não sabe os detalhes sobre a minha história: passei por uma morte em vida, pela fome, caos financeiro, depressão e carência emocional, antes de realizar meus sonhos de me tornar uma mulher de sucesso, autora *best-seller*, rica e reconhecida em todo o Brasil. Cheguei a acumular uma dívida de quase 1 milhão de reais e a quase perder meu filho por uma doença degenerativa de restrição celular. Nos livros *DNA Milionário®* e *DNA da Cocriação®* relato todas essas histórias.

Até decodificar o estudo completo das emoções humanas aplicadas ao processo de cocriação, passei por uma profunda transformação na vida. Precisei compreender e aceitar o que comandava minhas ações e fazia com que eu tivesse tantos fracassos, pois esses eventos destrutivos mantinham minha vida estagnada, apesar de todo o esforço e dedicação.

Também busquei saber qual era o motivo de tantos problemas que me acompanhavam. Verdadeiramente queria entender e descobrir como eu tinha acabado com minha vida. Estava decidida a saber o que acontecia com meus pensamentos, sentimentos e ações para atrair tanta desgraça. Queria descobrir se era possível mudar e alterar tudo aquilo ou se nada do que eu fizesse mudaria aquele destino.

Eu questionava Deus, o Universo e a mim mesma todos os dias, mas ninguém tinha respostas para minhas perguntas. Eu precisava achar a chave, o segredo escondido de mim e do mundo, que me mantinha naquela situação de tanta dor, sofrimento e tristeza.

Estava doente, separada, falida e sozinha. Estava morta, mas viva; presa em uma vida sem sentido, em uma falência financeira, uma depressão suicida, um fracasso generalizado. Eu queria descobrir a verdade sobre a vida, sobre a realidade e até sobre a doença do meu filho Arthur, na época com apenas 4 anos.

Achava injusto, me via como vítima de tudo aquilo, a coitadinha, prejudicada por pessoas do mal. Eu me questionava: "Como Deus não tem pena de mim?". Você se identifica com essas súplicas?

Eu queria respostas de Deus e do mundo: quem eu era, por que nasci, por que sofria tanto, por que tudo dava errado? Eu poderia mudar tudo isso? Ou não importava o quanto eu me esforçasse, estaria fadada àquela realidade, desde o ventre da minha mãe? A sorte brilhava apenas para alguns escolhidos? Eu me negava a acreditar nisso, pois o Deus em que eu acredito é amor e benevolência. Precisava existir algo que eu não estava autorizada a saber ainda.

ALGORITMOS DA HOLO COCRIAÇÃO® DA REALIDADE

Por meio dos meus estudos sobre a mente humana e a consciência, fundamentados pela Física Quântica, Neurociência e Terapia Emocional, descobri o enredo de todos os meus problemas e percalços até aquele momento e entendi quais eram os dilemas e os contratempos que acarretavam tantas dificuldades.

Quando cheguei ao estudo das emoções, do poder do coração, do estado de coerência harmônica, da Frequência Vibracional® e a todas as pesquisas paralelas em diferentes áreas da ciência e da espiritualidade, percebi que tudo apontava para a mesma causa nuclear do processo em que eu estava envolvida internamente.

Tudo que eu cocriava em minha vida era criado internamente. Mas até aí tudo bem, pois achava que era a rainha do pensamento positivo, então tudo que eu deveria cocriar e manifestar seriam coisas maravilhosas e prósperas como felicidade, saúde e riqueza. Porém, nem de longe esse era o roteiro da minha vida.

Foi então que decodifiquei um dos 365 Algoritmos da Holo Cocriação® da Realidade, por sinal, assunto do meu próximo livro. O **primeiro Algoritmo** da Cocriação® diz que o pensamento não tem força de materialização, e sim o sentimento, por meio das emoções de alta vibração em movimento, ou seja, emoção = sentimento em ação. Algo que eu chamo também de Emosentização Hertz® – fórmula que integra as fases do Método de Blindagem Emocional 1.000 Hertz® que apresentarei, minuciosamente, no Capítulo 5. Ao final deste capítulo, vou revelar, resumidamente, outros vinte dos 365 Algoritmos da Holo Cocriação®.

Em um capítulo específico, falaremos sobre o poder da coerência harmônica para aumentar sua frequência e cocriar a realidade. Vou ensinar o que aprendi em minhas formações no Instituto HeartMath (*Instituto da Matemática do Coração*, em tradução livre) da Califórnia (EUA), que foi o motivador principal deste livro.

De fato, entendi que meu coração carregava a informação de tudo que estava sendo materializado, ou seja, o meu estado emocional era responsável pela minha vida, por todos os meus problemas e pelas situações complicadas; não o meu pensamento, como eu havia aprendido e lido em muitos livros.

Isso fazia total sentido, entendi que nossos pensamentos são elétricos e nossos sentimentos magnéticos, logo é a ação que cria a forma dos eletromagnetismos responsáveis pelas cocriações materializadas, tanto as boas quanto as ruins.

Foi quando compreendi que aquela Elainne de antes carregava internamente, no seu inconsciente, sentimentos de culpa, vingança, vitimização, revolta, indignação, ódio, crenças limitantes e sabotadores do seu próprio sucesso. Todas essas emoções geravam uma energia de baixa frequência em torno de mim, do meu Campo Quântico, na minha mente, no campo eletromagnético do meu coração e em cada pensamento ou sentimento que eu emanava ao Universo, mas não sabia disso.

Todos os dias eu acordava e falava para mim: *"eu sou rica"* e pensava em dinheiro, porém nas vinte e três horas e quarenta e cinco minutos restantes, eu estava vibrando e sentindo escassez, culpa, depressão, ódio, tristeza, falta, vingança, angústia, preocupação, pobreza. Bingo! Aprendi sozinha tudo aquilo, ninguém nunca me ensinou, até porque não estava registrado ainda em nenhum livro no mundo: eu precisava alinhar meus sonhos e intenções positivas daquela meditação do início do dia com pensamentos, sentimentos e comportamentos coerentes, congruentes e alinhados no decorrer do meu dia!

Eu entendi que o pensamento sozinho não faz nada, mas é responsável por tudo. Bingo! Entendi que o alinhamento vibracional era a chave de tudo. Eu estava verdadeiramente disposta a dominar minhas emoções e a conquistar a vida dos meus sonhos. E foi compreendendo que eu era a única responsável pela minha vida que cheguei ao **segundo Algoritmo** da Holo Cocriação®: Eu sou a única responsável pela minha vida. Bingo!

Entendi que existem duas posições que ocupamos no mundo: ou você é uma vítima ou você é um Holo Cocriador®. Como vítimas vibram escassez

Nossos pensamentos são elétricos e nossos sentimentos magnéticos, logo é a ação que cria a forma dos eletromagnetismos responsáveis pelas cocriações materializadas, tanto as boas quanto as ruins.

e Holo Cocriadores® vibram abundância, e têm o poder de cocriar seu futuro, decidi deixar de ser vítima e me tornar 100% responsável pela minha vida.

Ao me tornar 100% responsável tanto na minha vida pessoal quanto na profissional, e apesar de saber que dentro de mim ainda existia muito lixo emocional para limpar, remover e ressignificar, eu passei a me sentir dona da minha vida e ninguém poderia me segurar. "Sai da frente que agora eu vou passar!"

CATÁSTROFE ENERGÉTICA

Acredito que, assim como aconteceu comigo, para você o resultado também deve ser dolorido e decepcionante. Certamente você já passou por momentos assim, quando parece que, não importa o que faça, a realidade não muda. Comigo era assim, mas a verdade é que eu não sabia fazer do jeito certo. Tudo era difícil e catastrófico porque minha energia vibrava em uma escala muito baixa e isso só produzia efeitos adversos: problemas financeiros e profissionais, desarmonia afetiva nos relacionamentos e falta de amor-próprio. Com a vibração baixa e com a frequência negativa, as cocriações são destrutivas!

No caso do meu filho Arthur, sua doença também começava em mim, porque foi a partir da rejeição que ele sentiu no momento da gestação que desenvolveu uma espécie de mecanismo emocional e biológico de autodefesa.

Lógico que era essa história que eu contava a mim mesma todos os dias, pois precisava alimentar a culpa que sentia. E quem vive na emoção da culpa sente o quê? Qual vibração emite para o Universo? Destruição! Sim, a falta de consciência é a destruição. Por isso precisava destruir tudo, meu emprego, minha empresa, meus relacionamentos, minha vida. Porque quanto mais destruída eu estivesse, mais merecedora daquela realidade eu me sentiria.

A culpa mata, destrói e adoece, mas não a enxergamos. Ela é invisível, mas perceptível. Naquela época, eu precisava me destruir, então desenvolvi um processo de autoagressão e mutilação, quanto mais eu me machucava, melhor. Afinal, eu sentia que merecia aquela dor, pois achava que era a culpada por tudo.

A culpa leva direto à escassez, falência, pobreza, doença e separação. Ela o mantém como merecedor de uma vida triste. Eu acreditava que era culpada pela doença do meu filho, embora no fundo achasse injusto tudo que estava passando. Lembra? "Onde está Deus? Por que isso comigo? Estou pagando pelo quê?". Por achar que era culpada, entrei em depressão suicida e meu filho piorou.

CURA COMPARTILHADA

Estudando vinte e quatro horas por dia em busca de respostas e cura, descobri que a cura dele estava comigo. Tudo sempre esteve comigo. Mergulhei nos estudos para desvendar o que estava por trás de todo aquele processo de sofrimento e de tantos problemas até descobrir que tudo tinha a ver com a frequência das minhas emoções, com meu estado de ser e com meu comportamento emocional.

Assim, descobri o **terceiro Algoritmo** da Holo Cocriação®: a Frequência Vibracional®, emitida pelo meu código de barras energético ou minha Assinatura Eletromagnética®. Ela era responsável por tudo o que acontecia em minha vida, porque tudo era criação da minha frequência, tudo começava internamente e nada estava lá fora. Bingo!

Eu passei anos odiando os meus "atores", dando a eles o troféu de assassinos de sonhos e de vida – afinal era deles a culpa pela vida miserável que eu levava. Atores são pessoas que passam pela nossa vida para mostrar qual aprendizado devemos ter com cada situação. Entretanto, naquele momento estava diante da ciência, da espiritualidade e de uma matemática assertiva e cientificamente comprovada, que provaram que o que eu vibro cocria a minha vida. O que eu vibro é a soma de quem eu sou, e isso era validado a cada segundo. Quanto mais eu estudava e experienciava, mais essa profecia se autorrealizava.

Eu estava descobrindo que não era o que eu queria conscientemente que importava porque, logicamente, eu queria ser rica, amada e bem-sucedida, mas toda a realidade estava sendo Holo Cocriada® de acordo com quem eu era naquele momento. Bingo!

Eu cocrio quem eu sou e não o que quero! Então, eu precisava ser para ter! Bingo de novo! Eu precisava viver como se o fruto do que eu tanto desejava já fosse realidade para vibrar em ressonância com a frequência correta e então, finalmente, *ter* o que tanto queria.

Uauuu! Bingo! Eu estava fascinada e determinada a ter controle sobre as minhas emoções, pois elas eram responsáveis por tudo!

Até aí tudo bem, porém o que eu ainda não sabia era que existem emoções ocultas, inconscientes e secretas, aquelas que não temos nenhum conhecimento, mas que estão vibrando como uma programação na mente e determinando tudo o que está acontecendo.

Essa programação oculta determina 95% de tudo que acontece e eu não tinha conhecimento disso. Uauuu! Eu precisava me tornar consciente de tudo que era inconsciente.

Entendi que, até conseguir trazer nossos conteúdos inconscientes para a mente consciente, nossos sentimentos, pensamentos e comportamentos inconscientes controlam nossa vida; e o mais irônico é que chamamos isso de "destino".

O pensamento sozinho não faz nada, mas é responsável por tudo

Quando eu entendi que precisava mudar meus hábitos e comportamentos, alterar o padrão do meu humor emocional, do que eu pensava e sentia e das minhas decisões e atitudes, para assumir as rédeas do meu próprio destino, minha vida foi transformada, pois percebi que ninguém mais tinha esse poder além de mim! E foi assim que alcancei a minha cura, transformei a minha vida financeira e, por efeito de ressonância vibracional e emocional, a vida do meu filho também foi curada.

Ao compreender tudo isso, naquele mesmo momento criei a poderosa Técnica Hertz® – Reprogramação da Frequência Vibracional®. Fui meu próprio laboratório. Fiz experiências de ativação e reprogramação vibracional. Aprofundei os estudos sobre frequência das emoções humanas (tema que você vai experienciar ao acessar o QR Code disponível ao final deste capítulo) e decodifiquei a influência dos estados emocionais e comportamentais na cocriação da realidade.

ORIGEM DA COCRIAÇÃO

Tudo nasce e floresce a partir da frequência de uma emoção, de um estado emocional, um pensamento inato sobre qualquer tema, um descontentamento ou sentimento de satisfação e seus desdobramentos energéticos no corpo e no Cosmos, pois tudo é sistêmico e está interligado energeticamente.

A partir dessa interação, seja consciente ou inconsciente, é gerada uma frequência padrão em torno do Campo Quântico, neurotransmissores específicos são ativados, hormônios são liberados e a bioquímica no corpo é lançada, mudando a vibração do DNA, das células e de toda a biologia.

Tudo é afetado pela química emocional, tanto para estabelecer um padrão elevado, compatível com as frequências de cocriação do Universo, quanto para fixar uma vibração baixa e sem expressão na Matriz Quântica, alinhada com crenças limitantes e com sabotadores da consciência que bloqueiam, assim, o fluxo quântico do Universo, a interação com a Onda Primordial e o emaranhamento quântico de partículas na fusão necessária para a Holo Cocriação® e materialização dos fatos, desejos ou dos próprios sonhos no Universo.

Até emergirmos os conteúdos inconscientes para a mente consciente, nossos sentimentos, pensamentos e comportamentos inconscientes controlam nossa vida; e o mais irônico é que chamamos isso de "destino".

Holo Cocriação® significa criar junto com o Criador e *Holo* vem de tudo, holístico. Cocriador de tudo, o coautor da sua vida. Bingo! Ou seja, criando com Deus, Universo, Vácuo Quântico ou Matriz Holográfica®. Esse fenômeno acontece quando duas ondas de energia (frequência) entram em fase e se entrelaçam quanticamente. Essas ondas são a união da sua frequência – emitida por seu campo, sua Assinatura Eletromagnética® – com a do Universo, que é a Onda Primordial. Ao entrar em sintonia, elas se compactam energeticamente e formam o holograma material da realidade, por isso o alinhamento vibracional precisa estar em fase harmônica para o colapso de onda acontecer. Bingo!

SOMOS ENERGIA

Como Holo Cocriadores® não somos apenas corpos físicos. Na verdade, somos energia em nossa essência, somos seres vibracionais. Se você deseja cocriar seus sonhos, precisa aceitar e ter essa concepção da realidade e, mesmo em meio ao caos, elevar o seu padrão, pois o que importa é sua frequência interna.

Assim, se você quer manifestar a riqueza, mesmo na atual crise, vibre em perdão, gratidão e tenha pensamentos positivos e padrões emocionais saudáveis. Concentre-se, tenha foco e priorize seu mundo interior.

Cada partícula do corpo é capaz de se mover na velocidade da luz e, quando em conexão com o Eu Ideal, sua versão perfeita do futuro, a velocidade é ainda maior, chegando nas chamadas velocidades superluminosas ou supralumínicas, ou seja, mais rápidas do que a luz. Isso acontece quando você está dormente, em transe, com as frequências cerebrais reduzidas e pode acessar a cocriação do futuro escolhido em estado de onda.

SOMOS UM COM O CRIADOR

Nada está separado, nem mesmo sua mente e seu corpo. Eles são indissociáveis. O mais incrível é que essas duas forças estão integradas ao Criador, à Matriz Holográfica®, ao Vácuo Quântico, desde o núcleo do seu DNA, sua cognição, sinapses, células, moléculas e órgãos. Por isso, você é um cocriador do Universo e deve deixar fluir essa força criativa livremente.

Portanto, esqueça a preocupação e acredite na força Divina e na luz que irradia de você até o centro do Universo. Todos somos deuses e podemos inverter qualquer processo destrutivo em possibilidades infinitas!

A MENTE CRIA A REALIDADE

A realidade é um estado de percepção quântica criado pela mente, por isso, aquilo que você vive e sente pode ser considerado apenas crenças.

A mente também interfere na bioquímica e na liberação de hormônios que influenciam o corpo humano, portanto, ela é capaz de modificar o campo vibrátil potencial. Pensamentos e emoções vão influenciar a química do corpo e o comportamento vibracional de cada célula e molécula, consequentemente, isso também influencia a vibração de todo o Campo Quântico e relacional, que é expandido ao Universo no processo de cocriação da realidade.

O COPO ESTÁ MEIO CHEIO

Como tudo pode ser ensinado e aprendido, suas células, moléculas e a vibração do seu corpo ou do seu DNA conseguem absorver novas experiências e transmutá-las de acordo com sua consciência.

Por isso, ao mudar as percepções, automaticamente você altera a experiência do corpo, do Campo Quântico e da realidade cocriada externamente. Mude o que sente e perceba os fatos da sua vida no mundo físico serem alterados instantaneamente!

A MELHOR HORA É AGORA

O tempo é um aliado para cocriar uma nova realidade, para o Universo e para o processo de cocriação ele é nulo, o que vale é a vibração do momento presente, o que nos leva a perceber que não adianta preocupar-se em excesso com o futuro, muito menos se entristecer com o passado, pois só existe o agora!

O mais importante é manter-se sereno, consciente e convicto sobre seus desejos de cocriação no momento presente, em seu Estado Contínuo de Presença. Nessa sintonia, você se harmoniza com o Universo e passa a vibrar naturalmente em luz, como uma Onda de Pura Energia. Tudo isso, apoiado na sua frequência do agora, determinará a modelagem da realidade para sua vida.

AS POSSIBILIDADES SÃO INFINITAS

O que sua mente aceitar como verdade será criado, mesmo que seja algo puramente imaginado, pois a mente não sabe separar o que é fisicamente real do que é imaginação.

O mais importante é manter-se sereno, consciente e convicto sobre seus desejos de cocriação no momento presente, em seu Estado Contínuo de Presença.

Assim, se você experimentar viver holograficamente no futuro alternativo que deseja, sua mente interpretará como verdade e produzirá a vibração compatível com a experiência do sonho projetado no Universo. Estamos falando, nesse caso, de uma vibração de 1.000 Hertz, uma onda informacional de energia que, em uma velocidade acelerada, é capaz de percorrer e experimentar, simultaneamente, todas as possibilidades maravilhosas da criação da realidade.

SEU OLHAR DEFINE SUA REALIDADE

Tudo que é cocriado ou modelado pode ser considerado produto da sua consciência justamente porque parte da sua mente, da sua imaginação e da sua capacidade de formular fatos e dados quânticos a partir do seu olhar como observador da realidade.

Por isso, quem define a realidade e a frequência necessária para colapsar sonhos é sempre você e sua consciência quântica. A sua consciência é capaz de modelar qualquer cenário, viajar holograficamente no tempo, acelerar a vibração e produzir efeitos reais e fiéis ao seu sonho mais desejado no momento. E o melhor é que você pode elevar e expandir sua vibração sempre que desejar.

O CÉREBRO SE ADAPTA A TUDO

A realidade do Novo Humano também é criada com novos impulsos, aprendizados, conhecimentos e habilidades, pois conforme as neurociências, o cérebro é neuroplástico, isto é, ele é capaz de assimilar novos conteúdos, mudar sua plasticidade, alterar sua bioquímica e sua própria vibração por meio das imagens impressas holograficamente dentro de si.

Como resposta a tudo isso, há uma renovação no campo informacional e as vibrações passam a pulsar com muito mais intensidade, o que provoca, de modo acelerado, a cocriação instantânea de novos fatos condizentes com seus mais íntimos desejos.

ALINHAMENTO VIBRACIONAL

A Cocriação depende das emoções coerentes e alinhadas para se manifestar. Quando os sentimentos do coração, os pensamentos da mente e suas ações do corpo coincidem e se alinham, coração, mente e corpo começam a funcionar juntos harmonicamente, o que produz um estado de ser coerente ou harmônico, uma vez que a frequência da cocriação instantânea é a Harmonia. Bingo!

Um estado de ser coerente é capaz de colapsar e cocriar efeitos na realidade externa, pois se torna a sua identidade mesmo que você não queira. Não se trata do que você quer, mas do que é! Você sempre cocria conforme as informações que estão na sua Assinatura Eletromagnética!

O estado de ser coerente, em que pensamentos, sentimentos e comportamentos coincidem, pode ser positivo ou negativo e, de uma forma ou de outra, cria padrões de comportamentos automáticos e inconscientes, pois condicionam o corpo a agir sem racionalização prévia.

Havendo um padrão negativo decorrente de uma experiência impactante de sofrimento e dor, cada vez que você pensar no acontecimento, seu cérebro vai disparar os mesmos circuitos neurais que foram disparados no passado e, quanto mais esses circuitos forem ativados, mais eles se fortalecerão e mais redes neurais são criadas.

Da mesma forma, o corpo é acionado como se estivesse vivendo a situação do passado e libera as substâncias químicas correspondentes. Aqui está o porquê de você não conseguir alterar a realidade: se hoje você pensou, vibrou e agiu exatamente igual a ontem, cocriou 100% de você igualzinho a ontem e realmente nunca vai mudar.

LOOPING INFINITO

Essa repetição inconsciente do passado, esse *looping* infinito, treina o corpo para se lembrar do estado emocional correspondente da melhor maneira que a mente consciente é capaz de recordar. Quando acontece de o corpo saber melhor que a mente, forma-se um hábito, e o corpo se torna a mente. Quando você tem um pensamento, o corpo reage no "piloto automático", o que quer dizer: você deixa de raciocinar conscientemente e passa a agir de maneira inconsciente.

Acontece que, quando o corpo se torna a mente e você vive reagindo de maneira automática e inconsciente, caso deseje mudar e, finalmente, ser feliz, saudável, livre ou próspero, seu inconsciente não permitirá, uma vez que está condicionado a ser quem é, o hábito mais difícil de superar.

A mente inconsciente que está no comando do corpo "rodando" seus programas automáticos é extremamente resistente a mudanças e, por meio de conversas interiores, se dedica a sabotar qualquer novidade.

Veja um exemplo dessa conversa interior sabotadora: quando você decide iniciar uma rotina de exercícios depois de um longo período de tristeza, frustação e negatividade, com certeza sua mente vai dizer: "Deixa para amanhã, você está cansado, hoje está muito quente/frio, vamos assistir um filme ou ler um livro que é melhor".

NOVAS PROGRAMAÇÕES

A tentativa de romper com essas programações automáticas é desafiadora porque nesse processo está envolvida toda a memorização bioquímica relacionada às emoções. Tal qual alguém que se torna dependente químico de álcool, tabaco ou cocaína, também acontece uma dependência química do corpo em relação à bioquímica das emoções. Por isso, de certa maneira, a busca pela mudança de um padrão emocional é tão desafiadora quanto se submeter a uma internação para um tratamento de desintoxicação.

Quando decidimos mudar e começamos a nos comportar de maneira diferente do habitual, a relação corpo-mente se torna um verdadeiro caos, similar a uma crise de abstinência, e por isso é tão desconfortável. Entretanto, quando insistimos e nos dedicamos para fazer com que a mente e o corpo funcionem harmonicamente, a dependência química emocional começa a ceder.

Para realizar tal proeza, temos algo a nosso favor: da mesma forma que nosso cérebro não consegue diferenciar as experiências vividas na imaginação e na realidade material, o nosso corpo também não distingue quais emoções são produzidas a partir de estímulos da realidade externa e quais são produzidas na realidade interna por meio dos pensamentos.

Dessa forma, experiências vividas na imaginação, quando suficientemente significativas, são capazes de modificar a bioquímica do corpo de maneira que a dependência química das emoções negativas do passado possa ser substituída pela nova química saudável das emoções positivas e elevadas do seu futuro ideal.

SENTIR EMOÇÕES DE ALTA VIBRAÇÃO

Neurociência, Holo Cocriação® e Física Quântica, juntas, afirmam que podemos de fato alterar a química do corpo antes de experimentar qualquer experiência física quando somos capazes de sentir emoções de alta vibração como amor, afeto, apreciação, alegria e gratidão, a partir da experiência vivenciada na imaginação. O segredo é sentir-se feliz, realizado e grato em decorrência dos seus pensamentos sobre o seu novo futuro na sua realidade interna, em vez de ficar esperando um acontecimento na realidade externa para se sentir feliz e grato.

O **quarto Algoritmo** da Holo Cocriação® decodificado é agradecer em três níveis de consciência, ou seja: pelo que você tem; pelo que é e se tornou; e por tudo que não tem, como se já tivesse. Bingo! Agradecer com sentimento de abundância é quando você se sente transbordando de gratidão. Ser grato pelo que não tem, como se fosse realidade agora. No estado de gratidão, você conseguirá, com facilidade, vibrar amor, alegria, harmonia e entusiasmo, criando a frequência do ser e, assim, emanando a vibração correta para ter aquilo que deseja.

Tal qual alguém que se torna dependente químico de álcool, tabaco ou cocaína, também acontece uma dependência química do corpo em relação à bioquímica das emoções. Por isso, de certa maneira, a busca pela mudança de um padrão emocional é tão desafiadora quanto se submeter a uma internação para um tratamento de desintoxicação.

Em uma perspectiva quântica, é nesse momento que você colapsa a função de onda. Exatamente naquela visualização em que você perde a noção de tempo e espaço – eu chamo este estágio da mente de não eu –, e não há como explicar, uma vez que esse estado mental não vem da consciência racional, para que você possa entender, é preciso sentir e experienciar. Sabe quando ao meditar você começa a viajar em sua vida futura, como se fosse realidade? Aqueles minutos em que você tem certeza da realidade que experimenta na sua imaginação, sente no corpo todas as emoções elevadas decorrentes da experiência e é grato como se já existisse? Esse é ponto de fusão! Esse é o momento em que você entra em fase com o Universo das infinitas possibilidades e todos os seus sonhos se realizam. Esse é o momento em que a Física Quântica consegue provar que a onda (pensamento e desejo) se transforma em partícula (realidade e sonho materializado).

FÍSICA QUÂNTICA E CRIAÇÃO DA REALIDADE

A Física Quântica é a ciência que provou que a "realidade" não possui uma existência concreta como imaginávamos, o que existe é um campo energético de pura inteligência sem forma. Estudos comprovam que a realidade que vivenciamos é abundantemente flexível e altamente influenciável pela consciência humana.

Niels Bohr e Werner Heisenberg desenvolveram a chamada Interpretação de Copenhague em 1927, considerada a interpretação mais aceita da Mecânica Quântica. Nela, ficou comprovada a não existência da realidade absoluta, apenas realidades relativas, pois a energia que dá origem a todo tipo de matéria só poderá tomar forma a partir do olhar do observador. O nosso corpo é construído por impulsos invisíveis de informação e energia, ou seja, o nosso Universo físico é um resultado direto da nossa consciência.

INFINITAS POSSIBILIDADES

De acordo com a Mecânica Quântica: "o mundo e suas condições não são predeterminados, pois cada evento é potencialmente criativo e pode sempre desvendar outras possibilidades". A boa notícia é que você tem um poder (e uma responsabilidade) muito maior do que imagina, sendo o único responsável pelo rumo da sua própria vida.

A nossa consciência é formada por impulsos de energia e informação. Assim, é possível controlá-la por meio das nossas atitudes, canalizando a energia necessária para a realização dos nossos sonhos. Independentemente se você acredita ou não, é a sua consciência que irá alterar a sua realidade pessoal e criar a vida que você realmente deseja!

Vivemos em um mundo de infinitas possibilidades esperando para serem ativadas, ou seja, a vida não precisa ser apenas um reflexo das nossas crenças e expectativas. O nosso estado de consciência é formado por projeções das nossas percepções, pelo nosso próprio "mapa da realidade".

O que nos limita são os modelos condicionados, os rótulos e definições que carregamos sobre nós. Seremos capazes de mudar a nossa realidade externa quando aceitarmos que a mudança é interna, pois são essas crenças profundas que precisam ser ressignificadas.

FÍSICA QUÂNTICA E HOLO COCRIAÇÃO®

De acordo com a Física Quântica e com o movimento Holo Cocriação®, toda a matéria é constituída por átomos, os quais, por sua vez, são constituídos de partículas, partículas essas que não são sólidas, são apenas energia e informação em um imenso espaço vazio. Assim, a matéria-prima do mundo não é sólida, é imaterial.

O grande avanço da ciência foi descobrir que tudo é energia e informação, que é a consciência, e não a matéria sólida, que dá forma a tudo que existe no Universo. Assim, toda matéria é formada pela **mesma substância** e vem da **mesma fonte**. O mundo é feito de consciência e é por ela influenciado.

Segundo filósofos antigos, a premissa "Conhece-te a ti mesmo e conhecerás os deuses e o Universo" é a ordem primordial, uma vez que são os nossos pensamentos e emoções que adentram o Universo. Essa citação nos lembra da importância do autoconhecimento, pois é o nosso Ser quem escolhe a realidade que será manifestada "lá fora". Assim, percebemos que não existe "lá fora", o que existe é apenas um espelho da nossa consciência.

Atualmente, a humanidade sofre com a crença da dualidade, acredita que existe uma diferença entre dentro e fora, mente e matéria, espiritual e mundano. Essa ideia de separação é a causa de diversos problemas como racismo, guerras, fome, entre outros. É necessário perceber que fazemos parte do Todo e que temos tudo de que precisamos dentro de nós.

A Física Quântica nos possibilita esse despertar do condicionamento social, mostrando que temos controle de todos os eventos que nos acontecem. Amados, pensem comigo: se as nossas experiências são resultantes das nossas atitudes perante a vida, dos impulsos de energia e informação que nós mesmos geramos, então, quem é a única pessoa capaz de mudar a realidade externa? Bingo! VOCÊ MESMO!

"Como assim, Elainne?" É simples: você só precisa alterar a identidade que o seu ego assumiu e retornar para a sua essência divina, criar uma nova identidade, mudar quem você é. "Mas como eu posso alterar a minha realidade?" Alterando seus processos mentais, o padrão dos seus pensamentos, as crenças limitantes e as convicções prontas que foram aprendidas ainda na infância.

CAMPOS MAGNÉTICOS

Tudo é energia, tudo vibra em uma determinada frequência, inclusive nós mesmos. Somos seres energéticos, compostos por três campos magnéticos: mental, físico e emocional. Assim, para alterar a nossa realidade, precisamos alterar a nossa vibração, ou seja, alterar os nossos pensamentos e emoções. Somos apenas ondulações neste vasto campo de energia que se organiza conforme as nossas intenções e expectativas.

De acordo com a Física Quântica, cada um de nós vive isolado na sua própria bolha de existência, mas todas as realidades possíveis e imagináveis já existem. Então, se você não gosta da realidade que vive atualmente, é só mudar a frequência e acessar a sua melhor versão, que já vive aquilo que você sempre sonhou.

Podemos fazer a seguinte analogia: viemos ao mundo como um computador novo, desformatado, e a sociedade como um todo nos programou. Nossa família, vizinhos, amigos, professores e demais pessoas inseriram "vírus mentais", ou seja, crenças, valores e convicções da visão de mundo deles.

Ao longo do tempo, todo esse lixo foi lotando o nosso computador sem nem ao menos termos consciência. E, hoje em dia, essas crenças já estão tão enraizadas no sistema operacional e nos programas que operam em nós que, mesmo nos prejudicando, não conseguimos eliminá-las. Portanto, este é o momento de formatar o seu HD e escolher os seus próprios programas.

RECONHECER, ACEITAR E MUDAR

Somos criaturas de hábitos e apegos. Devido ao nosso ego, carregamos preocupações, conflitos, ansiedades, intenções desordenadas, culpas, temores e dúvidas que influenciam na nossa vibração. É importante eliminar esses hábitos e padrões desgastantes.

Ao olhar atentamente para dentro de si, perceberá que as imagens que projeta criam a sua vida. Se está sempre pensando no passado, sua vida está sendo condicionada pelas suas lembranças. Se você projeta os mesmos pensamentos todos os dias, como espera que a sua realidade seja diferente?

É necessário colocar um fim na confusão interior para entender claramente o que buscamos. Ao se deparar com impulsos de carência, raiva ou medo, desfaça-se dessas lembranças e comece a projetar "memórias futuras". Assim, você vai entender que a melhor maneira de realizar o que almeja é vivendo como se já fosse realidade, mantendo-se na frequência correta.

SUA CONSCIÊNCIA CRIA A REALIDADE

Quando visualizamos os nossos sonhos realizados, atingimos nossas metas com ainda mais precisão e facilidade. A partir do momento em que você compreende que é o seu entendimento que altera a realidade, a sua responsabilidade diária é vigiar o seu **diálogo interno** – ele determinará seus fracassos e sucessos.

Quando paramos para observar os nossos próprios pensamentos, verificamos que existe uma conversa constante dentro de nossas cabeças. Os valores que temos influenciam ativamente a qualidade desse diálogo interior, ou seja, o modo como o mundo nos trata é apenas um reflexo de como tratamos a nós mesmos. Se você se conhece e se valoriza, o Universo também reconhecerá e valorizará a sua existência.

Primeiramente, você precisa assumir a responsabilidade pela sua vida e reconhecer que existem crenças limitantes que precisam ser eliminadas, ou seja, você precisa aceitar as raízes dos problemas para conseguir solucioná-los. Questione-se, converse com a sua mente, tente identificar quais são as suas crenças principais. Por exemplo, quando pensa no seu maior sonho, o que a sua mente diz a você? Ela o incentiva ou o desmotiva? Ela entende que você é capaz ou que nunca vai conseguir?

Assim, depois de aceitar todas as suas crenças, você deverá agradecê-las por todos os ensinamentos, por o terem protegido e alertado quando foi necessário. Mas, a partir de agora, você pode liberá-las, pois a sua mente está pronta para modificar esses conceitos, ressignificando-os de maneira positiva. Outra dica é fazer questionamentos inteligentes, pois o nosso cérebro está sempre buscando as respostas. Já imaginou se fizéssemos sempre as perguntas apropriadas? Transforme-as em perguntas positivas, como por exemplo: "Por que me sinto sempre tão confiante?".

Além de manter esse diálogo interno saudável, é necessário nos mantermos na vibração do desejo realizado. Quais perguntas você faria se o seu sonho já fosse real? Quais sentimentos esses questionamentos despertariam? Quando você adquire o sentimento do *ter*, significa que você já *é*. Dessa forma, você manipula a sua mente e atrai mais daquilo que está emanando.

NOVAS CRENÇAS

Procure referências externas, exemplos e inspirações para ancorar e ajudar a fixar essas novas crenças. Além disso, crie metas claras, agradeça pelo objetivo concretizado, visualize-se vivendo a sua nova realidade na sua melhor versão e se mantenha atento às novas oportunidades e ideias.

Tenha disciplina e persistência. Você viveu anos condicionado por suas antigas crenças e elas tentarão sabotar a sua mente. Neste momento, você precisará persistir no seu objetivo, assimilando as novas crenças para não retornar aos velhos hábitos. Aos poucos, aprenda a silenciar sua mente, diminuindo a agitação no seu diálogo interno, pois o silêncio é o momento ideal para inserir sua intenção e implantar a crença desejada, fazendo o alinhamento.

Você vai entender que a melhor maneira de realizar o que almeja é vivendo como se já fosse realidade, mantendo-se na frequência correta.

Busque aprofundar seu conhecimento em meditações, mantras, pranayamas, yoga e demais práticas que induzam à contemplação e apreciação do momento presente. Procure qualquer método no qual a sua atenção fica totalmente absorvida no meio e nas sensações, alcançando a atenção plena.

EMOÇÕES DECODIFICADAS

Para avançar até o Método de Blindagem Emocional da Frequência 1.000 Hertz®, você precisa entender o que são emoções e estados emocionais.

Existem várias teorias sobre o tema e percepções diferentes no mundo científico. No Capítulo 4, eu vou descrever especificamente alguns estudos avançados sobre a Roda das Emoções e suas variações.

MAS AFINAL, O QUE SÃO AS EMOÇÕES?

Com base nos meus estudos, entendi que as emoções são programas de ações e comportamentos ativados no cérebro em decorrência de estímulos internos ou externos. Agem como respostas neuroquímicas e neurofisiológicas da mente que refletem no corpo, na fisiologia, nos sentimentos, nas moléculas, no DNA, nas células, dentro do cérebro e na corrente sanguínea.

Essas ações programadas determinam as nossas reações físicas, biológicas, comportamentais, emocionais, espirituais e energéticas, por isso, no processo de cocriação da realidade, a partir do que ensina a Física Quântica, as emoções são os agentes essenciais para se alcançar o padrão vibratório ideal para que ocorra o Colapso de função de onda.

VIBRAÇÃO FAVORÁVEL

Toda emoção ou programa emocional é sustentada por crenças potencializadoras ou limitantes, ou seja, pelas percepções que temos da realidade a partir daquilo que acreditamos como verdade ou supomos ser autêntico.

Portanto, se você souber usar suas emoções a seu favor, vai conseguir gerar a bioquímica necessária e a frequência exata para interferir holograficamente no campo das infinitas possibilidades, fazendo com que a sua onda de energia entre em fase com a Onda Primordial.

MAIS ADIANTE...

Em outra parte do livro, abordarei a influência das crenças e dos sabotadores nas emoções humanas, também fatores importantes para você conseguir identificar que tipo de programa roda na sua mente e porque determinada emoção é produzida, já que, a partir da crença e da emoção gerada, e com a ação de neurotransmissores e da bioquímica no cérebro, seu campo relacional sofre influências de modo direto, recebendo interferência para elevar a frequência ou para reduzir o impacto vibracional em torno de si.

INTERFERÊNCIA DIRETA

As emoções interferem diretamente no nosso sistema quântico e relacional, influenciando a tomada de decisões, a fisiologia, as respostas motoras do cérebro, o corpo, a musculatura, a vibração dos órgãos internos, o fluxo e a rotação dos chakras humanos. Elas também ativam sensações ocultas, as quais podemos reconhecer como sentimentos, ou seja, sensações subjetivas, muitas vezes inconscientes e imperceptíveis.

Enquanto as emoções operam como programas de respostas geradas pelo cérebro para atender as demandas do momento, os sentimentos expressam o sistema interno de cada pessoa, personalidade ou consciência; o sentimento é internalizado e a emoção exterioriza as reações bioquímicas, motoras, vibracionais, comportamentais e fisiológicas. É por isso que os sentimentos refletem como nos sentimos em resposta a uma emoção ativada no próprio ser. Mais adiante veremos detalhes sobre as diferenças entre emoções e sentimentos.

PROCESSOS INTEGRATIVOS

Para cocriar 100%, você precisa ter autoconsciência de ambos os processos: emocional e sentimental, pois são ambos aspectos integrativos da consciência. Em outras palavras, para acessar o poder de cocriar é preciso alinhar emoções, sentimentos, comportamentos e padrões mentais numa mesma faixa frequencial de expansão e vibração superior.

Por meio da vibração ou emoção escolhida por você em estado de autoconsciência, é possível calibrar seu Campo Quântico e relacional para entrar em fase com frequências de alta potência para a cocriação de sonhos.

Se você souber usar suas emoções a seu favor, vai conseguir gerar a bioquímica necessária e a frequência exata para interferir holograficamente no campo das infinitas possibilidades, fazendo com que a sua onda de energia entre em fase com a Onda Primordial.

EXPERIÊNCIAS ESPELHADAS

As emoções envolvem a mente, o corpo, o sistema fisiológico, energético e comportamental. Basicamente, todas as reações humanas, conscientes ou instintivas, partem das emoções produzidas no cérebro e na bioquímica emocional. Na minha observação, as emoções são experiências internas e subjetivas, porém também refletem no mundo externo.

Por esse prisma, as emoções são reguladoras do meio, da circunstância e do momento, ou seja, são a forma que o cérebro, o corpo e o padrão vibratório ou comportamental respondem externamente diante de situações que ocorrem no cotidiano.

FREQUÊNCIA MODULADA

Sabendo disso, quando você aprende a alterar as respostas fisiológicas e energéticas provocadas por estímulos emocionais, naturalmente consegue modular a própria frequência, entrar em coerência harmônica com seu desejo e pensamento – como o reflexo das emoções no corpo – e, assim, direcionar seus estados de humor para cocriar em perfeito equilíbrio e estado harmônico, independentemente da situação ou momento que vive.

Em outras palavras, você se torna capaz de mudar seu estado emocional e energético, transformando, por exemplo, tristeza em aceitação, apatia em amor, culpa em coragem e desprendimento.

Com autoconsciência emocional, tudo pode ser reprogramado e ressignificado. Você pode dar outro sentido para suas emoções, evitar estímulos negativos e alterar o campo vibracional, elevando seu potencial energético até a fase completa de 1.000 Hertz, cujo acesso você alcançará ao longo de todo o livro, em três fases de ativação com os exercícios, práticas e com o Método Exclusivo de Blindagem da Frequência 1.000 Hertz®.

FUNÇÕES EMOCIONAIS

As emoções têm funções específicas no organismo humano e na ação da consciência (personalidade), tais como:

1. Provocar a reação comportamental a determinado evento ou situação observado pela consciência;
2. Produzir a homeostase para regular e calibrar o estado de humor interno;
3. Influenciar na resposta imunológica, sensorial e na interação social;
4. Determinar a resposta à ação comportamental imediata para avaliar o ambiente, as interações, os riscos e as possibilidades para garantir a sobrevivência da espécie;
5. Expressar a comunicação, o desejo e a intenção;
6. No campo da Física Quântica, das neurociências e da cocriação, as emoções têm como função estimular a produção de neurotrans-

missores, a liberação hormonal e, consequentemente, influenciar o padrão vibratório interno das células, moléculas, neurônios, DNA, órgãos, chakras e de todo o Campo Quântico relacional;

7. Equalizar as ondas cerebrais, as ondas e frequências dos dois hemisférios da mente, tanto inconsciente como consciente (razão/pensamento e sentimento/intuição), colocando a mente em estado harmônico com a frequência do Universo;
8. Desalinhar, se a emoção for de baixo calibre ou negativa, todo o processo cognitivo, neurológico, neurofisiológico e frequencial, o que desabilita e inibe qualquer pretensão de cocriação da realidade a partir do colapso gerado por duas ondas de energia compatíveis no Universo: a da pessoa e a do Vácuo Quântico.

COMO AS EMOÇÕES SÃO PROCESSADAS

As emoções são processadas, basicamente, por meio do sistema límbico do cérebro, que se localiza na região central do órgão e é responsável pela gestão das emoções, dos estímulos emocionais, dos programas, da memória e de outras ações do gênero.

Por meio do sistema límbico, armazenamos nossas memórias, registros informacionais, percepções da vida, interpretações e crenças variadas. É o sistema límbico que gera o estado emocional, a bioquímica no cérebro e na corrente sanguínea, provocando, consequentemente, a vibração padrão em torno do Campo Quântico.

O sistema límbico é dividido em três partes principais:

- **HIPOCAMPO:** dispositivo responsável pela memória e capacidade de orientação (espacial e geográfica);
- **AMÍGDALA:** é o software da mente, ajuda a processar as informações, os registros e os estados emocionais. Também tem a capacidade neuroassociativa para criar novos programas e novas memórias;
- **HIPOTÁLAMO:** faz o controle da expressão fisiológica das emoções em todo o sistema e em todo o organismo. Gere todas as reações emocionais químicas e bioquímicas estimuladas e lançadas no corpo, na corrente sanguínea, por meio de neurotransmissores e hormônios.

O SISTEMA LÍMBICO

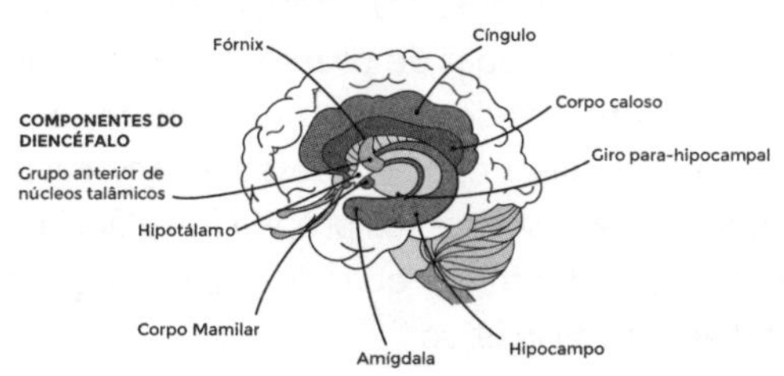

ORDEM EMOCIONAL

Basicamente, a emoção gerada pelo impacto de alguma experiência externa é organizada no sistema límbico e passa por um processo de três etapas nas estruturas citadas acima antes de afetar nossa vida, nosso comportamento, decisões, pensamentos, outras emoções e estados emocionais e vibratórios.

As emoções também produzem um padrão vibratório no Campo Quântico, nas células, moléculas e no próprio DNA. Tudo, conforme mencionei anteriormente, é sistêmico e afeta sua capacidade autoconsciente de cocriar a realidade desejada em frequências superiores de alta voltagem.

DESCREVENDO AS EMOÇÕES BÁSICAS

A seguir, quero fazer a distinção do grupo mais básico das emoções humanas, apresentando, por ora, apenas uma explicação geral, pois no capítulo seguinte vamos tratar em detalhes sobre a frequência das emoções e a Escala da Consciência.

Lembrando ainda que, no Capítulo 4, vamos aprofundar outros aspectos das emoções humanas, a partir de um estudo da Roda das Emoções, com muito mais detalhes e argumentos associados ao processo de cocriação e blindagem do Campo Quântico.

Cinco Emoções Básicas:

1. MEDO

O medo é um programa ancestral e ainda hoje faz parte do nosso escudo de blindagem do mundo, do ambiente externo e interno, e que funciona como um dispositivo de proteção contra os perigos percebidos pelo cérebro emocional.

O medo pode ter um caráter inconsciente também, provocado, por exemplo, pelo medo de rejeição ainda no ventre materno. Por isso, se você deseja cocriar em alta voltagem, precisa ressignificar ou remover essa sensação paralisante dos registros emocionais inseridos nos programas do seu inconsciente.

Na minha especialização em mentoria emocional, também compreendi que o medo tem uma função fisiológica importante que nos coloca em estado de alerta para nos ajudar a escapar de pressões e aliviar muitos problemas. Dessa forma, quando bem direcionado, o medo pode ser usado como um fator de coerência para analisar cada processo e cada caso em sua jornada de cocriação da realidade e regulação da própria frequência, porém, é preciso ficar sempre atento para identificar quando essa emoção ficar evidente e representar um fator autodestrutivo.

2. RAIVA

De certa forma, essa emoção é uma energia ou vibração motivadora, pois o impulsiona a agir, a se movimentar, a superar os desafios e romper com qualquer adversidade. Por isso, se bem canalizada, pode ajudar a empurrar seu estado de humor e ação.

Entretanto, se não for expressa e bem canalizada, mas apenas internalizada, você pode sucumbir a um estado de negatividade, baixa frequência e impulsividade autodestrutiva, o que pode arruinar em vez de cocriar, ou seja, descolapsar qualquer processo em andamento por causa de sua voracidade emocional.

Quando a raiva é ativada, o cérebro libera alguns hormônios como cortisol, adrenalina e noradrenalina, o que desencadeia um estado temporário de excitação, por isso a necessidade de movimento e de ação. O ponto é como você deve usar essa energia no dia a dia quando identificar algum momento de raiva.

Quando você tem maturidade sobre essa emoção, aceita o momento e direciona a necessidade de ação para algo benéfico e produtivo, mas, quando nutre a raiva como um elemento emocional negativo, pode manifestar impulsos de agressividade, incoerência, precipitação, julgamento e críticas, afetando não apenas a si, mas aos outros e, possivelmente, a fatos importantes da vida.

3. TRISTEZA

Com a tristeza, ocorre uma espécie de decaimento atômico em torno do Campo Quântico e relacional da pessoa, o que provoca uma perda de energia vital.

Eu entendo que a tristeza também é um mecanismo de proteção do organismo e da fisiologia que faz com que o corpo, a mente e o campo se retraiam para evitar novos motivos de tristeza ou, supostamente, de fracasso, de modo que a tristeza é acionada para o organismo se recompor, descansar, encontrar o ponto de alívio e de equilíbrio, ajustar as demais emoções e provocar um estado de introspecção e de auto-observação.

Quando se está no estado de tristeza, o corpo também poupa energia, evita outros desgastes, como a tomada de decisões de maior relevância. Há um relaxamento fisiológico que pode ajudar a harmonizar o campo na busca pelo estado harmônico e frequencial.

Em seu aspecto mais perigoso, que é quando a tristeza se torna crônica, ela pode levar à depressão e até a morte, uma vez que as moléculas, as células e todo o corpo também sentem a mesma experiência emocional e respondem ao mesmo estímulo ditado pela mente e pela consciência.

4. ALEGRIA

A alegria é uma emoção mágica! Contagia todo o sistema relacional e todo o Campo Quântico, liberando – ao contrário da tristeza – um efeito compensador por meio de neurotransmissores poderosos como serotonina, ocitocina e dopamina, os chamados hormônios do prazer, responsáveis por gerar um estado intenso de satisfação e de compensação às frustrações e aos fracassos.

A alegria desencadeia sentimentos e sensações positivas e motivadoras no dia a dia, por isso, é considerada como um propulsor energético que ajuda a expandir a vibração, elevar a frequência e alterar os padrões de toda a fisiologia para faixas e polaridades positivas, promovendo disposição, entusiasmo e ânimo para qualquer atividade, tomada de decisão, mudança de comportamento ou de atitude na vida.

Nesse estado elevado de humor emocional ou de espírito, a cocriação em alta voltagem se torna um processo natural e espontâneo!

5. AMOR

O amor é sublime! Carrega a insígnia do Criador e da concepção biológica humana. Ele está essencialmente relacionado com a produção da ocitocina, considerada o hormônio do amor e do prazer, razão pela qual é associado ao afeto, ao estado da afetividade, à compaixão e à empatia incondicional do ser humano.

O amor produz uma sensação maravilhosa de bem-estar, de harmonia e de coerência, por isso é essencial para as relações sociais e humanas e para a aceitação de si mesmo. É por meio do amor que o Universo se conecta e as pessoas se mantêm energeticamente unidas.

A energia e a emoção do amor regulam o sistema endócrino, toda a fisiologia, ajudam na neurofisiologia, nas neuroassociações do cérebro e na memória, evitando doenças degenerativas como o Alzheimer e até o câncer.

No processo de cocriação em alta frequência, o amor blinda todo o campo de cargas e registros emocionais negativos e cria um campo de força energética poderoso. O amor e o impacto do afeto também estimulam o sistema nervoso parassimpático e promovem o relaxamento fisiológico, o estado de calmaria, de harmonia e a comunicação de todo o sistema humano: corpo, mente, consciência e campo energético.

O QUE É O ESTADO EMOCIONAL?

O estado emocional representa o conjunto de mensagens e estímulos emocionais gerados no sistema límbico e enviados às outras áreas do cérebro. É, basicamente, a essência da emoção produzida pelo cérebro, o resultado, a resposta e o padrão emocional de cada momento, circunstância ou situação específica experimentada por uma pessoa.

A partir das **emoções básicas**, você pode identificar os estados emocionais. Nesta primeira fase de explicação, temos, sobretudo, dois gêneros:

- **Estado emocional positivo:** é a soma de emoções e sentimentos positivos interpretados e expressos por cada um. Esse padrão normalmente está ancorado em várias emoções como alegria, amor, afeto, gratidão ou entusiasmo. O estado emocional positivo ativa as funções regeneradoras do sistema nervoso parassimpático e gera grandes quantidades de dopamina, serotonina e endorfina no cérebro e, consequentemente, na corrente sanguínea.

- **Estado emocional negativo:** é a resposta de emoções negativas produzidas no cérebro e espelhadas no sistema fisiológico: tristeza, melancolia, raiva, culpa, medo etc. Quando o estado emocional negativo impera, o organismo pode apresentar respostas antagônicas: uma completa paralisia ou então fuga. O resultado, nesse caso, é uma superativação do sistema nervoso simpático, que mantém a produção de adrenalina e cortisol no sistema e desregula todo o organismo, elevando a pressão arterial e até desalinhando a Frequência Vibracional®.

VINTE DOS 365 ALGORITMOS DA HOLO COCRIAÇÃO® DECODIFICADOS PARA VIVER UMA VIDA EM ALTA FREQUÊNCIA DE 1.000 HERTZ®

Algoritmo da Holo Cocriação® 1: Mente Racional. Tudo começa na mente racional, no lado esquerdo do cérebro. Ou seja, toda cocriação inicia com um pensamento, por um processo informacional, na mente consciente. Todo o processo da Cocriação 1.000 Hertz® começa a partir do seu pensamento, da razão, da sua mente lógica. Essa mente é intermediária e está localizada entre as outras duas – inconsciente e superior.

O pensamento, por meio da mente racional, é responsável por criar o holograma do seu desejo no Universo, seja uma casa, um carro, uma viagem, uma robusta conta bancária ou mesmo o encontro com a alma gêmea. Essa mente racional ou consciente é o berço da informação inicial do seu cérebro e da sua consciência.

Ela faz o registro da imagem e do holograma do seu sonho, que repercute na Mente Inconsciente e se expande, em forma de onda frequencial, à Mente Superior, Universo, Vácuo Quântico ou Matriz Holográfica®. O pensamento, na Mente Racional, é a faísca que ativa a combustão de uma mente cocriativa.

Algoritmo da Holo Cocriação® 2: Mente Atemporal. No Universo não existe espaço e tempo. O Universo é atemporal. Por isso, a mente é atemporal e pode cocriar, instantaneamente, em qualquer dimensão do tempo e do espaço. Ou seja, não há distinção em nada, não há passado nem futuro.

O que existe é apenas o momento atual, o aqui e o agora. Assim, o que você sente, pensa e vibra é cocriado, imediatamente, como onda informacional no Campo Quântico das infinitas possibilidades. Tudo acontece agora, em alta velocidade, na luz, em 1.000 Hertz. Esse é um segredo oculto revelado e decodificado como Algoritmo da Holo Cocriação.

Algoritmo da Holo Cocriação® 3: Cérebro Verbal. O cérebro pode ser alterado com a verbalização de suas palavras de poder, com afirmações de poder, de fé e de certeza na cocriação de seus sonhos. A convicção gera a potência 1.000 Hertz, faz sua mente acreditar, e a emoção emanada pelo coração ultrapassa a velocidade da luz. É desse modo que você pode declarar a vida que deseja, recitar mantras, orações e códigos vibracionais de programação, por exemplo.

Mas faça isso sempre com a emoção intensificada, com desejo ardente e com a visualização holográfica de seu sonho já manifestada na realidade quântica. É isso que, sem dúvida, vai alterar a programação e ajudar a transformar crenças limitantes e condicionamentos em efeitos potencializadores da Cocriação 1.000 Hertz®, na área que se predispuser.

Algoritmo da Holo Cocriação® 4: Ciclo de Onda. Um dos segredos para materialização na dimensão 1.000 Hertz é reduzir os ciclos de onda cerebral para as faixas Alfa e Theta. Isso pode ser feito quando você medita, faz alguma visualização holográfica, entra em transe hipnótico ou está em estado de sonolência, meio acordado e meio dormindo.

Nesse momento, seu cérebro reduz a frequência, você e sua fisiologia relaxam e se harmonizam, o lado racional da mente some e você se integra à frequência nula da Onda Primordial.

Integrado ao Campo Quântico ou Matriz Holográfica®, tudo se torna possível e tudo pode ser cocriado. Na não-localidade, todas as possibilidades podem ser manifestadas livremente sem qualquer condicionamento mental ou programação cultural. Você, literalmente, se torna uma frequência compatível à cocriação.

Algoritmo da Holo Cocriação® 5: Mudança de Polaridade. Para cocriar na frequência 1.000 Hertz, você deve mudar a polaridade da mente e das ondas cerebrais. Ou seja, sair do estado depreciativo para a satisfação, alegria, fé, poder e autorresponsabilidade. Ao mudar os polos, a percepção e a perspectiva emocional do momento, você altera a vibração, a polaridade dos átomos e o próprio campo de energia. Passa da contração para campos atratores de expansão.

E como mudar essa perspectiva?

Você deve sair do caminho autodestrutivo de pensamentos negativos, emoções conflitantes e atitudes incongruentes com seu desejo de manifestar riqueza. É preciso mudar essa polaridade com novas ações, novos desafios emocionais, com uma mudança comportamental que envolve suas atitudes diante dos obstáculos e até a sua fisiologia.

Você deve assumir as rédeas do próprio destino, aceitar que a vida que leva hoje foi você quem construiu ou cocriou, que a única pessoa responsável por todos os efeitos é você. Saindo da vitimização, do sentimento de culpa, do falso perdão, da falta de iniciativa, da omissão e do medo.

Ao evitar esses sentimentos e mudá-los para ações coordenadas e produtivas, sua consciência consegue alterar a polaridade vibracional de seus átomos e elevar seu campo de consciência e de eletromagnetismo, colocando-o, assim, em uma faixa universal superior, compatível com as cocriações que deseja. Você pode fazer isso, basta querer, desejar e agir nessa direção.

Algoritmo da Holo Cocriação® 6: Permissão Deliberada. Você pode usar essa Lei Cósmica para cocriar em frequência elevada, na dimensão 1.000 Hertz. O segredo desse algoritmo é tomar consciência das próprias escolhas. Ou seja, levar luz à sua consciência, à sua Mente Inferior e ao seu inconsciente quanto às decisões e caminhos que tomar na vida.

Com isso, você permite deliberadamente uma situação ou outra, um pensamento ou outro, uma emoção ou um comportamento específico. Deve, então, permitir que chegue à sua vida o que deseja, mas de modo consciente e totalmente lúcido. Isso significa que é preciso fazer autoanálise, buscar entender o que ainda está travando e bloqueando emocionalmente ou energeticamente a manifestação de seus sonhos.

Talvez você esteja permitindo algo nefasto de modo inconsciente. Pode ser um pensamento, um padrão emocional, espiritual ou energético. Ou, quem sabe, você não está se permitindo experimentar a cocriação de seu desejo em 1.000 Hertz.

"Como?"

Suas crenças limitantes, bloqueadores emocionais ou mesmo imposições da sua mente racional podem travar toda a livre manifestação.

Ao permitir, consciente e inconscientemente, sua cocriação ideal, você entra no fluxo quântico do Universo e solta seus desejos, sem qualquer peso ou insatisfação. Tudo passa a operar natural e sincronicamente em torno de si ao liberar seu campo emocional e energético de expansão.

Por isso, é preciso se autoanalisar, observar a si, anotar suas emoções mais comuns, os pensamentos que vêm com frequência e que tipo de atitude costuma tomar diante de toda e qualquer circunstância.

Você precisa se libertar, permitir que toda e qualquer cocriação chegue até você, aceitar esse fato natural do Universo, abrir sua mente e o seu coração, reconhecer que é filho do Criador de tudo, que existe uma versão sua em estado de perfeição à procura das melhores soluções e alternativas para você cocriar, efetivamente, seus sonhos.

Algoritmo da Holo Cocriação® 7: Frequência da Mudança. Você precisa mudar sempre que for preciso. Mudar representa regeneração. Também podemos interpretar como ressignificação.

Isso vale para velhas crenças, pensamentos, emoções ou qualquer bloqueador mental ou emocional oposto à cocriação 1.000 Hertz®, e deve estar em ressonância com seu Eu Holográfico® diretamente no momento presente. Para ativar a energia (frequência) da mudança, você deverá abrir-se para uma mudança de consciência e de *mindset*.

Você deve se livrar de velhos padrões nocivos de derrotismos, pensamentos primários, emoções prejudiciais à sua existência, à expansão da sua mente e contrários à sua capacidade infinita de cocriação universal.

É preciso remover as camadas a sua volta, liberar a mente para um novo horizonte de possibilidades infinitas e de confirmações fantásticas. E isso passa também por sua fisiologia, seu estado do ser e por seu estado de presença. Tudo precisa mudar para você alterar a vibração em volta do seu Campo Quântico.

Sua mente, sua emoção e sua fisiologia precisam mudar de frequência, colocando mais disposição, alegria e entusiasmo em tudo que se propor a fazer.

É preciso ressignificar crenças, limpar memórias antigas do inconsciente, mudar a forma de respirar harmonicamente e de desejar o bem para as pessoas, meditar, manter estados de alta concentração, ampliar o seu senso de visualização criativa quanto ao futuro desejado e perceber o Novo Eu que transcende o tempo e o espaço, se manifestar dentro de sua centelha divina.

Você precisa tornar mais leve o padrão da sua energia, acelerar seu metabolismo físico e mental para imantar, dentro e fora de você, uma vibração mais suave e sutil, compatível com a dimensão holográfica dos sonhos e com a frequência da Mente Superior e Cósmica.

Isso passa por algumas atitudes mentais e emocionais que vão refletir em todo o seu sistema e na expressão dos resultados de sua vida, como:

- Não julgue (anti julgamento);
- Não critique;
- Liberte-se da preocupação e da ansiedade de suas frequências reduzidas;
- Evite lembranças do passado, sentimentos de culpa, medo, tristeza ou ódio;
- Mude o comportamento pessoal, saindo da zona de conforto, da maneira como pensa ou sente negativamente;
- Transcenda toda essa mudança para o lado físico, com disciplina, atividade física regular, alimentação saudável e consumo consciente de água.

Todas essas mudanças internas e externas vão gerar a **energia da mudança** de que precisa para manifestar sua nova versão, seu Novo Eu, como alguém completamente realizado e feliz.

Algoritmo da Holo Cocriação® 8: Libido 1.000 Hertz®. Termo usado por Sigmund Freud, a libido ou o *Chi*, segundo os orientais, flui dentro de todos os seres humanos. Ela é responsável pela criação de tudo, inclusive é considerada a energia que move as galáxias na dimensão 1.000 Hertz.

A prosperidade, o dinheiro ou toda a abundância, por exemplo, são manifestadas quando ativamos a reserva de libido nos negócios, nos relacionamentos ou na atividade espiritual. Vamos dizer que essa energia é uma fonte de luz de alta frequência na dimensão 1.000 Hertz, conectada com o Todo, fundamental para o sucesso em todas as áreas da nossa vida.

Quando não usamos a libido de maneira eficiente, existe uma espécie de somatização caracterizada por irritação, depressão, sentimentos como falta de realização pessoal, falta de sentido da vida, tristeza, melancolia, revolta, desespero e todos os demais sentimentos negativos, inclusive a falta de dinheiro.

Podemos dizer ainda que a libido é uma energia criativa por excelência e permeia tudo e todas as coisas do Universo, desde o ato de pensar, imaginar, agir, planejar, realizar até executar qualquer atividade.

Por isso, essa emanação original do Universo presente em cada ser precisa ser acionada para criarmos ou cocriarmos os mecanismos necessários para atrair mais e mais acontecimentos alinhados vibracional e emocionalmente com o horizonte dos nossos sonhos.

Algoritmo da Holo Cocriação® 9: Rendição. A cocriação 1.000 Hertz® acontece quando há rendição. Ou seja, quando você se deixa levar, segue adiante, se solta, se permite experimentar o próprio fluxo quântico do Criador. Isso significa aceitar e permitir a plenitude, a influência da consciência no campo de infinitas possibilidades, na não-localidade.

Quando há rendição, há cocriação, você aprende a soltar, a deixar ir e a delegar seus desejos à livre manifestação do Universo. Render-se significa liberdade para existir, ser e estar. Representa o próprio estado harmônico e o sentido de presença no Universo. Quando você se rende, quebra todas as barreiras mentais, emocionais e rompe com suas crenças limitantes e qualquer tipo de sabotador. Com isso, aumenta sua vibração instantaneamente, eleva-se à potência 1.000 Hertz e consegue cocriar direto no Campo Quântico. Esse, com certeza, é mais um segredo para cocriar em alta voltagem. Um algoritmo de poder infinito.

Algoritmo da Holo Cocriação® 10: Comunicação Interior. O que isso significa? Para a Física Quântica, não existe separação de nada, todas as coisas estão correlacionadas quanticamente. Por isso, os átomos se comunicam instantaneamente no domínio da potencialidade pura. Só que esse potencial puro não está associado unicamente ao Universo externo e sua relação com o mundo material.

Muito pelo contrário. Essa comunicação se inicia de dentro para fora. Por isso, se deseja vibrar na dimensão ou frequência 1.000 Hertz, você deverá, antes de tudo, comunicar suas células, as moléculas do seu corpo, o núcleo do DNA e até sua rede neural.

"Mas como posso fazer isso?"

Por meio do pensamento cocriativo, da emoção potencial e acelerada, além do desejo ardente de manifestar seus sonhos em tempo real, como se todos já fossem realidade e existissem. Para isso, use os recursos da visualização holográfica, da meditação quântica e da alta concentração.

Experimente a certeza dentro de si, focalize no processo de coerência cardíaca e na força energética do seu coração. Ao sentir com veracidade, convicção e participar da sua própria experiência interior, suas células, moléculas, DNA, neurônios e todo o campo relacional vão se iluminar, ascender às esferas mais elevadas do Universo e atingir, instantaneamente, a dimensão 1.000 Hertz para cocriação diretamente na potencialidade pura, que é a não localidade, o campo de infinitas possibilidades ou a Matriz Holográfica®.

Algoritmo da Holo Cocriação® 11: Ideias Descontínuas. No campo de potencialidade pura ou não localidade, não deve haver pressão para cocriar em alta voltagem. Tudo deve partir de uma intenção consciente, avançar para uma ideia única e depois partir para a descontinuidade de probabilidades.

Isso significa que todas as probabilidades coexistem e todas as infinitas possibilidades podem se manifestar simultaneamente no Campo Quântico, o que expande ainda mais a sua compreensão sobre o Universo e a materialização de qualquer desejo.

Na prática, você intenciona conscientemente algo, mantém a ideia ou concepção do seu sonho com fé e, em seguida, libera para que haja a cocriação nas ilimitadas variáveis e possibilidades quânticas da existência. Isso também retira qualquer emoção de preocupação, ansiedade, nervosismo, espera excessiva, culpa, julgamento ou necessidade emergencial.

O processo apenas flui, natural e descontinuadamente, colocando para você um menu infinito de possibilidades de realização máxima e acelerada do seu sonho, em formato de onda informacional, com toda a singularidade da existência nos multiversos. Isso pode valer para cocriação de um carro, da casa de seus sonhos, de um novo relacionamento, do reconhecimento profissional, do sucesso que deseja ou de um ganho elevado de dinheiro. A permissão para cocriar na luz, na dimensão 1.000 Hertz, vale para tudo o que desejar.

Algoritmo da Holo Cocriação® 12: Ação Assertiva. Você deve agir, trabalhar, estudar, praticar. Não existe resultado positivo sem ação, sem esforço ou disciplina. Agir significa correr pelos próprios sonhos e fazer valer, independentemente da situação ou circunstância em que você se encontre.

Faça valer o seu sonho e faça valer agora. Toda ação positiva e assertiva gera uma reação vibracional elevada. Cada ação equivale a um potencial atômico que acelera e se envolve de energia motora até as escalas superiores da consciência.

No Universo da cocriação da realidade, escolha agir positivamente diante de toda e qualquer adversidade para materializar qualquer desejo. Ação tem a ver com escolha consciente e com cocriação certeira. Você pode agir para elevar a vibração, desenvolver sua musculatura energética e comandar a dimensão da criatividade.

Com ação, desprendimento, fé, atitude positiva e coerência emocional, sua frequência será elevada consequentemente. Com certeza, este algoritmo é um dos pilares da cocriação e uma das bases para apoiar sua frequência 1.000 Hertz.

Por isso, é preciso agir e se movimentar para manifestar sonhos em dimensões superiores. Ou seja, caminhar na direção dos objetivos, trabalhar o aspecto da visualização mental e imaginativa, bem como praticar técnicas e métodos apropriados para a materialização dos sonhos de alta potência energética.

Pensamentos, sentimentos e ações devem caminhar lado a lado e em plena harmonia para concretizar seus objetivos na frequência 1.000 Hertz. Mãos à obra, pois um Universo inteiro de possibilidades espera por você!

Algoritmo da Holo Cocriação® 13: Conexão Presente. É preciso estabelecer uma conexão com o tempo presente, com seu estado de presença. Somente assim seu Eu Holográfico®, sua versão onda informacional, que trafega por todos os horizontes e raios circulares do Universo, conseguirá transcender as barreiras do tempo e do espaço para acessar as dimensões de alta frequência 1.000 Hertz.

Para alcançar a conexão presente, transcender a realidade e o próprio tempo, você deverá se desconectar da matéria, do ambiente físico, dos próprios sentidos físicos do corpo e de sua identidade atual.

Porque, afinal, você não é você (a Elainne, por exemplo, nesta vida está como Elainne), você está em sua experiência de reconexão com a fonte. É preciso perceber e sentir esse movimento interno e, assim, libertar-se para transcender e alcançar a dimensão 1.000 Hertz da luz.

Você precisa ir além do que pensa e aceitar o espaço não local das infinitas possibilidades. Essa mudança de percepção começa com a compreensão de que nós mesmos cocriamos a realidade quando entramos em estado de imersão harmônica com o Universo.

"E de que forma isso é possível?"

Por meio do relaxamento profundo, de meditações quânticas, intenção elevada e mudanças do estado do ser; de desapego ao mudar a qualidade dos pensamentos; da limpeza de crenças inconscientes, de processos e programas emocionais automáticos.

Todo esse movimento interior mexe com a fisiologia vibracional, altera a frequência do sistema quântico, muda a frequência das células e das moléculas, e permite a transformação completa para se alcançar o futuro brilhante em altas esferas quânticas na dimensão 1.000 Hertz.

Com tudo isso, você muda a química emocional do corpo altera a velocidade de transmissão das sinapses cerebrais, potencializa a liberação hormonal e, consequentemente, aumenta seu padrão vibratório ao elevar sua frequência à potência 1.000 Hertz, ao Campo Quântico.

Tudo isso deve ser feito em conexão com o presente e com a experiência energética e emocional de que tudo o que deseja já é real e já existe no Universo. Basta que se materialize naturalmente a partir do desprendimento que acabou de ter, ser e aceitar.

Para você compreender melhor, quando sua energia foca no passado ou no futuro, existe o decaimento atômico de partículas para cocriar no presente. Ou seja, há uma defasagem energética do próprio campo eletromagnético pessoal. É como se você se esvaziasse e não sobrasse quase nada em termos de vibração, energia e frequência, para cocriar no momento atual, que é o que importa no Universo.

Sua energia presente e conexão com o agora é o que determina a cocriação 1.000 Hertz®, porque sua frequência é interpretada, no mesmo momento, no Universo atemporal.

Para cocriar no agora, na conexão presente, você deve evitar o desvio de atenção para o futuro ou despender energia de desejo ao passado. Dessa forma, você sai do piloto automático do seu inconsciente, redefine a vibração do corpo e ativa a potência máxima de desejo presente para a cocriação ideal na frequência 1.000 Hertz, com a vibração elevada do foco de sua consciência quântica.

Algoritmo da Holo Cocriação® 14: Cinco Sentidos Cocriativos. Quero fazer algumas perguntas para você.

Como estão os cinco sentidos de percepção da sua vida?

Como está o processo da visualização?

Como anda a fé, o ato de soltar, o desapego, o processo de perdão e a unificação com a fonte criadora?

Por que todas essas questões foram levantadas?

Porque você deve compreender a importância da congruência, do alinhamento vibracional de alta potência entre pensamentos, sentimentos, energia, ação e a palavra para a manifestar a vida dos sonhos na dimensão 1.000 Hertz.

Os sentidos humanos, nesse processo da cocriação da realidade, são fundamentais. Eles devem ser usados e estar alinhados para manifestar o desejo pretendido em qualquer área da vida. São os sentidos humanos que darão o impulso necessário para o começo da ativação 1.000 Hertz.

Por isso, volto a perguntar: Como estão as suas visualizações?

Imagens Mentais

Nas visualizações, todos os caminhos neurais do cérebro, os sentimentos do coração integrados no processo de coerência harmônica e os cinco sentidos físicos (audição, tato, paladar, olfato e visão) são aguçados, porque a mente não distingue o real do imaginário.

Com todos esses recursos disponíveis, mais a fé inabalável na magnitude do **absoluto infinito** e no Criador de tudo o que é, todas as cocriações são possíveis no plano físico por meio do Colapso de função de onda.

Dessa maneira, você consegue acelerar a frequência do seu desejo, acionar sua própria Emosentização Hertz® e, assim, vibrar mais e mais alto, até promover o entrelaçamento das partículas e encontrar a sintonia ideal ao seu desejo no espaço da potencialidade pura.

As visualizações e o uso dos sentidos são fundamentais na concepção de grandes pesquisadores como Gregg Braden, que reforça esse aspecto para a materialização das coisas no mundo físico.

Isso porque quando você visualiza algo, automaticamente ativa os cinco sentidos humanos, potencializa o próprio campo eletromagnético de alta voltagem e emite as informações quânticas ao Universo para manifestar qualquer realidade em sua vida.

Assim, lhe pergunto:

Você está vendo os seus sonhos?

Está tocando mentalmente os seus sonhos?

Além disso, como está o amor, a fé, o desapego e o ato de soltar, a permissão, sua rendição ao propósito maior, o sentimento de paz, a religação com o divino, o perdão com todas as pessoas da Terra e do Céu?

Enfim, como está a sua experiência emocional e vibracional para manifestar seus desejos no campo da imaginação, que é o campo de infinitas possibilidades, a Matriz Holográfica®?

Para colapsar seus sonhos na dimensão de luz 1.000 Hertz®, você deve visualizar, sentir, perceber e viver seu desejo interna e intensamente antes mesmo da materialização.

Para tanto, é preciso usar os cinco sentidos (olhos físicos/externo) e ativar o poder da visualização para cocriar o sonho ou o desejo e manifestar tudo o que sempre quis em alta frequência e instantaneamente em qualquer dimensão além do espaço e do tempo (olhos da alma/interno). Este algoritmo é a solução para tudo o que busca, para transformar enredos e para encontrar a saída aos seus dilemas existenciais.

Algoritmo da Holo Cocriação® 15: Silêncio Superior. Quando acessamos a fonte da criação por meio de profunda meditação e do poder do silêncio, também acessamos, verdadeiramente, as infinitas possibilidades para materializar qualquer sonho em alta potência vibracional, até a dimensão 1.000 Hertz.

Nesse ponto, deixamos a dualidade ou dissociação com a matriz divina (Matriz Holográfica® ou Potencialidade Pura). A partir disso, há o despertar da consciência e o acesso ao portal para dimensões superiores, acima de 1.000 Hertz, vibrações mais elevadas e seres espirituais ascensionados.

Por isso, a Frequência do Milagre reside em seu silêncio. Ao silenciar, você começará a ouvir a voz do Criador. Quando você silencia, baixa os ciclos de onda cerebral, acessa as ondas Alfa e Theta em estado harmônico e em alinhamento vibracional das três mentes (consciente, inconsciente e superior – Deus, Universo ou Vácuo Quântico). Isso cria a coerência harmônica e você entra em fase com Deus.

Sugiro que medite em Ponto Zero, ao menos dez minutos por dia e, se puder, por várias vezes. Faça disso uma prática que o levará ao pleno estado de superposição quântica 1.000 Hertz.

Existem algumas técnicas para acessar esse campo de Ponto Zero quando silencia a mente e o coração. Uma delas é a respiração "Há", praticada como um método para acumular energia vital e acalmar a mente.

Essa respiração, provocada por três inspirações e expirações repetidas, intercaladas em intervalos ininterruptos de sete segundos cada um, é praticada durante a técnica Ho'oponopono da Identidade Própria, dos Milagres ou Quântico – estas duas últimas versões, criadas por mim –, para a reconexão interior e o autoperdão.

Dessa forma, a respiração "Há" restabelece e equilibra toda a energia divina do corpo e da mente. Também facilita o acesso ao campo de Ponto Zero e a reconexão com a fonte criadora.

Essa reconexão com a frequência de origem também ocorre ao usarmos a religação com o mantra "EU SOU O EU SOU", ou seja, com o Eu Superior ou Intuição Divina. Deste modo, são aplicados vários recursos da criação da realidade para o total alinhamento vibracional do campo energético do corpo humano.

Nesse caso, o "EU SOU O EU SOU" faz o corpo vibrar em uma nova Frequência Vibracional® (acima de 528 Hertz, que sobe, rápida e instantaneamente, superando até a vibração 1.000 Hertz), além de estimular esse contato integrativo com o campo de Ponto Zero.

O "EU SOU" permite o acesso ao campo zero, lugar de pura energia em que todas as coisas começam e os sonhos são materializados. E nessa incubadora quântica da realidade todas as coisas são possíveis, desde o sucesso, riqueza e prosperidade, cura de carências e doenças, abstração dos medos e a materialização dos desejos mais profundos de cada ser humano, sobretudo de abundância.

Para acessarmos essa dimensão de campo zero, precisamos compreender a existência desse canal divino, compreender o mecanismo de funcionamento e usar a linguagem do silêncio e da meditação.

Assim, nos reconectamos com a fonte criadora e com esse espaço de pura energia em que os sonhos são realizados. Esse campo, propriamente, contém o Universo e funciona como a ponte para interligar tudo e todas as criações.

Algoritmo da Holo Cocriação® 16: Esquema da Cocriação 1.000 Hertz®. Este é o segredo do algoritmo 16 para acelerar a Cocriação 1.000 Hertz®: Há um esquema e um processo interno dos ciclos de pensamentos e sentimentos para acelerar a manifestação de seu desejo ao criar os campos eletromagnéticos de alta potência energética no Universo.

Um dos segredos é você entender o esquema da cocriação na relação entre pensamentos e sentimentos, colocando em prática todo esse movimento interno.

Veja o **Esquema da Cocriação**, como opera dentro de você e o que deve fazer para ativar sua máxima potência:

- Os ciclos de pensamentos e sentimentos positivos (nesse caso, vamos focar nos campos positivos) geram campos eletromagnéticos em volta do corpo físico;
- Esses campos contêm frequência de luz elevada e de alta potência, que podem ultrapassar a vibração 1.000 Hertz;
- Os campos geram frequência, energia e informação, que é emanada ao Vácuo Quântico, à Matriz Holográfica®, à não localidade ou dimensão da potencialidade pura, em que todos os sonhos são possíveis e toda cocriação pode acontecer;
- Os campos emitem sinais eletromagnéticos ao Universo, seja quando estamos conscientes ou mesmo de modo inconsciente.

Entenda agora a base de todo o processo:

- O pensamento ativa as redes neurais associadas às memórias e às lembranças do que pensamos;
- As redes neurais, sinapses e neuroassociações produzem descargas elétricas no cérebro;
- Essas descargas elétricas liberam substâncias químicas (hormônios como a serotonina, por exemplo) no cérebro e em todo o corpo;
- As substâncias químicas liberadas correspondem às emoções equivalentes e ligadas aos pensamentos, memórias e lembranças;
- As emoções despertam sentimentos interiorizados, percebidos e acumulados pela consciência;
- Os sentimentos produzem cargas magnéticas de atração, o que chamamos de campos de atração;
- As descargas elétricas dos pensamentos se integram, por correlação quântica e afinidade frequencial, às cargas magnéticas dos sentimentos.

Algoritmo da Holo Cocriação® 17: Força Interior. Uma coisa é fato e conspira para manifestarmos e cocriarmos nossas metas: precisamos da vibração da força para enfrentar os desafios da vida e desse mundo competitivo e subir a frequência até o céu, na dimensão 1.000 Hertz.

Essa força interior é indispensável para enxergar a realidade nua e crua, pois viver na esperança ou ilusão é sempre desastroso.

Posso garantir isso para você. Ninguém que deseja progredir consistentemente pode viver de ilusões. Dessa forma, enxergar a realidade exige grande força interior para não desistir da jornada evolutiva. Em um aspecto geral, essa força nos permite avaliar corretamente as estratégias, as alternativas e a coragem necessárias para implementar nossos planos.

Por esse paradigma, resiliência é a capacidade de resistir apesar da dor e tem relação direta com a força interior. Toda pessoa realizada é capaz disso, sabe o preço a pagar e paga sem reclamar.

Ainda nesse sentido, nunca se deve esperar as condições ideais para fazer o que tem de ser feito. Utilize e aja com o que tem em suas mãos, lute com o que a natureza nos deu. Tirar o melhor das nossas habilidades. Fazer as mudanças que têm de ser feitas. Isso, sim, representa a qualidade da força interior.

Isso também é uma autêntica filosofia de vida. É a filosofia que define e determina quem vai realizar seus sonhos.

Algoritmo da Holo Cocriação® 18: Coragem Arrebatadora. A emoção da coragem é o ponto de mudança e de transmutação energética. Ela começa devagar, em apenas 200 Hertz de vibração, segundo a Escala Hawkins. Porém, a coragem é capaz de mobilizar todo o padrão do seu campo para cima, alterar a polaridade atômica e impulsioná-lo a subir até a velocidade e o seu ritmo de manifestação no Universo.

A partir da coragem, tudo é possível, você cria disposição, se move para o amor, para a alegria, paz e harmonia, até chegar na dimensão transcendental da iluminação, em 1.000 Hertz. Por isso, o algoritmo 18 trata da coragem e da sua frequência. Sem coragem, você segue com medo, triste, cheio de apatia, raiva, orgulho e dor.

Cheio de coragem, você é capaz de dominar o mundo, de elevar a autoestima, a autoconfiança, o sentimento de pertencimento, de permissão, de aceitação e de amor-próprio. Você se sente arrebatador, merecedor e diz sim para a cocriação dos seus sonhos mais lindos no Universo. Munido de coragem, repleto de autoconfiança, de autoperdão e de amor-próprio, sua frequência entra em uma onda de ascensão até o Colapso de função de onda.

Na onda original, em que são materializados os seus mais legítimos sonhos em vibrações e dimensões superiores a 1.000 Hertz®, tudo isso é possível porque a coragem integra todos esses sentimentos, pensamentos positivos e comportamentos, totalmente congruentes aos seus desejos de máxima potência universal.

Algoritmo da Holo Cocriação® 19: Pensamento Bioelétrico. O pensamento abstrato é o componente mais poderoso do Universo em termos vibracionais. Tem a capacidade de dedução mesmo com poucas informações à disposição, permite alcançar grandes descobertas, atingir escalas superiores de energia em dimensões paralelas, além de acionar o poder da cocriação criativa na potência 1.000 Hertz.

Essa habilidade permite compreender que não existe realidade objetiva, mundo material, mundo concreto etc. Tudo nesse sentido é abstrato, subjetivo e tem permissão para virar realidade no plano físico da vida, desde a sua consciência, ao ativar o pensamento certo, alinhado com o que sente ou deseja internamente.

Isso ocorre porque a cocriação começa com a faísca do pensamento antes de alcançar o campo emocional de cada pessoa e de suas ativações bioeletroquímicas.

Todas as leis da Física garantem que esse processo funciona. É assim que se colhe os resultados de cocriação 1.000 Hertz® também. Ou seja, você planta mentalmente por meio de um pensamento bioelétrico, e então registra emocionalmente.

Cultiva na mente, espalha a semente no solo fértil emocional e colhe no plano físico. A matéria é produto do que pensa e sente. Isso também se chama causa e efeito. Ação e reação. Mas tudo inicia com um único pensamento elevado na dimensão 1.000 Hertz do seu verdadeiro sonho, da realização que mais deseja materializar no mundo.

Algoritmo da Holo Cocriação® 20: Poder Essencial. Sem dúvida, toda cocriação 1.000 Hertz tem relação direta com a capacidade de expressar o poder pessoal ou essencial. Essa é, claramente, uma característica de todos os líderes do mundo.

O verdadeiro poder, nesse sentindo, é expressar e manifestar o máximo possível da própria essência em todas as áreas da vida. Mas, para manifestar todo o poder divino imantado em cada um de nós, na dimensão da luz e da Matriz Holográfica®, você precisa manter o equilíbrio energético.

Um próton sozinho não tem campo, assim como um elétron sozinho não tem campo, mas unidos têm um campo eletromagnético. Esse campo é o que atrai a realidade, que cocria qualquer desejo, em qualquer velocidade, além do tempo e do espaço – pois o campo é uma coisa só e o ser humano uma Frequência Vibracional®. Bingo! Você é uma Frequência Vibracional® que irradia luz e energia no Universo.

O psiquiatra suíço Carl G. Jung descreveu largamente a importância dos Arquétipos Anima e Animus para explicar, de certa forma, a composição do ser. O que também implica a relação com a força vibrátil do campo ressonante e energético de cada pessoa. Segundo o pesquisador da mente inconsciente, Anima é o aspecto feminino que precisa ser incorporado pelos homens; e Animus, o aspecto masculino que precisa ser incorporado pelas mulheres.

Assim, teremos equilíbrio entre Yin e Yang. Basicamente, esse é o equilíbrio da vida e o que vai dar sustentação para você elevar a própria vibração em tempo recorde. Ao encontrar esse equilíbrio, tudo se expande automaticamente, sobretudo a potência eletromagnética do seu Campo Quântico.

O poder advém do equilíbrio entre o masculino e o feminino, pois assim você se torna uma pessoa centrada e equilibrada. Passa a vibrar, cada vez mais, em esferas elevadas de luz, amor, gratidão, alegria, perdão e empatia sincera. Nesse ponto, a força pessoal ou essencial pode ser canalizada para diferentes realizações da vida, seja qual for a área identificada.

Para você entender melhor: as questões profundas do inconsciente passam a integrar-se com sucesso e, então, o poder dessa pessoa é cada vez maior. Por isso, o colapso da função de onda está totalmente ligado aos arquétipos Anima/Animus.

Para colapsar, entenda, é preciso que a pessoa não tenha dúvidas, acredite 100% no seu poder essencial, esteja equilibrada e seja centrada em seus sentidos e propósitos existenciais. Essa é a razão pela qual o poder essencial pode ser expressado em níveis tão diferentes e porque uns têm muito e outros tão pouco.

E o que faz uma pessoa ter grande poder essencial? Certamente o equilíbrio entre Anima e Animus dentro de si.

A união entre Yin e Yang, representa, literalmente, a Realidade Última, expressando-se de maneira Una. E não há poder maior do que a Realidade Última ou a Matriz Divina (Holográfica) para a cocriação da realidade e a manifestação plena de todos os sonhos no campo de infinitas possibilidades, na dimensão de luz 1.000 Hertz.

www.dnareveladodasemocoes.com.br

A seguir, no Capítulo 2, vamos falar sobre o Mapa da Consciência Humana, sobre as frequências emocionais e sobre os detalhes importantes de cada emoção voltada para a cocriação da realidade e dos sonhos.

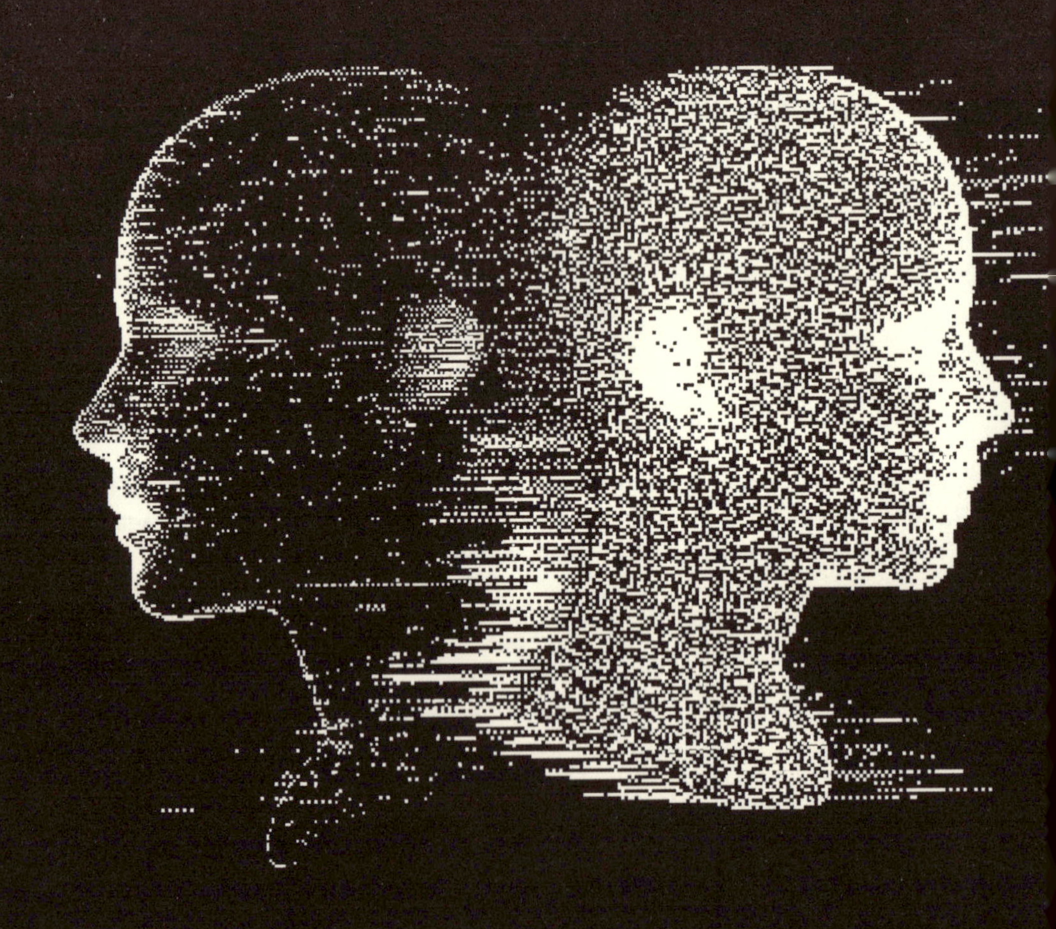

CAPÍTULO 2
MAPA DA CONSCIÊNCIA

Calibrando as frequências humanas para curar as doenças emocionais que causam o caos e a desordem

É possível mapear as emoções humanas? Identificar, calibrar e medir a frequência desses programas da consciência? Sim, com certeza! Esse processo foi estudado e desenvolvido pelo Dr. David Hawkins por meio de seus estudos aprofundados da Cinesiologia, que por mais de vinte anos foram aprofundados com análises, testes, experiências e voluntários observados.

Hawkins criou o Mapa da Consciência Humana ou Escala das Emoções Humanas. Com o uso da Escala da Consciência, é possível medir os níveis de energia das emoções em frequências Hertz, ou seja, é possível medir e calibrar qual é a frequência emocional, seja de uma pessoa, de um grupo, de ambientes e até do planeta, pois tudo tem frequência e vibração, tudo se move no Universo num estado constante de movimento.

DOENÇAS EMOCIONAIS

Quero falar sobre a influência das emoções no cotidiano. Mais do que isso, vamos tentar compreender a representação do que eu chamo de doenças emocionais. Pois essas emoções geram baixa frequência e, sem dúvida alguma, estão atrapalhando seu desenvolvimento em diferentes áreas da cocriação.

É preciso entender como essas emoções agem secretamente dentro de você e determinam todos os acontecimentos da sua vida. Porque, sem dúvida, emoções incoerentes e desajustadas trazem problemas em várias áreas. E quais seriam essas emoções desequilibradas dentro de você?

Eu poderia citar a culpa, a mágoa, o remorso, a tristeza, a sensação de abandono, toda a ansiedade ou preocupação com o futuro que carrega, todas as suas incertezas, os medos, a solidão, a criança emocional ainda profundamente ferida no núcleo do seu ser. Tudo isso produz falta de amor-próprio, baixa autoestima, um estado de melancolia e de insatisfação permanente. Todas as memórias e traumas do passado que vêm à tona no exato momento em que escolher tomar atitude em cada evento, pensamento, ação ou decisão.

O resultado pode ser dramático, diante de todos esses aspectos internos e emocionais, pois, ao alimentar, durante tanto tempo todos esses sentimentos e emoções negativas ao longo da vida, você segue suscetível e vulnerável a uma série de problemas e permanece com os mesmos padrões mentais e comportamentos emocionais de modo totalmente inconsciente.

Os problemas gerados são muitos, desde estagnação financeira, dificuldade nos relacionamentos, vícios, como o uso de álcool ou drogas, inclinação a criminalidade e a uma vida marginal, distúrbios emocionais, graves enfermidades e até escassez material. Normalmente, é aí, nesse ponto, que muitas pessoas começam a se questionar e buscam meus treinamentos em busca de solução e saída para as suas vidas. Muitas delas trazem estas indagações: "Por que não consigo prosperar, não realizo meus sonhos, não consigo enriquecer, progredir profissionalmente, encontrar a alma gêmea ou me sentir realizada com meus projetos de vida?".

A resposta está dentro de cada um e isso é espelhado em todas essas doenças emocionais que muitos especialistas hoje chamam de depressão, a doença do século; de falta de razão para viver; crise existencial ou falta de propósito de vida.

E onde estão escondidas todas essas dores e doenças emocionais?

Elas estão gravadas no seu inconsciente, na sua mente emocional. Rodam incessantemente, como um programa de computador que se repete, repete e repete. Desde a infância, quando sofreu *bullying* na escola, sentiu abandono em casa, injustiça e rejeição dos pais, dos colegas ou qualquer tipo de carência emocional.

Essas emoções ainda podem estar rodando em plena atividade na sua mente, o que tem acarretado todos os transtornos que vive ainda hoje, como a falta, a escassez, a miséria de sucesso e de reconhecimento profissional. Até a obesidade pode estar relacionada com o sentimento de culpa e todo o peso (densidade) vibracional que essa emoção contém em todo do seu Campo Quântico.

Tudo o que acontece em nossa vida parte das nossas emoções, das nossas experiências emocionais e do que elas vibram. Todos os nossos comportamentos condicionados estão vinculados às experiências emocionais, positivas ou negativas. Lembre-se que a cocriação inicia-se de dentro para fora. Do seu estado emocional para o mental, comportamental e vibracional. Você é fruto do nível emocional que emana ao Universo. Sem sarar essas doenças e curar suas feridas emocionais, sua vida não será transformada e você não vai conseguir cocriar em alta voltagem na frequência 1.000 Hertz. Em vez de cocriar, vai continuar destruindo e descolapsando seus próprios sonhos.

Você precisa entender que tudo é sistêmico. Por exemplo: se por toda sua vida você carrega sentimentos de falta de perdão ou até falta de autoperdão, essa emoção vai gerar, consequentemente, falta, escassez, traição, medo de ficar sozinha ou sozinho, abandono, rejeição e muita carência afetiva em torno de si. Pois o que você vai emanar ao Universo é uma frequência baixa, menor do que 100, 50 Hertz segundo a Escala da Consciência, e isso será refletido de volta ao seu Campo Quântico e à sua realidade do momento.

Emoção essa que gera frequência baixa e somatiza no corpo. O que quero dizer com isso? Que suas emoções de baixa frequência somatizam e debilitam seu estado físico, biológico e energético. Se permanecerem acumuladas dentro do seu ser e envoltas em seu Campo Quântico, a partir de faixas vibráteis de baixo calibre, você poderá desenvolver graves doenças como câncer, problemas articulares, reumáticos, sanguíneos, psoríases, doenças cardíacas, cerebrais, falências de órgãos e um estado profundo de melancolia ou depressão.

Tudo porque o que você sente ou emocionaliza reflete na vibração de suas células, em seus genes e na neuroassociação cerebral, afetando a qualidade dos pensamentos, a bioquímica do corpo, as suas reações comportamentais e o seu DNA emocional. Suas células e moléculas passam a adoecer, a criar um estado de constante rejeição e repulsão vibracional. Tudo se contrai e nada se expande. Isso é espelhado em todos os eventos e acontecimentos de sua existência.

Segundo Hawkins, isso também pode ser definido como campo de contração. Em vez de expandir sua frequência emocional e elevar seu padrão vibratório, seu campo se contrai, é retraído e compelido por emoções e vibrações menores. É como se você se encolhesse, se retraísse, entrasse em uma concha de medo, subjugação, temor, enfermidades, problemas e tremendas dificuldades em diferentes áreas da vida.

Nada progride, sua vida permanece estagnada e começa um processo reverso de bloqueios e doenças emocionais, responsáveis por todos esses fracassos recorrentes, prejuízos, enfermidades, desavenças, desorganizações financeiras, problemas nos relacionamentos e a falta completa de reconhecimento pessoal e profissional em sua vida.

Por isso é preciso a auto-observação. Prestar atenção em si, no que tem sentido com mais frequência, em suas reações emocionais e olhar para as memórias do passado antes mesmo de ressignificá-las. Mas esse olhar deve ser neutro, sem julgamento ou crítica excessiva contra si. Você deve compreender que, naquele momento de dor, em que você foi ferido ou desprestigiado, fez tudo o que era possível a partir do seu nível de consciência, de percepção da vida e do entendimento da realidade.

Assim como hoje, quando você alcançou um novo estágio e sabe que pode alterar a própria realidade, reordenar todas essas emoções traumáticas, aceitá-las e ressignificar tudo dentro de si, receber o aprendizado e a experiência para criar um novo estado emocional positivo e, consequentemente, uma nova assinatura vibracional no mundo. É isso que se deve promover, alinhar e ativar em termos de coerência emocional para mudar seu destino, alcançar a felicidade e cocriar seus sonhos daqui para frente, sem qualquer bloqueio ou contração emocional e energética.

A cura das doenças emocionais está na ressignificação de crenças, na libertação da sua criança interior e no mapeamento das emoções que ainda estão ocultas no seu inconsciente. Para alcançar toda essa transformação, você precisa equilibrar suas forças internas. Ou seja, alinhar vibracionalmente o que sente, a forma como pensa e modificar seus comportamentos diários. Tudo isso vai gerar o estado harmônico do ser, que é a coerência cardíaca, assunto que vou destacar com maior ênfase e em detalhes no Capítulo 6.

A cura das doenças emocionais está na ressignificação de crenças, na libertação da sua criança interior e no mapeamento das emoções que ainda estão ocultas no seu inconsciente.

A ativação da coerência cardíaca também contempla uma das fases de ativação do Método de Blindagem Emocional 1.000 Hertz®. A partir desse alinhamento entre cabeça, coração e corpo, você conseguirá neutralizar todas essas emoções e dar um novo sentido às suas experiências do passado, do presente e do futuro.

Vai criar a coerência logo depois de Emosentizar® a experiência mais adequada ao seu novo plano existencial. Ou seja, colocar em movimento – e de modo acelerado – novas emoções e novas programações culturais, sustentadas por outras frequências emocionais de alto padrão vibratório. Somente dessa maneira é possível exterminar todas essas doenças emocionais, acolher sua criança interior e dar uma nova perspectiva ao seu Eu do Futuro.

A cura das doenças emocionais começa com o reconhecimento dos sentimentos ou emoções negativas, passa pelo processo da aceitação desses "fantasmas" e pela mudança de comportamento. Ou seja, pelo alinhamento do sentimento (emoção), do pensamento e da ação – que é o novo hábito ou comportamento – que decide tomar ao assumir 100% da responsabilidade sobre sua vida e sair da posição de vítima.

A partir da compreensão sobre os fundamentos da Física Quântica, dos princípios da cocriação e da percepção emocional, você aceita e compreende que pode criar seu próprio futuro ao dominar suas emoções no momento presente. Você é o observador da realidade e o gestor das suas emoções. É quem comanda o que sente, a própria ação e pode materializar os próprios sonhos. Ninguém mais tem esse poder emocional e vibracional para alterar a sua frequência e modificar os fatos a seu favor.

O Método da Blindagem Emocional 1.000 Hertz® vai ensinar tudo isso, a decodificar suas emoções e elevar o padrão vibratório. Em pouco tempo, você vai conseguir criar o estado harmônico, calibrar vibracionalmente coração, mente e corpo para entrar em fase com seus sonhos e aumentar a vibração de todo seu sistema relacional ou campo emocional.

Antes de seguir para outras explicações científicas e aprofundar o conhecimento sobre a Escala Hawkins e partir para as três fases do Método de Blindagem, eu quero ensinar algumas ações importantes para você iniciar a cura de suas doenças emocionais. Lembrando que toda ação parte de um pensamento que reflete nas emoções, nos comportamentos e no Campo Quântico vibracional. Vamos lá!

CINCO AÇÕES PARA CURAR DOENÇAS EMOCIONAIS

1. **Seja grato.** A gratidão atrai coisas boas para sua vida. Agradeça por aquilo que já tem e por aquilo que sonha ter;
2. **Perdoe.** A prática do perdão é o que alinha e torna possível suas experiências mais incríveis;
3. **Acredite.** Tudo o que você sonha pode não ser o que você precisa agora, ou se algo deu errado e não durou para sempre significa que não foi o maior presente que você podia obter. Confie que o Universo está alinhado para o que é melhor para você;

4. **Faça mais, fale menos.** O que realmente importa não é o que você diz ou o que dizem sobre você, mas como você vive. Não é sobre o que você está falando, é muito mais sobre quem você é;
5. **Viva o agora.** Nunca se sabe o que acontecerá em seguida.

JORNADA DE RECONEXÃO

A compreensão do Mapa da Consciência Humana é relativamente simples, porém, a prática e a calibragem dependem de dedicação, fé, força de vontade, desprendimento do ego e abertura para uma jornada evolutiva, a qual certamente devemos ou podemos chamar de reconexão.

Isso mesmo! O objetivo de tudo e de toda a caminhada é nos realinharmos energética e emocionalmente com a luz do Criador, com a Fonte Criadora, com o Universo ou com a Matriz Holográfica® para voltar ao estado original, à frequência de origem 1.000 Hertz no ápice de potência, identificado e calibrado pela Escala Hawkins.

Quando entramos em fase com o Universo, nos tornamos uno com Deus, o Criador de tudo o que é, e passamos a nos manifestar, livremente, como Onda Informacional, em estado harmônico de consciência, por todo o raio multidimensional do Universo. Todas as possibilidades de Holo Cocriação® se tornam perfeitamente tangíveis e podem ser materializadas, inclusive, instantaneamente.

DIRETRIZES EMOCIONAIS

O Mapa da Consciência oferece todas as diretrizes necessárias para qualquer pessoa fazer uma profunda autoavaliação emocional para entender o momento, reconhecer as próprias crenças limitantes, identificar quais são as feridas emocionais que ainda machucam a sua existência e qual sentimento ou emoção precisa ser ajustado (calibrado) de maneira emergencial.

Por isso, eu afirmo que o Mapa da Consciência é, na verdade, o Mapa das Emoções da Vida. Ele decodifica a essência do ser humano e consegue estabelecer um ponto de conexão entre o ser, o estar e o nível de vibração desejado por cada ser humano.

Por meio da análise do Mapa da Consciência, é possível saber qual o atual padrão de energia, quais emoções estão impregnadas no Campo Quântico e no inconsciente, qual a direção a tomar para mudar as próprias ações e comportamentos emocionais, bem como escolher as ferramentas quânticas mais apropriadas para subir a frequência e, assim, alcançar o nível necessário para Holo Cocriação® da realidade e dos sonhos.

Ao identificar qual é o seu padrão, você consegue promover o alinhamento vibracional necessário para harmonizar o Campo Quântico, criar a coerência necessária e alterar todo o comportamento fisiológico.

DECODIFICANDO A VIBRAÇÃO

Fundamentalmente, o alinhamento passa pela identificação e calibragem das emoções, pelo ajuste do pensamento e pela ação correta na jornada de reconexão. Ao identificar qual é o seu padrão, você consegue promover o alinhamento vibracional necessário para harmonizar o Campo Quântico, criar a coerência necessária e alterar todo o comportamento fisiológico. Em poucas palavras, é preciso decodificar as emoções para elevar a frequência e blindar o campo.

MEDIDA CONGRUENTE

Outro fator importante é que, para existir a cocriação em alta frequência, não pode haver qualquer incongruência dentro de você e nem conflitos entre as etapas da Holo Cocriação®, de modo que qualquer dúvida no potencial de realização de um desejo gera o efeito reverso no seu sistema.

Por exemplo, para alcançar a autoestima, você deve cultivar o sentimento de fé, de certeza e convicção em si e no Criador, mas se você, apesar de ter o pensamento positivo, sentir que algo vai dar errado em algum momento, infelizmente, produzirá uma vibração inferior que causará mais baixa autoestima e sentimento de incapacidade.

ALINHAMENTO EMOCIONAL

Repito: para que um desejo se realize, isto é, deixe de ser pensamento (ideia inata) para se transformar em matéria, é necessário que haja coerência entre pensamento, emoção, sentimento e ação. Esse fenômeno é explicado pela Física Quântica e por estudiosos da área. Muitas pesquisas mostram que, assim como a emoção, o pensamento sozinho não cria nada, ele precisa de um *ativador*.[3]

---

3 Tomando como base estudos do Instituto HerthMath e estudos sobre coerência harmônica. Partindo da ação expansiva do campo eletromagnético do coração – 5 mil vezes mais potente e, ao menos, 100 vezes maior do que o campo eletromagnético de expansão do cérebro. Esta sincronização é acionada na Fase II, com o recurso da Emosentização®.

CONDUZINDO PROCESSOS

Uma das maneiras de fazer essa ativação é por meio de técnicas que conduzem ao processo, fazendo com que você não fique na metade do caminho "pensando muito" e deixando de realizar, ou até sentindo a emoção, mas sem ação e movimento.

Um exemplo de um desses potencializadores é a técnica que criei e chamo de Emosentização®, a qual apresento a fórmula completa no Capítulo 5. Essa técnica já coleciona inúmeros relatos emocionantes. A técnica faz parte da Fase II do Método de Blindagem 1.000 Hertz®. Com a prática, você aprende a direcionar e ativar o potencial de realização da emoção, que deixa de ser um mero pensamento ou uma sensação distante.

ALINHAMENTO E COERÊNCIA

É preciso compreender, portanto, que qualquer espécie de incoerência anula a força realizadora da emoção. Sem identificar e ativar a emoção certa, você descolapsa a função de onda e não produz vibração suficiente no Universo para materializar o que sonha.

Para funcionar, deve haver coerência e alinhamento, pois é dessa forma que você eleva a sua Frequência Vibracional®, a qual é composta justamente pela soma dos seus pensamentos, sentimentos e ações. O alinhamento é fácil de compreender: pensamento, sentimento e ação devem operar da mesma forma. Isso representa a fase harmônica entre o inconsciente, o consciente e a Mente Superior, que é Deus ou o Universo.

A consciência deve desejar, visualizar, pensar, sentir, Emocionalizar® e agir para cocriar o mesmo objetivo. Mas tudo, sem dúvida, começa com a calibragem das próprias emoções.

FERRAMENTA ESTRATÉGICA

O Mapa da Consciência é uma ferramenta poderosa para decodificar todo esse processo. Ainda neste capítulo, vou apresentar os detalhes desse esquema emocional criado pelo dr. David Hawkins.

Mas, por ora, quero que você perceba com ainda mais clareza a influência das emoções em todos os pilares da vida: O que você está sentindo? As emoções predominantes na sua vida provavelmente estão relacionadas com tudo o que tem acontecido hoje na sua família, nas suas amizades, no seu campo profissional, amoroso e em todos os outros.

Cada emoção que você pensa, sente, emana ou manifesta de qualquer outra forma possui uma frequência equivalente e quantificável, que é mensurada em Hertz, a unidade padrão do sistema internacional de medidas para frequência.

SINAIS EMOCIONAIS

Assim, fica muito claro que não basta apenas sentir emoções positivas para cocriar a realidade, se dentro de você existem mágoas, culpas e outras emoções – reconhecidas também como feridas emocionais – que vibram abaixo da frequência de 200 Hertz.

Por mais que se tente disfarçar as emoções de baixa frequência, camuflando-as das mais diversas formas, sorrindo quando você não quer sorrir, comendo excessivamente, tratando mal os outros para se sobressair etc., o seu sistema contabiliza e tudo fica registrado vibracionalmente. Você é o que reflete de dentro para fora!

POIS NINGUÉM ENGANA O CAMPO...

Você pode até se enganar por um período, mas seu campo energético (eletromagnético) nunca vai mentir. Hawkins chama de campo energético o espaço vibracional resultado da soma de todas as emoções que você sente, derivadas do seu passado e de suas atitudes, emoções e ações do presente.

OBSERVAÇÕES DA CONSCIÊNCIA

Para dar rigor científico as suas pesquisas realizadas ao longo de décadas dedicadas ao estudo da consciência humana, Hawkins utilizou como base a Cinesiologia – uma especialidade que analisa os movimentos do corpo humano.

Suas observações permitiram a criação do Mapa da Consciência Humana, uma admirável ferramenta de autoconhecimento em que as principais emoções humanas aparecem em uma escala logarítmica que vai de 0 a 1.000, na qual o estágio mais baixo é a emoção de vergonha (calibrada em 20 Hertz) e os estados mais elevados de iluminação calibram de 700 para cima, até alcançar 1.000 Hertz.

Diante desses fatos, convido você a conhecer, de modo mais preciso, esse estudo revelador para que possa diagnosticar o seu próprio estágio vibratório na esfera das emoções. Vamos juntos!

Diante desses fatos, convido você a conhecer, de modo mais preciso, esse estudo revelador para que possa diagnosticar o seu próprio estágio vibratório na esfera das emoções. Vamos juntos!

GUIA DA CONSCIÊNCIA

O estudo das emoções no *DNA Revelado das Emoções®* é fundamentado nos conhecimentos da Cinesiologia – ciência que tem por objeto de estudo a obtenção de respostas diretamente da mente inconsciente para perguntas simples (sim/não) por meio de testes musculares.

De acordo com a Cinesiologia, o ser humano tem a capacidade de transcender a mente analítica e o ego para obter informações diretamente da mente subconsciente (inconsciente), a fim de diferenciar estímulos positivos de negativos; o anabólico do catabólico; o verdadeiro do falso; e o benéfico do nocivo, por meio de reações musculares fortes ou fracas.

TESTE CINESIOLÓGICO

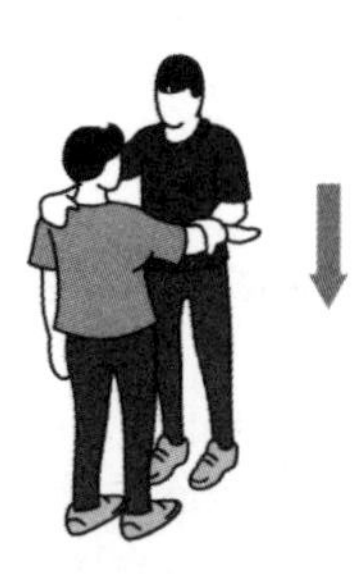

Em princípio, o teste muscular é simples, exigindo apenas duas pessoas. Uma fica em pé com seu braço estendido paralelamente ao chão, a outra faz uma pergunta cuja resposta seja sim ou não. Então, uma empurra o braço da outra para baixo, exercendo força no pulso e usando dois dedos.

Se a resposta for "sim", a reação muscular é forte, o braço resiste e se mantém firme; se a resposta for negativa, a reação muscular é fraca, o braço cede e abaixa.

Na verdade, os testes cinesiológicos podem ser feitos em qualquer músculo do corpo, mas para a escala das emoções, eu costumo usar o músculo do braço.

VERDADE × FALSIDADE

Com esses testes, Hawkins entendeu que era possível distinguir, objetivamente, a verdade da falsidade. Do mesmo modo, também compreendeu que era possível determinar os níveis da consciência humana. E assim foi criada a Escala das Emoções, para calibrar e identificar os campos de energia invisíveis que nos controlam, numa estratificação logarítmica de 0 a 1.000, na qual 1.000 corresponde ao ápice, a iluminação, o nível de consciência alcançado por Jesus e Buda.

Além dos testes cinesiológicos, fundamentando os conhecimentos de Física Quântica, foram usados especialmente os estudos da dinâmica não linear e da teoria do caos. Nesse sentido, o grande desafio é demonstrar de maneira linear, visível e compreensível, tanto para os cientistas quanto para público em geral, um conhecimento cujas bases pertencem ao mundo invisível e não cartesiano da Física Quântica e da espiritualidade.

RESULTADOS PRAGMÁTICOS

Dessa forma, foi possível comprovar, com a contextualização científica, pragmática e clínica, as verdades simples até então conhecidas apenas intuitivamente, encontradas nas literaturas sagradas e consideradas pertencentes ao reino do misticismo e da espiritualidade, tais como: "o amor é mais poderoso do que o ódio"; "a verdade nos liberta"; "o perdão liberta ambos os lados"; "o amor é cura incondicional"; "a coragem capacita" e "a essência da Divindade/Realidade é a paz".

A partir dos testes cinesiológicos, o pesquisador viu que é possível obter respostas diretamente da mente subconsciente (inconsciente) e compreendeu que isso acontece porque a mente inconsciente individual está conectada a uma mente coletiva universal da humanidade e opera por meio do que ele denominou de "campos de atração do in/subconsciente", o inconsciente coletivo que Carl Jung denomina "arquétipos".

SERES ATEMPORAIS E A CONEXÃO EMOCIONAL

Portanto, por meio da frequência das emoções, estamos todos conectados ao inconsciente coletivo, sobretudo porque não somos apenas nosso corpo físico e mente individual, como o ego tende a considerar e como postulou o filósofo e matemático francês René Descartes.

Na verdade, somos espíritos atemporais que têm um corpo humano em um determinado momento do tempo linear. Por isso, estamos conectados com todo o Universo por meio do inconsciente coletivo da humanidade, no qual estão registradas todas as informações e experiências emocionais de todos os seres humanos ao longo dos tempos.

A conexão essencial a partir desse paradigma é, sem dúvida, nossas emoções.

PADRÕES DOMINANTES

Com as pesquisas de Hawkins, descobriu-se que padrões profundamente poderosos organizam o comportamento humano por meio de campos atratores. Esses campos são aspectos da própria consciência, que possui um domínio potencial infinito e independente das identidades individuais, de maneira que toda a história da civilização e da humanidade é composta de combinações e variações desses campos atratores.

Compreendendo toda a conexão do Universo, é possível transcender o ponto de vista limitado que cria a ilusão de dualidade – sujeito/objeto ou subjetivo/objetivo – por meio da qual a pessoa é compreendida como indivíduo separado do mundo e de outros indivíduos.

Se cada pessoa está conectada com tudo e com todos, podemos encontrar as respostas para todas as perguntas na mente coletiva, Matriz Holográfica®.

A conexão essencial a partir desse paradigma é, sem dúvida, nossas emoções.

RESPOSTA UNIVERSAL

Com base na Cinesiologia, sabemos que, para qualquer pergunta que for feita, se houver resposta em algum lugar ou tempo no Universo, ela será revelada, uma vez que os testes musculares de resistência oferecem respostas impessoais obtidas diretamente do campo da consciência humana, independente das crenças, opiniões individuais ou mesmo do nível de conhecimento da pessoa sobre o tema questionado.

ESTRATIFICAÇÃO

Para chegar à elaboração do Mapa da Consciência com as principais emoções humanas, Hawkins atribuiu uma escala logarítmica. Essa escala varia de 0 a 1.000, partindo da vergonha, que calibra 20 Hertz, até estágios avançados de iluminação, os quais calibram acima de 700 Hertz. Assim, ele correlacionou as respostas dos testes cinesiológicos a essa escala para conseguir medir o poder de diferentes atitudes, pensamentos, sentimentos, situações e relacionamentos.

Explicando de maneira simplificada o processo realizado por Hawkins, ao realizar o teste muscular, por exemplo, para chegar à conclusão de que a aceitação calibra em 350 Hertz, as perguntas eram conduzidas da seguinte forma:

- "A aceitação calibra acima de 200?" Resposta muscular: sim;
- "A aceitação calibra acima de 300?" Resposta muscular: sim;
- "A aceitação calibra acima de 400?" Resposta muscular: não;
- "A aceitação calibra acima de 360?" Resposta muscular: não;
- "A aceitação calibra acima de 340?" Resposta muscular: sim;
- "A aceitação calibra 350?" Resposta muscular: sim.

RIGOR CIENTÍFICO

O pesquisador executou esse procedimento com todas as emoções, milhares e milhares de vezes, com milhares de pares de testadores/testados diferentes, durante os vinte anos de sua pesquisa.

Dessa forma, Hawkins chegou à conclusão de que a dinâmica não linear da evolução da consciência humana, que antes era encontrada apenas na literatura sagrada e considerada como algo místico, na verdade, é real e calibrável em "padrões de atração" e "campos de energia", que podem ser descritos em termos matemáticos e com rigor científico por meio do "Mapa da Consciência".

DECODIFICANDO OS NÍVEIS DA CONSCIÊNCIA DAS EMOÇÕES HUMANAS

Os níveis da consciência humana estão escalonados hierarquicamente no "Mapa da Consciência", que exibe a anatomia e a fisiologia da consciência humana, considerando as perspectivas da visão de Deus, visão da vida, nível de consciência, frequência da energia, emoção correspondente e processo evolutivo.

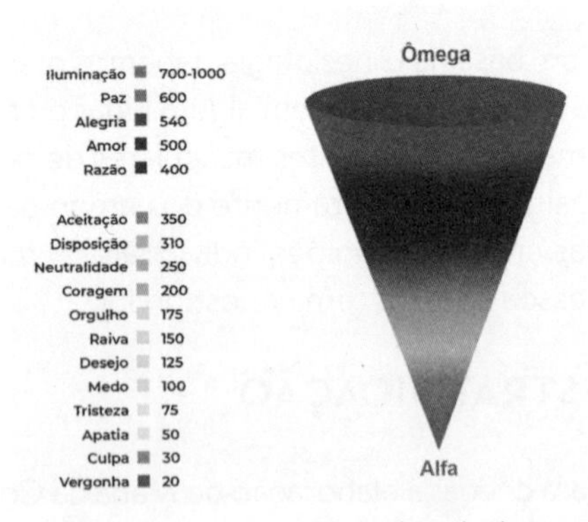

O nível de consciência 200 é considerado o ponto crítico da tabela, porque divide as duas áreas gerais de potência de força (falsidade/verdade): enquanto todos os níveis abaixo de 200 são destrutivos para o indivíduo e para a sociedade em geral, todos os níveis acima de 200 são expressões positivas e construtivas de energia.

Outro ponto crítico é o nível de consciência 500 que, quando alcançado e transcendido, a felicidade dos outros surge como a força motivadora essencial. Os níveis acima de 500 são marcados pela consciência espiritual; os níveis acima de 600 estão associados à busca pelo bem da humanidade e por iluminação; nos níveis entre 700 e 1.000, a vida da pessoa é dedicada à salvação de toda a humanidade.

VISÃO DE DEUS	VISÃO DA VIDA	NÍVEL	FREQUÊNCIA	EMOÇÃO	PROCESSO
Eu	É	Iluminação	700 - 1000	Inefável	Consciência Pura
Todo -Ser	Perfeito	Paz	600	Êxtase	Iluminação
Alguém	Completo	Alegria	540	Serenidade	Transfiguração
Amar	Benigno	Amor	500	Reverência	Revelação
Sábio	Significado	Razão	400	Entendimento	Abstração
Misericordioso	Harmonioso	Aceitação	350	Perdão	Transcendência
Inspiração	Esperançoso	Boa Vontade	310	Otimismo	Intenção
Capaz	Neutralidade	Satisfatório	250	Confiança	Desprendimento
Permissível	Viável	Coragem	200	Afirmação	Fortalecimento
Indiferença	Exigência	Orgulho	175	Desprezo	Presunção
Vingativo	Raiva	Antagônico	150	Ódio	Agressão
Negação	Desapontamento	Desejo	125	Súplica	Escravização
Punitivo	Assustador	Medo	100	Ansiedade	Recolhimento
Desdenhoso	Trágico	Mágoa	75	Arrependimento	Desânimo
Condenação	Desesperança	Apatia	50	Abdicação	Desespero
Vingativo	Maldade	Culpa	30	Destruição	Acusação
Desprezo	Vergonha	Miserabilidade	20	Humilhação	Eliminação

Os números associados às calibragens dos níveis de consciência representam uma progressão logarítmica, isto é, o nível 300, por exemplo, não é simplesmente a multiplicação aritmética de 150 × 2, mas representa o número 10 elevado à potência 300, ou seja, o número 1 seguido de 300 zeros.

Dessa forma, o aumento de apenas um ponto representa um enorme avanço. E com cada aumento no nível de consciência, a frequência e a vibração da pessoa aumentam, provocando efeitos benéficos para o próprio ser e para todo o mundo ao redor.

NÍVEIS GRADUADOS

Os níveis de consciência raramente se manifestam integralmente em seus estados puros, pois uma pessoa pode operar em um nível em uma determinada área da vida e em outro nível bastante diferente em outra. Assim, o nível geral da consciência de um indivíduo corresponde a uma média obtida a partir dos vários níveis nos quais ele opera.

PODER DE ASCENSÃO

A Tabela das Emoções de Hawkins apresenta-se como uma ferramenta científica para ascender a níveis de consciência mais elevados, matéria até então tratada somente pelas religiões e disciplinas espirituais.

Ao contemplar a tabela, podemos modificar nossa compreensão de causalidade dos eventos em nossa vida, uma vez que os efeitos que se manifestam na nossa realidade são causados pela frequência emitida por nosso próprio nível de consciência.

Dessa forma, é possível transcender o papel de vítima ao compreender que a causa dos problemas não é externa, mas sempre interna e determinada pela maneira como reagimos emocionalmente aos obstáculos, bem como nossas atitudes em relação a eles. Afinal, somos nós mesmos que determinamos se um evento tem efeito positivo ou negativo em nossas vidas, conforme os experimentamos como oportunidade ou como *estresse*.

O estudo sobre emoções e níveis de consciência produziu um documento sem precedentes para quem busca autoconhecimento, cura emocional, evolução espiritual e realizações nas mais diversas áreas da vida.

É possível transcender o papel de vítima ao compreender que a causa dos problemas não é externa, mas sempre interna e determinada pela maneira como reagimos emocionalmente aos obstáculos, bem como nossas atitudes em relação a eles.

A seguir, vou detalhar as explicações e interpretações de cada nível emocional de consciência e sua respectiva frequência de acordo com a Escala das Emoções de alta e baixa vibração. Logo depois, veremos um comparativo dos campos de força e atração que você pode reverter ao elevar a frequência, subir o nível de consciência e, consequentemente, o poder de Holo Cocriação® superior.

NÍVEIS DE CONSCIÊNCIA

NÍVEL DE ENERGIA 20: VERGONHA
O nível da vergonha é o nível de frequência mais baixo e, por isso, está perigosamente próximo à morte, associado ao suicídio consciente ou ao "suicídio passivo", situação em que a pessoa se torna incapaz de tomar medidas para prolongar a vida e passa a viver como um "zumbi". Essa proximidade com a morte ocorre porque, na vergonha, a pessoa tem a inclinação destrutiva de desaparecer ou se tornar invisível. A vergonha compromete a saúde emocional e psicológica da pessoa, tornando-a, consequentemente, vulnerável ao desenvolvimento de doenças físicas. A personalidade de quem vibra na vergonha é marcada sobretudo pela timidez, introspecção e comportamentos antissociais em geral e, eventualmente, a vergonha se manifesta de maneira compensatória por meio de atitudes de perfeccionismo, intolerância, rigidez e controle. Crianças envergonhadas, por exemplo, são cruéis com coleguinhas e animais. O nível da vergonha é o nível mais perigoso de todos, pois a pessoa que vibra 20 Hertz ou menos.
NÍVEL DE ENERGIA 30: CULPA
A culpa se manifesta de várias formas: remorso, autorrecriminação, masoquismo e toda a gama de sintomas da vítima. Quando inconsciente, a culpa leva a doenças psicossomáticas, propensão a acidentes e comportamentos suicidas. Pessoas que vibram no nível da culpa geralmente apresentam uma preocupação excessiva com "pecado" e têm uma tendência a manipular os outros utilizando-se de coerção e controle numa atitude emocional de moralismo implacável baseado na noção de pecado, o que leva a uma obsessão por punição frequentemente expressa pela inclinação a cometer homicídios, pois a culpa provoca raiva.
NÍVEL DE ENERGIA 50: APATIA
A apatia é o nível da mais completa falta de esperança, pobreza, escassez e desespero, no qual o mundo e o futuro parecem sombrios. As pessoas que vibram na apatia geralmente se encontram em estado de vítima permanente, em total desamparo e carentes em todos os sentidos. Os apáticos sentem que não há recursos ou soluções para seus problemas e que, mesmo que houvesse, não teriam energia para empregar esses recursos ou soluções, por isso, são extremamente dependentes de seus cuidadores. A apatia é o nível predominante dos moradores de rua e idosos abandonados em asilos, que vivem os dias sem esperanças, sentindo-se um fardo para a sociedade.

NÍVEL DE ENERGIA 75: SOFRIMENTO

Este é o nível da tristeza, da perda, do desânimo, do luto crônico e do remorso sobre o passado. As pessoas que vibram no sofrimento aceitam as perdas, as derrotas e os fracassos como uma constante em suas vidas, como o preço a se pagar por estarem vivas, em uma aceitação passiva da dor. Exatamente por vibrarem na compreensão de que a vida é sofrimento e que o fracasso está sempre à espreita, acabam atraindo eventos e situações que confirmam sua percepção, como perdas de oportunidades de trabalho, de dinheiro, de saúde, de amigos e de família, as quais podem desencadear uma depressão grave ou morte.

NÍVEL DE ENERGIA 100: MEDO

A pessoa que vibra no nível do medo vê o mundo como perigoso, ameaçador e cheio de armadilhas. O medo se revela em insegurança, inibição e paralisação, o que limita a evolução da consciência. A pessoa que vibra no medo se sente incapaz de chegar a um nível mais elevado sem ajuda, por isso tende a buscar líderes fortes que considera capazes de levá-lo para fora de sua escravidão, razão pela qual o medo favorece a intenção de manipulação das pessoas por parte de instituições governamentais ou religiosas.

NÍVEL DE ENERGIA 125: DESEJO

O nível do desejo é o nível da dependência, no sentido de que as pessoas condicionam sua felicidade, plenitude e satisfação à realização dos seus desejos. O desejo desequilibrado é a fonte dos vícios e comportamentos compulsivos e tem a ver com a acumulação e a ganância, pois o desejo é, por natureza, insaciável, de modo que a satisfação de um desejo é simplesmente substituída pela vontade insatisfeita de outra coisa. Entretanto, o desejo é um estado muito mais elevado do que a apatia ou tristeza, pois para realizar um anseio, seja ele qual for, é preciso que a pessoa tenha energia para "querer" e para se dedicar à realização. O desejo motiva as pessoas a se dedicarem para atingir seus objetivos e obter recompensas e, por isso, pode se tornar um trampolim para níveis mais elevados de consciência.

NÍVEL DE ENERGIA 150: RAIVA

Quando a pessoa transcende a tristeza, a apatia e o medo, ela começa a querer, a vibrar no desejo; quando este não é satisfeito, a frustação leva a pessoa ao próximo nível, a raiva. A raiva pode conduzir a pessoa a ações destrutivas ou construtivas. Como força destrutiva, a raiva se manifesta em ressentimento, vingança, irritação, conflito, agressividade e, em último caso, ódio, que tem um efeito erosivo em todas as áreas da vida de uma pessoa e em toda a sociedade. Já como força construtiva, a raiva pode ser a motivação pela qual os oprimidos são, eventualmente, catapultados para a liberdade e para a evolução da consciência.

NÍVEL DE ENERGIA 175: ORGULHO

O orgulho é o nível de consciência da maioria dos seres humanos. Ao atingir o nível do orgulho, as pessoas sentem-se mais positivas e há um aumento na autoestima em contraste com os campos de energia mais baixos, pois o orgulho remove a vergonha, a culpa, o desespero e o medo, configurando-se como um bálsamo para toda a dor experimentada em níveis mais baixos da consciência. Entretanto, vibrando no orgulho, a pessoa se sente bem em relação aos níveis mais baixos, mas ainda está abaixo do nível crítico de 200 Hertz e manifesta sua negatividade por meio da negação e da arrogância, características que bloqueiam o crescimento e a escalada da consciência. A pessoa que vibra no orgulho está sempre na defensiva, é dependente das condições externas e seu ego é vulnerável a ataques, diante de qualquer situação percebida como ameaça, a pessoa está sujeita a descer para um nível inferior como o medo, a vergonha ou a raiva. O orgulho é segregador, conduz a conflitos e a mortes. As guerras religiosas, o terrorismo e o fanatismo político são motivados pelo orgulho.

NÍVEL DE ENERGIA 200: CORAGEM

É o nível crítico que distingue as influências positivas e negativas da vida. Enquanto nos níveis abaixo de 200 Hertz a vida é vista como sem esperança, triste, assustadora ou frustrante, a partir do nível 200 Hertz a vida é vista como excitante, desafiadora e estimulante. A pessoa que vibra na coragem lida bem com os desafios da vida, tem vontade de experimentar coisas novas, energia para descobrir novas habilidades, sente-se motivada a crescer, não se sente paralisada e tem a capacidade de enfrentar os medos ou defeitos do seu caráter e evoluir apesar deles. Os obstáculos que normalmente derrotam as pessoas cujo nível de consciência é abaixo de 200 Hertz são percebidos como desafios estimulantes por quem o alcançou. Este é o nível coletivo da consciência da humanidade, o qual se manteve por muitos séculos em 190 Hertz, mas saltou para 204 Hertz nas últimas décadas.

NÍVEL DE ENERGIA 250: NEUTRALIDADE

No nível da neutralidade, a energia fica majoritariamente positiva, dissipando e liberando a energia negativa dos níveis anteriores. A pessoa neutra se caracteriza pela flexibilidade, pelo não julgamento e pela capacidade de avaliação realista dos problemas. Ser neutro, basicamente, significa ser relativamente alheio a resultados e imune a estímulos externos negativos, de maneira que uma pessoa não reage mais de maneira intensa a supostos fracassos. Por exemplo, uma pessoa no nível da neutralidade pensa da seguinte forma: “Bem, eu não consegui este emprego, mas vou conseguir outro melhor em breve”. Na neutralidade, começa a autoconfiança, a sensação de bem-estar, equilíbrio emocional, segurança, imparcialidade e perda da necessidade de controlar os eventos e as outras pessoas. As pessoas neutras valorizam muito a liberdade e dificilmente se deixam controlar ou permitem que algo externo as perturbe emocionalmente.

NÍVEL DE ENERGIA 310: BOA VONTADE E DISPOSIÇÃO

O nível da boa vontade se caracteriza pela energia positiva ainda mais elevada e é considerado um portal de acesso para os níveis superiores, pois, ao transcender a mente fechada típica dos níveis abaixo de 200 Hertz, ocorre uma grande abertura mental marcada pela disposição para aprender e para trabalhar, que deixa as pessoas mais simpáticas e sociáveis, e que parece conduzir automaticamente ao sucesso econômico em todos os seus empreendimentos. As pessoas que vibram neste nível não se sentem humilhadas em "começar por baixo" em postos de trabalho e tarefas mais modestas, são naturalmente úteis, construtivas, resilientes, dóceis, sensíveis às necessidades dos outros, preocupam-se em contribuir para o bem da coletividade, têm facilidade para aprender e possuem uma tendência para a autocorreção, pois estão dispostas a deixar o orgulho de lado e encarar questões internas que precisam ser trabalhadas em busca de melhorar como pessoa, sair de situações de adversidades e ainda aprender com a experiência. Além disso, no nível da boa vontade e disposição, a autoestima é elevada e comumente reforçada por feedbacks positivos da sociedade, como reconhecimento, gratidão, honras e recompensas.

NÍVEL DE ENERGIA 350: ACEITAÇÃO

No nível de consciência da aceitação, ocorre uma grande transformação, pois a pessoa se dá conta de que é a criadora de suas experiências na vida, assume a responsabilidade por si mesma, empodera-se e passa a viver em harmonia com as forças da vida. A pessoa que vibra na aceitação entende que nada externo pode torná-la feliz ou infeliz e que tudo é criado a partir de dentro. Além disso, a pessoa no nível da aceitação não está interessada em julgamentos para determinar o que é certo ou errado, mas dedica-se a resolver os problemas com serenidade. Na linguagem comum, aceitação pode eventualmente ser confundida com passividade e por isso é importante compreender que neste contexto dos níveis de consciência, a passividade é um sintoma da apatia e nada tem a ver com a aceitação, a qual é caracterizada essencialmente pelo equilíbrio, proporção, adequação, tolerância e pela consciência de que a igualdade não se opõe a diversidade.

NÍVEL DE ENERGIA 400: RAZÃO

Quando o sentimentalismo dos níveis inferiores é transcendido, a pessoa acessa a razão e se torna capaz de lidar com situações mais complexas, com símbolos e conceitos abstratos, de tomar decisões rápidas e acertadas e compreender as sutilezas dos relacionamentos. Para quem vibra no nível da razão, educação e conhecimento são vistos como capital. Entretanto, paradoxalmente, a razão acaba sendo um bloqueio para a ascensão a níveis mais elevados, pois, geralmente é difícil transcender os encantos do intelectualismo, dos conceitos e das teorias. Este nível de consciência é típico dos grandes estadistas, juristas, pensadores, escritores e cientistas da história da humanidade como Einstein, Newton e Freud.

NÍVEL DE ENERGIA 500: AMOR

O nível 500 Hertz é marcado pela transcendência da razão para o desenvolvimento do amor incondicional, permanente e imutável, que não vem de nenhuma fonte externa, mas de dentro da própria pessoa. O amor é um estado de ser, uma maneira de se relacionar com o mundo por meio do perdão, da bondade e do cuidado com os outros. Diferente da razão, que se origina na mente, o amor emana do coração. Pessoas que conseguem transcender a razão e acessar o amor têm a capacidade de realizar grandes feitos devido à pureza de sua motivação, têm a capacidade de compreender a totalidade de maneira intuitiva e sem recorrer ao pensamento racional, pois enquanto a razão trata apenas de elementos e de fragmentos, o amor lida com o Todo. No amor, toda negatividade é dissolvida e a pessoa experimenta a verdadeira felicidade.

NÍVEL DE ENERGIA 540: ALEGRIA

A partir da vibração do amor incondicional, o próximo nível é a experiência de uma alegria interior inabalável, constante e independente de qualquer fonte externa. A pessoa que vibra na alegria é caracterizada pela paciência, pela atitude sempre positiva diante dos desafios da vida e, principalmente, pela compaixão. Além disso, a pessoa que vibra na alegria vê a beleza e perfeição do Criador em tudo à sua volta, enxerga o mundo iluminado como uma expressão do amor e da Divindade, e tudo acontece sem esforço, de maneira sincrônica. A vibração da alegria é também a vibração da cura e do milagre, pois com a vontade individual fundida com a vontade Divina, ocorrem eventos para além da expectativa realista da pessoa comum. Na alegria, a pessoa se sente inclinada a usar seu estado de consciência elevado para o benefício de todos, prestando serviço amoroso à humanidade. 540 Hertz e acima é o nível dos santos, curandeiros espirituais, estudantes espirituais avançados e é também o nível de grupos de autoajuda de base espiritual.

NÍVEL DE ENERGIA 600: PAZ

O nível de consciência 600 Hertz da Paz é extremamente raro de ser alcançado, mas, quando atingido, caracteriza-se prela transcendência, autorrealização, fim da dualidade, da percepção de separação e da noção de indivíduo isolado por meio da consciência de unidade com Deus. No nível da Paz, a mente para de conceituar e silencia, tomando um lugar não racional. Pessoas que se elevam ao nível da Paz, comumente retiram-se do mundo devido a seu estado de bem-aventurança e substituem a perspectiva da religião pela espiritualidade pura.

NÍVEIS DE ENERGIA 700-1.000: ESCLARECIMENTO/ILUMINAÇÃO

Todos os níveis de consciência acima de 700 Hertz correspondem ao ápice da evolução da consciência humana e estão associados à Divindade, à inspiração pura, à transcendência do ego ("eu" para além da mente), à perda da noção do "eu" pessoal, individual e separado dos outros, e à identificação do "eu" com a Consciência do Universo e do Criador. Neste nível, o sentido da existência da pessoa transcende a individualidade e o tempo, não há mais identificação com o corpo físico, pois a consciência está em completa unidade com o Todo, em um estado inefável de graça e paz infinita, impossível de ser descrito com palavras. O nível de consciência 1.000 Hertz, especificamente, é o nível de Graça Divina alcançado pelos grandes avatares da história, para os quais o título de Senhor é apropriado: Senhor Krishina, Senhor Buda e Senhor Jesus Cristo.

PROGRESSÃO DA CONSCIÊNCIA

"Se você sente qualquer coisa que não seja compaixão ou amor incondicional por aqueles que, supostamente, você julga estarem num nível de consciência inferior ao seu, é porque vocês estão, apesar das aparências, exatamente no mesmo nível."[4]

Antes da pandemia de covid-19, o nível médio global de consciência humana era de aproximadamente 204 e o nível de consciência dos seres humanos estava dividido da seguinte maneira:

- 85% abaixo do nível crítico de 200 Hertz;
- 8% nível 400 Hertz;
- 4% nível 500 Hertz.

Durante a pandemia, a medição da frequência calibra em 100 Hertz, nível do medo.

Níveis de consciência 600 Hertz ou superiores são atingidos por apenas um em muitos milhões, porém, o poder das poucas pessoas em níveis de consciência superiores é capaz de contrabalançar a energia negativa de grandes populações que vibram em níveis muito baixos.

Em contrapartida, a negatividade extrema de alguns indivíduos ou grupos de indivíduos também é capaz de influenciar negativamente uma sociedade inteira, conforme observamos ao longo da história da humanidade.

NEUTRALIDADE DEMARCADA

O nível de consciência 250 Hertz, a neutralidade, demarca uma mudança fundamental da consciência, pois é quando começa se desenvolver a autoestima

4 Frase atribuída a David Hawkins.

e a inclinação pela liberdade, razão pela qual esse é o nível mínimo necessário para que uma pessoa tenha qualquer resultado satisfatório na vida.

Em outras palavras, para cocriar qualquer coisa que se deseja, é preciso vibrar de 250 Hertz para cima. Por esse motivo, é tão importante limpar as emoções negativas, curar as feridas emocionais e as crenças que as sustentam.

Infelizmente, não é comum uma pessoa dar grandes saltos de nível de consciência em apenas uma vida. Em média, o nível de consciência das pessoas só aumenta cinco pontos durante toda a vida. Entretanto, apesar dessa média desanimadora, é possível indivíduos isolados darem grandes saltos positivos, chegando a elevar a consciência em centenas de pontos.

MOTIVAÇÃO

Sem dúvida, a progressão da consciência é condicionada à ativação do potencial por meio de uma escolha determinada e de uma grande vontade. O que define a progressão da consciência é a motivação da pessoa em superar a si mesma, em superar seu ego e em escolher, deliberadamente, transformar-se. Além disso, a progressão é possível ao ser mais amigável, sincero, amável, generoso e tolerante à vida, bem como se colocar a serviço da humanidade.

Como já destaquei, os níveis de consciência são mensurados por uma progressão logarítmica, de maneira que uma aparentemente pequena progressão, de apenas um ponto, por exemplo, de 350 para 351 Hertz, tem um efeito muito significativo, com o poder tanto de transformar a vida da própria pessoa, como de gerar efeitos benéficos para o mundo em geral, contribuindo para o aumento do nível de consciência médio da humanidade.

TRANSCENDÊNCIA EMOCIONAL

Pode acontecer ainda o caso de uma pessoa de baixo nível de consciência (200 Hertz, por exemplo) acessar, momentaneamente, um nível mais elevado, apenas por um instante e, com isso, ser capaz de mudar completa e definitivamente sua vida, seus objetivos e valores, reprogramando totalmente sua vida. Eu chamo isso de transcendência emocional.

Para cocriar qualquer coisa que se deseja, é preciso vibrar de 250 Hertz para cima. Por esse motivo, é tão importante limpar as emoções negativas, curar as feridas emocionais e as crenças que as sustentam.

COMO PROVOCAR O SALTO?

Para um salto de consciência acontecer, é preciso uma plataforma propulsora, a qual, muitas vezes, é uma grande dor, como uma perda, uma doença, um acidente etc.

Ao contrário do que se imagina, o propósito da dor é exatamente a evolução e, em efeito cumulativo, chega um ponto em que a pessoa é obrigada a agir para modificar a si mesma e sua maneira de se relacionar consigo e com o mundo. Em todo "fundo do poço" existe uma mola propulsora capaz de levar a pessoa para cima, mas tudo depende da disposição para fazer a escolha certa.

Por isso, quando há motivação (emoção em movimento), a culpa, a recriminação e a condenação desaparecem porque, afinal, a pessoa percebe que todo julgamento é um autojulgamento e que tudo que é prejudicial perde sua força quando é trazido para a luz e para uma maior compreensão da natureza da vida. Transcendendo seus medos, a pessoa transcende da falsidade para a verdade, que é a essência da cura emocional de todas as coisas visíveis e invisíveis.

BONDADE ELEVADA

Além da motivação, outra "ferramenta" poderosíssima de evolução da consciência é a prática da bondade: bondade consigo, com tudo e com todos. Entretanto, a prática da bondade precisa ser absolutamente desinteressada. Por exemplo: uma pessoa não pode ser boa só pela finalidade egoística de querer a recompensa da evolução da consciência ou na expectativa de se tornar credora do Universo de alguma forma. Para atingir sua potência máxima de poder transformador, a bondade não permite exceções e não aceita jogos de interesses pessoais.

NEUTRALIZANDO O EGO

Como o Universo é interligado, toda melhoria que fazemos em nosso mundo particular também melhora o mundo em geral para todos e tudo a nossa volta. Em certo ponto, a progressão da consciência pressupõe que a busca individual tenha como objetivo beneficiar não só a pessoa, mas todas as pessoas e a favorecer a vida de maneira geral.

Por isso, se faz necessária a compreensão de que a evolução da consciência é acompanhada de uma neutralização gradual do ego e de um aumento da responsabilidade social. Em poucas palavras, a melhor maneira de elevar o seu nível de consciência emocional é servindo à humanidade, pois, quanto maior for a disposição para servir, maior será a expansão da consciência.

PODER COLETIVO

Apesar de 85% da população mundial estar abaixo do nível crítico de integridade e apenas 15% acima do nível crítico de consciência de 200 Hertz, o poder coletivo desses 15% é capaz de contrabalançar e equilibrar a negatividade dos 85%. Isso é possível porque a escala de poder avança exponencialmente. Se não houvesse esse contrapeso, a humanidade se autodestruiria devido à sua negatividade e ao baixo nível de consciência.

Veja como se dá esse equilíbrio, conforme os testes cinesiológicos:

- Um único avatar de nível 1.000 Hertz equilibra toda a população mundial;
- Um indivíduo ao nível 700 Hertz equilibra 70 milhões de pessoas abaixo do nível 200 Hertz;
- Um indivíduo ao nível 600 Hertz equilibra 10 milhões de pessoas abaixo do nível 200 Hertz;
- Um indivíduo ao nível 500 Hertz equilibra 750.000 pessoas abaixo do nível 200 Hertz;
- Um indivíduo ao nível 400 Hertz equilibra 400.000 pessoas abaixo do nível 200 Hertz;
- Um indivíduo ao nível 300 Hertz equilibra 90.000 pessoas abaixo do nível 200 Hertz;
- Doze indivíduos ao nível 700 Hertz igualam-se ao poder de um avatar (1.000 Hertz).

BALANCEAMENTO EMOCIONAL

Na perspectiva pessoal, também ocorre um processo de balanceamento, pois apenas alguns pensamentos amorosos no curso do dia, pelo seu poder absoluto, neutralizam os eventuais pensamentos negativos, pois a energia de um pensamento de amor é exponencialmente mais poderosa do que a de um pensamento negativo.

E quando compensamos nossa própria negatividade com pensamentos, sentimentos e atitudes de vibração elevada, também estamos contribuindo para a elevação da coletividade. A única maneira de melhorar o mundo é aumentar nossa própria integridade, compreensão e capacidade de compaixão. Tornar-se mais consciente é o maior presente que alguém pode dar ao mundo. O melhor é que o presente sempre retorna à sua fonte.

PODER E FORÇA

A evolução na Escala da Consciência pede um impulso, uma potência. É importante destacar que essa potência deve ser positiva para ter resultados e não ruir com o tempo.

A forma pela qual você atinge esses estados é fundamental para a cocriação da realidade na frequência 1.000 Hertz. Afinal, de que vale conquistar estados (emocionais) elevados de consciência se você não souber como mantê-los ou potencializá-los energeticamente?

Antes de prosseguir, quero propor uma reflexão, OK? E, em seguida, indicar a resposta ideal.

A partir do entendimento dos estados emocionais, conforme apresentei no capítulo anterior, você consegue saber a diferença entre Poder e Força que Hawkins apresenta na medição dos níveis emocionais de consciência?

COMPARATIVO: O PODER

Fundamentalmente, o poder flui de maneira espontânea, conduz situações com a sutileza e a habilidade de um maestro regendo a sua orquestra, entregando uma composição perfeita aos ouvidos e às almas da plateia que contempla o ato, porque todos ali acreditam na beleza – não imposta, mas desejada – daquela condução.

COMPARATIVO: A FORÇA

Já quando pensamos em força, é comum termos a mente tomada por imagens de líderes autoritários que governam seus povos com a fúria da espada e um tom ameaçador. Os líderes que impõem as suas condições, não raro, depois de um tempo veem os seus impérios ruírem, porque a força não é atrelada à energia que é capaz de manter, sustentar e fazer situações e consciências progredirem na frequência do bem, da justiça e de outras emoções elevadas.

O PODER UNIVERSAL

O poder é o padrão do Universo e do Campo Quântico, enquanto a força é o padrão da mente analítica e do ego. Dessa forma, não basta ascender na escala da consciência, é preciso ter a preocupação de buscar essa elevação pelo poder e não pela força, porque enquanto o poder tem a capacidade de integrar e unificar, a força tem a capacidade de repelir e desintegrar qualquer sonho.

Lembre-se de que, enquanto o poder é conquistado e pode ser acessado por meio da consciência, a força é imposta e não tem uma energia própria, razão pela qual exige uma alimentação constante, sendo verdadeiramente insaciável. Por isso, muitas vezes você coloca força e mais força, energia e mais energia, e mesmo assim sua vida não alavanca.

O poder, ao contrário da força, flui naturalmente no Campo Quântico, dentro da sua consciência e em fase com a Mente do Criador. Tudo é possível naquele que crê em seu poder, no olhar do observador, como cocriador quântico da realidade.

CAMPOS ATRATORES

Como tudo no Universo está conectado, indo muito além da nossa vida, cada escolha que fazemos reforça padrões (campos) atratores que influenciam a vida de todas as outras pessoas. Cada ação, gesto, sentimento, pensamento está conectado. E, é claro, cada uma de nossas emoções também.

COMPORTAMENTOS EMOCIONAIS

Eu interpreto esses padrões como comportamentos emocionais dominantes, pois existem comportamentos que representam a força e, por isso, anulam a expansão emocional da consciência, o nível de vibração e, consequentemente, a cocriação em sintonias elevadas, até a dimensão 1.000 Hertz.

Por outro lado, existem comportamentos de poder da consciência que possibilitam e aceleram a emoção e, com isso, impulsionam todo o poder de Holo Cocriação® avançada.

A seguir, vou listar alguns comportamentos relacionados a padrões de campos atratores de energia alta e de energia baixa pelos quais você pode identificar, ajustar, aderir ou simplesmente, eliminar do seu cotidiano e de seus hábitos conscienciais.

Estes campos são reconhecidos como padrões de poder em atitudes humanas. Atribui-se a eles a capacidade de diferenciar padrões de alta e de baixa energia da consciência.

Com sua intenção e autoconsciência emocional, você pode escolher o padrão de poder e não de força dominante e, assim, mudar a polaridade atômica de sua energia para alcançar frequências de emoções elevadas – acima de 500 Hertz – a partir da alegria, do afeto e do amor, potencializando o processo de Holo Cocriação® de seus sonhos.

Na lista a seguir, você encontra alguns pares de padrões de baixa e alta frequência que provocam os campos atratores de energia. Do lado esquerdo, estão os padrões altos e do direito, os comportamentos de baixa frequência.

LISTA DE PADRÕES E POLARIDADES:

Campos atratores de força	**Poderes decodificados**
Abundante	Excessivo
Estético	Artístico
Agradável	Condescendente
Permitir	Controlar
Apreciativo	Invejoso
Aprovação	Crítica

Atraente	Sedutor
Autoritário	Dogmático
Consciente	Preocupado
Equilibrado	Extremo
Bonito	Glamouroso
Ser	Ter
Acreditar	Insistir
Brilhante	Esperto
Espontâneo	Calculista
Despreocupado	Frívolo
Desafiado	Impedido
Caridoso	Pródigo
Alegre	Obcecado
Acariciável	Estimado
Escolher	Abdicar
Civil	Formal
Preocupação	Julgamento
Conciliatório	Inflexível
Confiante	Arrogante
Confrontar	Molestar
Consciente	Inconsciente
Atencioso	Indulgente
Construtivo	Destrutivo
Alegar	Competir
Corajoso	Imprudente
Defender	Atacar
Democrata	Ditatorial
Separado	Removido
Determinado	Teimoso
Dedicado	Possessivo
Diplomático	Enganador
Fazer	Obter
Educar	Persuadir

OBSERVANDO AS POLARIDADES

Essa é apenas parte de uma lista completa e imensa. Mas, ao observar os exemplos, você consegue perceber a diferença das polaridades, ação que certamente aumenta seu poder interior.

Se você quiser cocriar com o poder e não com a força, na polaridade positiva e em frequências elevadas, deverá direcionar a emoção, a expressão e sua intenção ao Universo, de dentro para fora.

E sempre com amor, afeto e muita alegria, porque, a partir destas frequências acima de 500 Hertz, você consegue elevar o padrão vibratório do campo e subir na Escala da Consciência até alcançar a Dimensão 1.000 Hertz.

A seguir, observe a sistematização entre Poder × Força a partir de vários aspectos e áreas da vida cotidiana.

SISTEMATIZAÇÃO PODER × FORÇA

PODER	FORÇA
ASPECTOS GERAIS	
Padrão do Universo e do Campo Quântico	Padrão da mente analítica e do ego
Coloca tudo em movimento dentro do seu campo, atraindo a tudo e a todos	Movimenta-se contra algo ou alguém, criando, automaticamente, uma reação em sentido oposto e de mesma intensidade
Integra e unifica	Separa e cria dualidade
Está sempre associado com o que dá suporte à vida, eleva, dignifica e enobrece, ele é completo em si mesmo	Associada com o parcial, com a polarização, com a fragmentação da totalidade e intrinsecamente incompleta
Só é acessado por meio da consciência	Experimentada por meio dos sentidos
Serenidade	Violência
Sustenta a vida	Explora a vida para o ganho de um indivíduo ou uma organização
É total e completo em si mesmo e não exige nada de fora de si, é a fonte de energia que dá suporte e significado à vida, unifica e motiva	Não tem energia própria, precisa ser constantemente alimentada em seu apetite insaciável e seus objetivos são transitórios, deixando um vazio quando realizados
Associado à compaixão e à inclinação para melhorar o mundo de maneira que a vida de quem se move por esse objetivo sempre terá um sentido e será uma experiência positiva e gratificante	Associada ao julgamento e ao egoísmo
Pode trazer satisfação momentânea	Sempre traz alegria duradoura
O poder nos torna fortes	A força nos torna fracos
O poder faz com que você se alinhe com campos atratores fortes	A força faz com que você se alinhe com padrões de baixa energia
Quando agimos no poder, as coisas simplesmente fluem	Quando agimos na força, temos a sensação de trabalho pesado, de que as coisas só acontecem mediante grandes esforços

Espiritualidade	Dogmatismo
Admite as limitações do ego	Guia-se cegamente pelo ego
Genialidade e sabedoria	Esperteza
Invisível	Ostentadora
PROSPERIDADE PROFISSIONAL E FINANCEIRA	
Relação ganha-ganha entre profissional e cliente;	Relação ganha-perde entre profissional e cliente;
Sucesso na forma de retorno financeiro está condicionado a níveis de consciência superiores a 200 Hz;	Visão egoísta, materialista e individualista dos negócios;
Visão do todo para além de seus objetivos individuais egoísticos;	Compreensão da prosperidade exclusivamente como aumento do faturamento;
A prosperidade está relacionada com a compreensão de que seu trabalho tem o propósito maior de servir à humanidade e de melhorar o mundo;	Ausência de compromisso social;
Integridade e excelência estão alinhadas com o poder e atraem bons parceiros, fornecedores, funcionários e, claro, clientes;	Prática do "jeitinho" para driblar impostos, obrigações trabalhistas e legislações de proteção ao consumidor;
Profissionais de sucesso alinhados com o poder são aqueles que agem com o coração;	Profissionais alinhados com a força agem exclusivamente com a razão;
Objetivos individuais coordenados com a satisfação das necessidades humanas e com a responsabilidade social;	Objetivos individuais em primeiro lugar;
A solução (produto/serviço) que você oferece é capaz de gerar felicidade tanto para você como para seus clientes e para todos os envolvidos (as soluções que têm esse poder calibram em 350 Hz ou mais).	Despreocupação com a satisfação de funcionários, fornecedores e clientes;
	A solução oferecida coloca "ganhar dinheiro" como objetivo principal ou exclusivo.
CURA E SAÚDE	
Saúde como consequência da harmonia com a realidade;	Relação ganha-perde entre profissional e cliente;
A saúde também é o resultado do alinhamento com padrões de alta potência atratora de energia;	Doença como consequência da desarmonia com a realidade;
Campos de alta potência fazem o corpo ficar forte, liberam endorfinas e têm um efeito tônico sobre todos os órgãos;	Padrões negativos liberaram adrenalina, reduzem a imunidade e geram fraqueza dos órgãos, sistemas e corpo como um todo;

Saúde como adoção de atitudes correlacionadas a padrões atratores de alta energia;	Doença como adoção de atitudes correlacionadas a padrões atratores de baixa energia;
Vibração em emoções acima do nível crítico de 200 Hertz;	Vibração em emoções abaixo do nível crítico de 200 Hertz;
Cura como tomar consciência das emoções negativas que estão alimentando sua enfermidade, limpá-las e transcendê-las, passando a cultivar atitudes e emoções de alta vibração e atratoras da saúde para ativar o mecanismo regenerador do sistema nervoso central;	Doença como imersão crônica aos hormônios do estresse, causada pela vibração em emoções negativas que ativam o mecanismo de sobrevivência do sistema nervoso central;
Caminho da cura = reconhecimento da situação e um desejo sincero de mudar permitem a sintonização com padrões de energia atratora superiores;	Pensamentos, emoções e atitudes hostis, maldosos e de baixa vibração resultam em um ataque fisiológico no próprio corpo;
Mudando pensamentos, sentimentos e atitudes, mudamos nossa energia e a química do corpo começa a mudar para promover o equilíbrio;	Atitudes baseadas na raiva, no medo, na culpa ou na vergonha baixam os padrões de poder atratores de energia e influenciam diretamente na manifestação de doenças;
Atitudes baseadas na compaixão, na aceitação, na compreensão e no perdão elevam os padrões de poder atratores de energia e influenciam diretamente a nossa saúde;	O corpo responde à consciência. Se a consciência estiver num nível baixo, o corpo manifestará um nível baixo de saúde e vitalidade;
Quando a mente muda, o corpo muda, por isso, doenças consideradas crônicas ou terminais pela medicina convencional podem ser superadas pela simples mudança na consciência;	Doença vibra no orgulho ou frequências inferiores, por isso a mente resiste à mudança;
Saúde demanda coragem (>200 Hertz) para atravessar o desconforto que acompanha todo processo de mudança;	Vitimização, reclamação e mau humor fortalecem o estado de doença;
A cura também está relacionada com as vibrações da aceitação e do amor em relação a si mesmo, à doença, aos outros, à realidade, a tudo e a todos;	Falta de compaixão por si mesmo e por toda a humanidade impede a cura de qualquer mal-estar, seja físico ou espiritual;
Um aumento significativo na capacidade determinante para a cura;	Um processo de doença é a evidência de que algo está errado no funcionamento da mente;
Outro elemento fundamental para a cura é a alegria, o bom humor e o riso, que são tônicos para a saúde e a felicidade. O riso traz aceitação e liberdade porque transcende a rigidez do ego, ao rir de si mesmo e encontrar humor nas situações aparentemente desafiadoras, desmonta o ego e abre o coração, além de melhorar a química do corpo;	O tratamento de uma doença como um processo meramente físico não vai corrigir a origem da disfunção e é paliativo em vez de curativo.

Do ponto de vista do nível de consciência 500 Hertz e acima, a morte em si é apenas uma ilusão, pois a vida continua desimpedida pela limitação da percepção que resulte de ser localizada em um corpo físico.	
POLÍTICA	
Compreensão da liberdade como um direito inalienável;	Usurpação e negação da liberdade;
Os Direitos Humanos são compreendidos como inerentes à natureza do homem por consequência de sua criação;	Os Direitos Humanos são concedidos pelo poder terreno dos legisladores;
Jamais usa a violência para a defesa de uma causa;	Uso da violência para defesa e imposição de causas;
Atuação política com foco nos interesses coletivos;	Atuação política com foco nos interesses individuais e partidários;
Diálogo, comunicação e tolerância com a dissidência;	Intolerância à dissidência;
Poder fundamentado na vontade do povo é imune à força;	Governos não fundamentados na vontade do povo, mas somente na força estão fadados ao declínio (Ex.: nazismo alemão, comunismo russo);
O verdadeiro poder é muitas vezes bastante monótono, sem o glamour dos grandes embates causados pela força;	A força é sedutora porque emana um certo glamour que se manifesta sob a forma de falso patriotismo, prestígio ou dominância;
O poder é humilde e despretensioso;	A força é arrogante e pretensiosa, sempre tem todas as respostas;
Opera pela inspiração;	Opera pela conveniência;
Permanente;	Temporário;
Baseia-se na verdade e na nobreza;	Baseia-se na retórica, na propaganda e no argumento capcioso para angariar apoio e disfarçar as motivações subjacentes;
O poder serve aos outros;	A força serve a si mesma;
A democracia existe para legitimar os direitos dos governados;	A democracia é usada para legitimar os privilégios dos governantes;
O objetivo do governo é proteger as pessoas;	O objetivo do governo é perseguir as pessoas;
Exemplos de personalidades: Mahatma Gandhi, Nelson Mandela, Winston Churchill, Mikhail Gorbachev.	Exemplo de personalidades: Adolf Hitler, Josef Stalin, Saddam Hussein, Pol Pot.

ECONOMIA E NEGÓCIOS	
Empresas bem-sucedidas operam no poder, calibrando acima de 200 Hertz;	Empresas que vão à falência operam na força, calibrando abaixo de 200 Hertz;
Altos padrões de energia na essência;	Altos padrões de energia na aparência (engana as pessoas);
Campo de energia humana no local de trabalho;	Indiferença com clientes;
Alinhamento do serviço prestado e o compromisso com o suporte de vida e valor humano;	Necessidades da instituição são prioridade;
Necessidades humanas são prioridade;	Relações impessoais;
Sentimento de "estar em família" entre dirigentes, funcionários, fornecedores e clientes;	Alta rotatividade de funcionários;
Baixa rotatividade de funcionários;	Empresas sem sucesso agem somente com o cérebro;
Empresas de sucesso têm coração;	Conhecimentos científicos de administração e gestão empresarial se sobrepõe à solidariedade, compaixão e preocupação social;
Qualidade duradoura de produtos;	Obsolescência programada dos produtos;
Os preços cobrados refletem um valor real;	Os preços cobrados não refletem um valor real, apenas um suposto glamour;
A clientela simplesmente chega e faz fila.	Luta e desespero por clientes.
PUBLICIDADE	
Anúncios geram sentimentos positivos nas pessoas;	Anúncios geram sentimentos negativos nas pessoas;
Realce dos aspectos positivos dos produtos e serviços anunciados.	Realce aos aspectos negativos da concorrência.
ESPORTES	
Atletas simbolizam excelência e maestria;	Ambição pela quebra de recordes;
Superação das limitações humanas;	Motivações que calibram abaixo da coragem, geralmente no orgulho e na ganância;
Transcendência da dor e da exaustão;	Foco em derrotar o seu adversário, tornar-se uma estrela, fazer muito dinheiro ou tornar-se famoso;

Alegria, paz interior e unidade com a vida;	Objetivos egoístas comprometem o desempenho;
Esporte compreendido como uma meditação;	A vitória é vista mais como uma satisfação pessoal do que como uma satisfação e honra para seu clube ou país;
Experiência subjetiva de êxtase sem esforço;	O excesso de zelo para ganhar uma medalha e derrotar o adversário por qualquer meio disponível leva ao abandono do poder do princípio ético e a uma descida para o nível mais grosseiro da força;
Vitória do eu superior sobre o eu inferior por meio do controle, treinamento e compromisso com metas alinhadas com o verdadeiro poder;	As recompensas materiais, os desejos de riqueza e fama são mais importantes do que a realização do espírito;
Humildade, gratidão e admiração interior;	Sucesso limitado ao orgulho pessoal;
Consciência de que o seu desempenho não foi apenas o resultado do esforço, que é o esforço máximo de um poder maior do que o do eu individual;	Atleta é visto e se vê como celebridade;
O foco é vencer, não é derrotar o adversário;	Competitividade, agressividade e ferocidade exacerbadas.
A vitória é uma realização do espírito e as recompensas materiais e os desejos de riqueza e fama têm importância secundária;	
Deslocamento do orgulho pessoal para uma autoestima que é a expressão de amor incondicional e que honra os próprios adversários pela dedicação aos mesmos princípios elevados;	
Superação da ambição pessoal por meio do sacrifício e dedicação a um princípio superior;	
A potência atlética verdadeira é caracterizada pela graça, sensibilidade, quietude interior e, paradoxalmente, mansidão na vida.	

ARTES	
Perfeição, graça e enobrecimento da humanidade;	Aquilo que é concebido sem beleza e sem amor deteriora rapidamente;
Expressão tangível dos ideais humanos;	Projetos habitacionais desumanizados de guetos urbanos manifestaram os seus padrões de alimentação fracos como uma matriz de miséria e de crime;
Beleza;	Conceito de praticidade se sobrepõe ao conceito de beleza;
A Arte e o Amor são os maiores presentes do homem para consigo;	Exibicionismo;
Carl C. Jung enfatizou repetidas vezes a relação da arte com a dignidade do homem e a importância do espírito humano na arte;	Necessidade de aplausos;
Visceral e emocional;	Falsos artistas são vaidosos.
Tempo e atemporalidade estão conectados;	
A música clássica demonstra padrões extremamente elevados de poder inerentes;	
Padrões de energia de catedrais calibraram o mais alto entre as formas arquitetônicas;	
Os padrões de poder graciosos reconhecem e apoiam a vida, pois a graça é um aspecto do amor incondicional;	
A graciosidade também implica em generosidade, não apenas material, mas de espírito, como a vontade de agradecer ou reconhecer a importância de outros em nossas vidas;	
O poder não precisa se exibir;	
Grandes artistas são gratos por seu poder porque sabem que é um presente para o bem da humanidade, o que implica na responsabilidade para com os outros.	

FERIDAS EMOCIONAIS

Agora que você compreendeu o sentido das frequências emocionais e qual o seu padrão atual, deve começar a limpeza e sua profunda cura interior. Na verdade, esse processo já começou aqui mesmo, na leitura do *DNA Revelado das Emoções®*, quando entrou em ressonância vibracional com este conteúdo e passou a aprender sobre as frequências emocionais.

Toda essa compreensão teórica e prática vai levá-lo ainda, no decorrer do livro, a execução completa, em três fases, do Método de Blindagem Emocional 1.000 Hertz®, que criei para proteger seu Campo Quântico para que fique sem qualquer oscilação emocional, elevando sua frequência até a reconexão com a Fonte Criadora no campo das infinitas possibilidades em sete dias ininterruptos de aplicação vibracional.

O Método de Blindagem Emocional 1.000 Hertz® é inédito e potencializará, na frequência 1.000 Hertz, o poder da sua consciência para a cocriação da realidade de seus sonhos.

O SENTIDO DAS FERIDAS

Sobre as feridas emocionais, nós podemos entendê-las – conforme citei no começo deste capítulo – como emoções de baixa frequência que ficaram armazenadas em decorrência de experiências ruins do passado, ou seja, toda culpa, tristeza, mágoa, ressentimento, falta de esperança, medo, depressão, angústia, apatia, raiva ou qualquer sensação contrária à frequência de luz que exista dentro de você.

Todas essas emoções são negativas, vibram abaixo de 200 ou 100 Hertz na Escala da Consciência e, por isso, não têm energia ou vibração suficiente para elevar o padrão do seu Campo Quântico relacional e provocar o Colapso de função de onda. Na verdade, elas são perigosas e o colocam em riscos iminentes: risco de perda, sofrimento, falta, escassez, acidentes, desespero, falta de propósito ou até solidão.

TODA FORMA DE REJEIÇÃO

As feridas emocionais são nossas maiores dores. Rejeição, abandono, traição, humilhação ou injustiça são os exemplos mais comuns de feridas que muitas pessoas carregam, seja de modo consciente ou mesmo inconsciente.

Elas estão preenchidas por essas emoções, sentimentos, vibrações negativas e frequências emocionais compatíveis a este padrão: um padrão estático, fraco e totalmente inibidor à expansão da consciência e ao poder vibracional do seu Campo Quântico.

Imagine estar envolto a tudo isso e não limpar nada? Sem dúvida, você não vai progredir e vai experimentar uma vida de lamúrias e tristeza, sem viver seus maiores sonhos.

A PIOR FERIDA

A ferida emocional da rejeição é uma das piores. Ela pode se originar no ventre materno e bloquear toda a vida da pessoa. Geralmente, a rejeição também se desenvolve nos primeiros anos de vida, na fase da primeira infância, até os 7 anos, quando o hemisfério consciente do cérebro ainda não está totalmente desenvolvido.

A rejeição compromete a autoestima e o desenvolvimento intelectual, cognitivo e emocional. No campo da Física Quântica, mesmo em padrão inconsciente, a rejeição mantém uma frequência emocional baixa e incompatível com a cocriação em 1.000 Hertz®. Por isso, você precisa limpar imediatamente a rejeição, de qualquer tipo, se quiser viver de maneira abundante, próspera e feliz, sem qualquer limitação.

LIBERANDO O CAMPO

Quaisquer que sejam suas feridas emocionais, a rejeição, a culpa, o medo, a traição, o abandono, a humilhação ou a injustiça precisam ser liberadas do seu Campo Quântico, da vibração do seu DNA, da baixa energia impregnada nas suas células, moléculas e neurônios. Você precisa, urgentemente, limpar seu inconsciente, ressignificar crenças limitantes associadas a essas emoções e a todos os seus sabotadores para criar em alta voltagem.

Certamente, esse é um processo muito dolorido, eu mesma já passei por ele e posso afirmar. Porém, só consegui transpor minhas dificuldades e vibrar na prosperidade, na luz e no amor quando consegui desintegrar toda essa carga emocional negativa do meu sistema.

Somente ao limpar suas feridas é que você assume o controle, domina suas emoções, consegue colocar o poder no lugar da força e, assim, conquista todos os seus sonhos.

Somente ao limpar suas feridas é que você assume o controle, domina suas emoções, consegue colocar o poder no lugar da força e, assim, conquista todos os seus sonhos.

NOVOS COMPORTAMENTOS

Ao assumir novos comportamentos, você assume 100% da responsabilidade por sua vida, assume seu poder como cocriador da realidade, altera hábitos cognitivos, elimina a timidez e todo entrave evolutivo da sua consciência. Posso garantir que, ao estancar suas feridas emocionais, um *Novo Eu* dentro e fora de você nascerá para viver um novo destino de alegria, amor, esperança e completa realização.

APLICAÇÕES PRÁTICAS DA ESCALA DA CONSCIÊNCIA

1. Representação gráfica dos campos emocionais e energéticos atratores (poder) ou repulsores (força) da consciência;
2. Compreensão do comportamento humano por meio do estado mental da consciência e do nível atual das emoções geradas internamente;
3. Por meio da calibração emocional identificada na Escala da Consciência, é possível estabelecer uma convenção com valores e níveis de energia da consciência (personalidade). Ou seja, qual é a frequência emocional de cada indivíduo;
4. Cada calibração corresponde a um processo interior da consciência e envolve emoções, percepções da realidade, visões de mundo e concepções existenciais interiores;
5. Com a Escala Hawkins, é possível compreender e diferenciar o que é o estado da ilusão (mentira) do estado da verdade. Nos níveis mais avançados, você consegue sacramentar sua verdade ao mundo e compreender como a realidade se constitui a partir da percepção interior da vida;
6. Com a calibração, qualquer um consegue identificar e mudar o estado emocional do sofrimento, do esforço e da retração – gerados por meio de emoções como vergonha, culpa, apatia, angústia ou orgulho –, e mudar o nível emocional para faixas de expansão vibracional. Nesses níveis de frequência maior, também se eleva a percepção real da verdade, de si mesmo e do Universo à volta;
7. Ensina a se estabelecer energeticamente no mundo por meio da própria verdade interior, do acesso ao nível da coragem e da aceitação da zona de poder, sem conflito interior, mas com a tomada da consciência de si e das emoções por meio de mudanças comportamentais saudáveis e produtivas que influenciam os campos atratores ou de contração energética;
8. Reconhecimento do verdadeiro nível de poder interior, da verdade do poder pessoal sem a governança das ilusões do ego, do autoengano emocional ou de qualquer imagem deturpada do mundo, de si e das próprias emoções. Com a compreensão prática das distintas dimensões emocionais, sem o uso de mentira, esforço repetido, criticidade excessiva, julgamento geral, julgamento íntimo ou conflito interior, mas no estado harmônico do Universo;
9. Permite a mudança gradativa do nível de consciência para qualquer indivíduo por meio da autopercepção e ao sair dos campos de consciência debilitados e alcançar os campos energéticos de poder e de sustentação vibracional. Possibilita sair desse modo de esforço e seguir ao nível da dedicação, da verdade interior, do poder e da

expansão vibrátil até níveis mais sutis de manifestação da consciência no Universo;

10. Encontro íntimo com a pacificação interior e o estado de quietude máxima. O que permite a cocriação, a partir do poder sutil da consciência, sem nenhum esforço, apenas no fluxo quântico do Universo ou Matriz Holográfica®. Por meio da Escala, é possível calibrar e elevar o nível de consciência. Com isso, pode-se ser mais coerente, assertivo e eficiente nas próprias escolhas e nas tomadas de decisões.

Ao elevar o nível de energia, de consciência e, consequentemente, o padrão vibratório, também se alcança maior liberdade emocional e autoconfiança, evitando a autossabotagem ou bloqueios energéticos que resultam ainda em conflitos internos.

O objetivo, diante de todos esses benefícios, é alcançar o estado de harmonia, equilíbrio, paz interior e iluminação até a reconexão com a fonte criadora e o campo de infinitas possibilidades. A Escala das Emoções traz as diretrizes e apresenta o Mapa da Consciência para se alcançar todos esses objetivos primordiais.

O PLACEBO E AS EMOÇÕES

O Poder dos Pensamentos na Manifestação da Realidade Pessoal

O efeito placebo corresponde a uma mudança fisiológica em decorrência de um pensamento, ele é efeito da mente sobre a matéria. Sabendo disso, é fundamental começar a prestar mais atenção nos pensamentos e nas emoções que temos, de modo a inibir os sentimentos negativos e limitantes e cultivar os pensamentos positivos e construtivos.

Uma pessoa comum tem cerca de 60 a 70 mil pensamentos diferentes por dia, sendo que 90% desses são os mesmos do dia anterior, o que possibilita a criação de hábitos de maneira que, quando não tomamos consciência deles, acabamos por viver em uma espécie de "piloto automático".

Repare como todos os dias você se levanta da cama pelo mesmo lado, vai ao banheiro e faz as mesmas coisas na mesma ordem, escova os dentes com a mesma mão, toma banho passando o sabonete nas partes do corpo na mesma sequência, toma café na mesma caneca, organiza as crianças da mesma maneira, se arruma para trabalhar do mesmo jeito... repetindo uma sucessão de comportamentos até o final do dia, quando vai dormir na mesma posição, no mesmo lado da cama.

Os mesmos pensamentos e as mesmas emoções de sempre levam às mesmas escolhas de sempre; as mesmas escolhas levam aos mesmos comportamentos; os mesmos comportamentos geram as mesmas experiências; as mesmas experiências produzem as mesmas emoções e as mesmas emoções provocam mais dos mesmos pensamentos, num ciclo contínuo e permanente que cria a mesma realidade familiar.

O resultado desse processo é que, além de a realidade externa permanecer a mesma, a realidade interna (biológica) também será igual, pois o cérebro e o corpo permanecem os mesmos, ainda que conscientemente você deseje uma vida melhor. Isso quer dizer que hoje você está cocriando mais de quem você era ontem, logo não muda nunca. Bingo!

Vivenciar as mesmas emoções e pensamentos diariamente faz com que você Holo Cocrie® as mesmas atividades cerebrais, as mesmas sinapses e conexões e ative os mesmos circuitos neurais, produzindo a mesma química cerebral todo santo dia, o que basicamente mantém seu corpo e sua vida estáticos. Pensamentos repetitivos também mantêm ativada a mesma expressão genética, sinalizando aos genes que mantenham o corpo nas mesmas condições de saúde.

Dessa forma, seus sonhos, suas cocriações, suas novas versões do futuro estão condicionadas ao passado, pois o ontem se repete no hoje e no amanhã. Apesar de ser desagradável, muitas pessoas se acostumam a viver assim, pois é algo automático, livre de esforço e, ironicamente, o que é familiar, apesar de ruim, gera sensação de conforto, controle e segurança.

Essas sensações, emoções, comportamentos diários, pensamentos, sentimentos e ações determinam a personalidade da pessoa, e esta, por sua vez, determina a realidade pessoal que está vivendo. Bingo!! Isso significa que quem deseja cocriar uma nova realidade pessoal, uma nova vida, precisa se tornar consciente de sua personalidade, de seus pensamentos, emoções, sentimentos e comportamentos automáticos para, então, modificá-los. É preciso mudar quem você é. Bingo!!!

Quem deseja cocriar uma nova realidade pessoal, uma nova vida, precisa se tornar consciente de sua personalidade, de seus pensamentos, emoções, sentimentos e comportamentos automáticos para, então, modificá-los. É preciso mudar quem você é.

Muitas pessoas tentam cocriar com muito esforço uma nova realidade a partir de velhos comportamentos, o que realmente não funciona. Para conseguir mudar a sua vida, você precisa literalmente se tornar outra pessoa, alterar as emoções de baixa vibração, curar a criança interior ferida, mudar sua personalidade, criada por novos pensamentos, novos sentimentos, novos comportamentos e atitudes diárias.

Ao modificar o pensamento, mudamos a personalidade e também seu estado de ser interno (microcosmos) e, com isso, tanto a realidade pessoal externa (macrocosmos) como a biologia interna se alteram, formando novos circuitos neurais, produzindo uma nova bioquímica e sinalizando uma nova informação ou realidade. Também chamamos de expressão genética para a manifestação de novas condições de saúde. Bingo!! O foco está na cura das doenças da alma que nos desequilibram e desestabilizam emocionalmente, assim como na cura da criança interior ferida, que é a mesma coisa que reprogramar a mente inconsciente, ali é que estão as emoções bloqueadas. O processo de cura que também chamamos de limpeza e desprogramação mental é único e permite o aumento da Frequência Vibracional®. Após o aumento dessa energia no seu campo, com a mudança das suas emoções, você vai brindar e viver Feliz para Sempre, como um Holo Cocriador® de tudo. Bingo!

FUNCIONAMENTO DO CÉREBRO NA HOLO COCRIAÇÃO® DE UM NOVO HUMANO

Você como Holo cocriador de tudo!

Nosso cérebro é composto por, aproximadamente, 75% de água. A famosa massa cinzenta, cuja ilustração nos livros de anatomia parece sólida, na verdade, tem uma consistência gelatinosa. As células que formam o cérebro são células especiais chamadas *neurônios*, e possuem formato radicular, o que permite a conexão entre eles, fazendo-os funcionar como um "biocomputador" capaz de processar enormes quantidades de informação por segundo.

Quando temos novas experiências e aprendemos coisas novas, os neurônios fazem novas conexões, chamadas de *conexões sinápticas*, e quando lembramos e repetimos as experiências ou informações que aprendemos, essas conexões são ativadas de maneira que, neurologicamente falando, uma memória corresponda a uma conexão sináptica de longo prazo.

Ao serem ativadas, as conexões sinápticas produzem uma descarga elétrica que sinaliza a produção de substâncias químicas chamadas *neurotransmissores*. Quando revisitamos e sustentamos com frequência os mesmos pensamentos, quando temos os mesmos comportamentos e as mesmas emoções, as mesmas conexões são ativadas e cada vez mais se fortalecem, de maneira que o sinal para produção de neurotransmissores dispare com mais facilidade um processo denominado *potenciação sináptica*, o qual desencadeia a produção de uma proteína que irá acionar os genes do DNA no núcleo de cada célula.

Isso significa que toda vez que temos novas emoções, pensamos um novo pensamento e somos capazes de revistá-lo e sustentá-lo, provocamos mudanças neurológicas, químicas e genéticas, o que evidencia a capacidade da mente atuar comandando a matéria.

Um conjunto de conexões sinápticas é chamado de *rede* ou *circuito neural*, que opera como o *hardware* físico do cérebro a partir do qual é criado o *software*, que é o programa automático e subconsciente oriundo da repetição dos mesmos pensamentos, sentimentos e comportamentos.

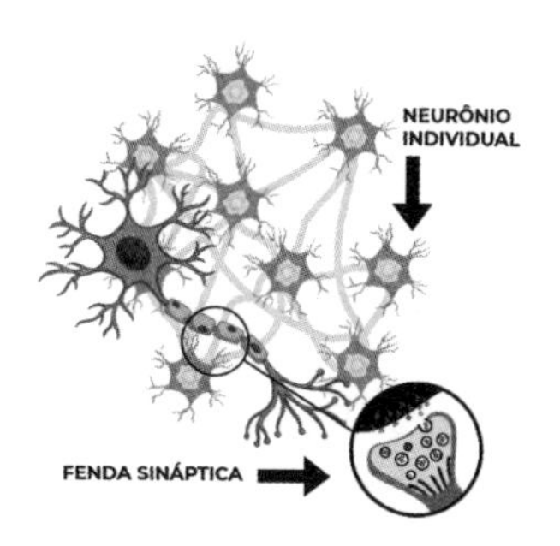

Nós temos diferentes redes neurais para tudo que sabemos fazer ou já experienciamos em algum momento da vida, e se apresentam mais fortes ou mais fracas à medida em que são visitadas e acionadas. Temos redes neurais para escovar os dentes, fazer a barba, passar maquiagem, falar um segundo idioma, tocar um instrumento, andar de bicicleta, dirigir, julgar as pessoas, reclamar etc.

Quando acionado com frequência, o circuito neural se fortalece e produz o mesmo estado mental de maneira cada vez mais consistente, de modo que quando uma pessoa chega aos 30 ou 35 anos, seu cérebro possui uma estrutura altamente organizada de programas automáticos que correspondem à sua identidade ou personalidade.

Metaforicamente falando, é como se existisse uma "caixa" dentro do cérebro que limita os padrões de pensamentos e predetermina a personalidade da pessoa de modo que o mesmo nível mental é recriado diariamente, porque o cérebro dispara sempre os mesmos padrões, causando o que se chama popularmente de "pensar dentro da caixa", isto é, pensar de maneira limitada e condicionada pelas experiências do passado.

NEUROPLASTICIDADE E HOLO COCRIAÇÃO®

Felizmente, nosso cérebro tem uma propriedade muito especial chamada neuroplasticidade, que permite que o volume de conexões neurais cresça indefinidamente na medida em que aprendemos coisas novas e começamos a pensar de maneira diferente. Em outras palavras, devido à neuroplasticidade, nosso cérebro pode começar a funcionar em diferentes padrões ou combinações e, ao ousar pensar fora da caixa, temos novos pensamentos que levam a novas escolhas, e geram novos comportamentos, experiências e emoções, modificando assim, nossa identidade.

A neuroplasticidade opera por meio de um mecanismo de poda e brotamento, que significa precisamente o que os nomes sugerem, de maneira que a atividade neuroplástica consiste na desativação (poda) de conexões neurais e na criação (brotamento) de novos circuitos. Assim, por mais que lhe pareça difícil, é biologicamente possível se livrar do seu *velho você* e Holo Cocriar® o seu *Novo Eu do Futuro®*.

O desconforto da mudança, a sensação de que tudo piora ou que está tudo "de cabeça para baixo", simboliza a morte do *velho você*, a desprogramação de velhas atitudes, emoções, hábitos, crenças e percepções. A motivação para continuar é a certeza de estar se modificando bioquímica, neurológica e geneticamente.

Quando conscientemente observamos e inibimos os pensamentos e comportamentos do *velho eu*, estamos, literalmente, mudando as conexões neurais antigas. Quando substituímos os velhos pensamentos e comportamentos e, conscientemente, escolhemos pensar e agir de novas maneiras todos os dias, estamos abrindo os caminhos para que brotem as conexões neurais do *Novo Eu do Futuro*® até que se tornem maioria e formem um novo comportamento de alta vibração na sua vida. Bingo!

CICLO DE PENSAMENTOS E SENTIMENTOS

Nosso cérebro corresponde a um grande arquivo do passado: tudo que já vivemos, experimentamos, aprendemos, lemos, ouvimos, vimos, cheiramos, provamos e tocamos fica armazenado no cérebro como memória e serve de parâmetro para experiências futuras. Isso quer dizer que a atitude natural do cérebro é pensar no passado, isto é, usar o passado para determinar o futuro.

Sempre que temos um pensamento, nosso cérebro produz uma proteína chamada *neuropeptídeo*, que é responsável por enviar ao corpo um sinal a fim de que ele produza a química necessária para que nossos sentimentos e emoções correspondam a esse pensamento. Quando o corpo sente, o cérebro produz mais pensamentos equivalentes, os quais produzem mais sentimentos que, por sua vez, produzem mais pensamentos de maneira redundante.

Quando substituímos os velhos pensamentos e comportamentos e, conscientemente, escolhemos pensar e agir de novas maneiras todos os dias, estamos abrindo os caminhos para que brotem as conexões neurais do *Novo Eu do Futuro*® até que se tornem maioria e formem um novo comportamento de alta vibração na sua vida.

Em outras palavras, os pensamentos criam os sentimentos e os sentimentos criam os pensamentos que determinam nosso comportamento, em uma espécie de *looping* que, para algumas pessoas, pode durar anos, décadas ou uma vida inteira.

Dessa forma, os sentimentos e as emoções que são produzidos reiteradamente em decorrência dos pensamentos automáticos repetidos condicionam o corpo a memorizar essas emoções, de maneira que o corpo se torne a mente e, por conseguinte, a mente consciente não exerça comando sobre o corpo. Enquanto esse ciclo persistir, a pessoa está, literalmente, vivendo no passado.

Além disso, o mesmo padrão de comportamento, pensamento e sentimento frequentemente repetido mantém os genes ativados da mesma maneira, pois estão sempre recebendo os mesmos sinais. Com o tempo, os genes que são acionados exaustivamente começam a se desgastar e passam a produzir proteínas inferiores, com estruturas mais fracas e funções reduzidas, o que causa a dependência da química emocional, o envelhecimento e as doenças.

Sempre que você não consegue pensar além de como se sente, você "roda" um programa inconsciente que faz com que o corpo se comporte e reaja como se estivesse vivendo constantemente a mesma experiência do passado. Ocorre uma espécie de fusão entre pensamentos e sentimentos, isto é, entre mente e corpo, e o destino fica predeterminado pelos nossos programas inconscientes. Chamo esse fato de descolapso de onda, pois tudo fica desarmônico e confuso.

A Holo Cocriação® vibra na frequência da harmonia. A harmonia é fundamental para sustentar o colapso de onda e a cocriação da realidade, motivo que torna toda mudança desafiadora: para mudar, precisamos ser maiores do que nossos problemas, maiores do que nosso corpo, memórias, vícios e hábitos. Só é possível desprogramar as emoções e reprogramar nosso cérebro se estivermos em um nível acima dele. Não é possível alterar a programação quando se está submerso nela.

O desafio se deve ao fato de que 95% de todas essas memórias, vícios e hábitos são inconscientes e apenas 5% de tudo que pensamos, sentimos e fazemos é operado pela mente consciente. Parece uma luta injusta – 5% consciente contra 95% inconsciente –, mas a vitória é possível, e aqui você está aprendendo as melhores estratégias.

Na verdade, a principal estratégia, como já dissemos, é tomar consciência das emoções de baixa vibração, limpar as emoções a todo momento, e ficar atento para inibir e substituir os pensamentos, sentimentos e comportamentos indesejáveis, tornando-se superior ao corpo, ao ambiente e ao tempo.

LIDANDO COM AS EMOÇÕES

Energia de Perdão

A energia de perdão é a primeira a obter contato com o Universo por meio da capacidade de perdoar. Uma das ferramentas mais efetivas para lidar com o passado é a criação de um contexto diferente, ou seja, perdoar as pessoas que lhe fizeram algo e perdoar a si mesmo é uma ação que o conecta às infinitas possibilidades universais. Tomamos uma atitude diferente para com o trauma ou a dificuldade, na qual enfrentamos o passado e reconhecemos o prêmio escondido dentro desta atitude. Essa ação o conecta às infinitas possibilidades e faz viver uma nova realidade, pois você libera o que precisa ir e abre-se para o novo. Toda experiência de vida, não importa quão "trágica" seja, possui uma lição oculta. Quando descobrimos e reconhecemos o presente oculto que existe, a cura acontece.

Carl Jung defendia isso como uma retrospectiva que é, na verdade, um propósito inconsciente por trás do que acontece, como se o nosso inconsciente soubesse que algo importante estava escondido atrás do acontecimento e precisava ser aprendido. E por mais doloroso que tenha sido e seja enfrentar as adversidades, essa experiência é necessária para que o amadurecimento e a mudança aconteçam. Jung inclusive concluiu em seus estudos que há uma pulsão forte no inconsciente em direção ao aprendizado no qual você precisa viver; o que significa a completude e realização do seu ser, e que o inconsciente sempre irá conceber os caminhos e meios para trazer isso a você, mesmo que sejam traumáticos para a mente consciente. Ou seja, seu inconsciente sempre está levando você para onde precisa ir, para então poder crescer, amadurecer e vivenciar o que o seu ser necessita para se transformar.

E mesmo que a nossa "sombra", da qual comentamos mais acima, tente fazer com que sejamos vítimas de nós mesmos, a junção de todos os nossos pensamentos, sentimentos e conceitos reprimidos sobre nós, serão ativados mesmo inconscientemente para que possamos enfrentar e validar o nosso processo.

As Sombras

A sombra é o que nos acorrenta ao não perdão, o que dificulta a nossa vida de seguir, a mágoa, o rancor, a vergonha, a angústia, todas estas são emoções que aprisionam a nossa existência a uma teia de maus pensamentos e ações que nos impedem de vivenciar aquilo que de fato é o nosso direito, como a prosperidade e a abundância. Essas emoções trazem efeitos negativos não só psicologicamente, mas também fisiologicamente, desta maneira somos afetados com doenças psicossomáticas e traumas efetivos.

Por causa do não perdão e de todas as funções que se desenvolvem a partir dele, nos prendemos a vícios, brigas, situações problemáticas e outras barreiras. A repetição de vícios por drogas, sexo, bebidas, relações abusivas etc. têm uma explicação, e precisam ser observados:

- Quão feliz você ficaria se conseguisse viver a vida dos seus sonhos?
- Quão feliz você ficaria se encontrasse o amor da sua vida, a sua alma gêmea?
- Quão feliz você seria se pudesse morar na cidade dos seus sonhos e trabalhar com o que ama?
- Quão feliz você ficaria se o seu sonho de viver tranquilo e em paz se realizasse?

Essas podem parecer perguntas subjetivas, mas, no fim das contas, são questões necessárias para o entendimento de quem somos. É possível medir facilmente a felicidade, quando acreditar que seus sonhos são reais e quando de fato conquistá-los. É possível medir a frequência dos nossos sonhos a partir do que estamos sentindo. Se o sentimento for de alegria em desejar alguma dessas coisas, vibraremos em 540 Hertz. Se sentirmos coragem, vibraremos em 200 Hertz. Estes são níveis altos de frequência e nos fazem sentir vibrações boas, capazes de nos conectar aos nossos sonhos.

Mas é importante identificar também o que cada pensamento e "querer" nos faz sentir. O que verdadeiramente está desejando neste momento? O que pretende criar para a sua vida em uma semana, um mês, um ano? Essas questões não são simples de definir, mas são extremamente importantes, afinal, estamos falando sobre o seu próprio destino.

Quando você não sabe o que deseja, bem, já pode imaginar o que acontece. Sim! Você cria relações destrutivas, acontecimentos inesperados que entristecem e magoam, desentendimentos e dificuldades, barreiras e impedimentos em suas conquistas, vivencia o medo de não conseguir, o medo de arriscar, a angústia por dias melhores, uma vida difícil por não pensar apenas no que quer viver e conquistar.

Eu sei que hoje, com a loucura do dia a dia, se torna muito difícil parar para escrever, vigiar os pensamentos, estudar sobre o autoconhecimento, praticar a Técnica Hertz, fazer cursos, meditar, e tantas outras ações que auxiliam a ascender como espírito e ser humano. Mas, a verdade é que enquanto não encontrarmos o tempo necessário para a nossa elevação como seres, jamais poderemos sequer desejar que o nosso dia aconteça. E sabe por quê? Porque nós somos aquilo que pensamos e fazemos diariamente. Sim! Nós somos a porcentagem de tudo que falamos, fazemos, sentimos, conversamos, assistimos, comentamos, olhamos nas redes sociais, tudo em que nos envolvemos está definitivamente criando o que vamos viver.

E por que nos envolvemos em situações nas quais não gostamos ou não queremos mais que se repitam?

Essa é uma questão estudada pela psicologia há décadas, portanto, vamos falar um pouco sobre esse estudo para que você entenda que muitas vezes as grandes expectativas que criamos na vida, não correspondem à realidade que estamos vivendo.

Convido você a refletir porque sua vida está desta forma, e descobrir que somente você pode transformar qualquer área e ser abundantemente feliz por meio da emoção do amor.

Energia de Amor

Devido à natureza do apego, o primeiro estado que precede a experiência atual do "não perdão" é o medo. Ele é usualmente defendido de duas maneiras. A primeira é aumentar a intensidade do apego por tentativas cada vez mais persistentes para fortalecer os laços de amor. Essa abordagem é baseada na fantasia de que "quanto maior e mais forte o laço, menor a chance de perda". Entretanto, essa é a própria manobra que muitas vezes precipita a perda de um relacionamento, por exemplo. Porque a pessoa pode justamente lutar para ser livre do apego possessivo, da quantidade de controle que está sendo colocada sobre ela. Então, visto que o que mantemos em mente tende a se manifestar, o medo da perda pode, paradoxalmente, ser o mecanismo que o vai fazer perder.

A outra maneira para lidar com o medo da perda é o mecanismo psicológico da negação chamado de "a culpa não é minha". Vemos isso ao nosso redor todos os dias, nas várias formas de recusa a enfrentar o inevitável. Todos os avisos estão lá, mas a pessoa não fica atenta. Logo, o homem que estava obviamente criando a perda de um emprego tende a não perceber. Os cônjuges de um casamento que está indo mal não tomam medidas corretivas e se perdem ao não enxergar a essência do amor. A pessoa com uma doença séria ignora todos os sintomas e evita ir ao médico e se tratar. O motorista ignora os sinais de advertência de um carro com problemas mecânicos. Todos nós já experimentamos o arrependimento de não dar atenção aos "sinais de aviso" e culpamos o mundo, tentando fugir das responsabilidades.

Para lidar com a perda, temos de olhar para qual finalidade aquela pessoa ou objeto externo está servindo em nossa vida. Que necessidade emocional está sendo suprida? Quais emoções surgiriam se perdêssemos esse objeto ou pessoa? A perda pode ser antecipada, e podemos lidar com os vários medos associados com a sensação de perda por deixar de assimilar os complexos emocionais que eles representam, deixando ir os sentimentos individuais que compõem esse estado emocional. Ou seja, quando você se coloca a disposição do pensar e se adapta ao sentimento de liberação, obviamente as sombras da ilusão se desfazem e agora você pode observar com mais clareza o que deve ser feito.

Por exemplo, você teve um grande amor do passado no qual se apegou por muitos anos e desde então nunca mais conseguiu se entregar e amar outra pessoa da mesma forma. É óbvio que o velho amor proporcionou fortes emoções que foram especiais. Você descobre que não gosta de pensar na situação que está vivendo porque agora talvez já não haja mais tempo suficiente para amar alguém. E assim, sente-se desconfortável com a perspectiva de sua vida amorosa. Percebe que esses sentimentos são sinais de alerta e que você não está lidando com a situação emocional. Você se pergunta "que propósito este amor do passado está servindo na minha vida? Qual é o aprendizado emocional que isso trás?" Amor, companheirismo, devoção, entretenimento, diversão.

"Abandonar o grande amor do passado vai deixar essas necessidades emocionais incompletas?" Olhando desta forma, uma parte do medo pode ser reconhecido e você entende que pode ter mais consciência sobre todos os fatos, neste momento. Uma vez que o medo vai embora, você não precisa recorrer à negação e fingir para si mesmo que não pode mais ser feliz. Você passa a observar o quanto esse medo prejudicou sua vida amorosa até agora e assim, amar novamente.

No nível do amor somos generosos, sinceros, cuidadosos, afetuosos, seguros e perdoadores. O amor é protetor e pode nos transformar em seres que inspiram. Ele é caracterizado pela apreciação, humildade, pureza, visão de mundo, motivação e doçura. Nele você encontra a sua verdade, a que faz sentido para você e sua vida, e diante disso vive sua missão. O amor é uma forma de ser, é a energia completa que irradia quando os bloqueios são rendidos. É muito mais do que pensamento ou emoção, é um estado de ser como espírito e pessoa. Amor é o que nos tornamos por meio da rendição e o entendimento de deixar ir os pensamentos e ações que não nos ascendem como seres.

Por isso que, ao viver uma vida sem amor, não é possível criar verdadeiramente o amor em nossas vidas. Amar não é só sobre receber, é muito mais sobre doar. O amor é a nossa ação mais potente diante da construção de laços duradouros e uma vida amorosa abundante.

Vivenciei o caso de uma paciente que chegou até mim por não conseguir construir nenhum laço amoroso definitivo. Suas reclamações eram muitas sobre seu último esposo e todos os seus relacionamentos acabavam em "ele não faz nada por mim". Identifiquei que essa mulher precisava amar a si mesma, pois, buscava no outro tudo o que imaginava receber, e quanto mais recebia, mais se sentia infeliz. Não conseguia retribuir nenhuma confiança, bem-estar e qualidade de vida nos relacionamentos que vivenciou. Era tipicamente a pessoa que quer receber, mas vive reclamando, se sentindo vítima, pensando somente em si e deixando para depois o amor que também precisava doar aos seus parceiros.

Em uma das sessões, perguntei se ainda amava seu esposo, do qual estava prestes a se separar, e ela me afirmou que não, gostava muito, porém, não o amava mais. Seu tom carregava arrogância, falta de empatia e de amor. Avaliei e listei com ela os direitos e deveres que temos em um relacionamento, e ficou claro que só ele estava dando sentido ao amor verdadeiro. Ela dizia estar insatisfeita com ele, mas a verdade é que ela apenas não estava satisfeita consigo. Tudo o que fazia era seu esposo que proporcionava, mas, diante disso, se despreocupou consigo, não trabalhava, não fazia planos de crescimento, não se esforçava para que ele a acompanhasse, não se preocupava com o que fosse importante para ele. Vivia sua vida com amigos que não lhe faziam bem, não se importava com as outras pessoas, sempre buscava a comparação e "nada está bom".

Enquanto comentava comigo que sua vida amorosa nunca daria certo, a fiz refletir sobre a possibilidade de ser mais amorosa, não só com as outras pessoas e seu esposo, mas consigo mesma. Trabalhar o autoamor, para recebê-lo abundantemente. Reclamar menos e fazer mais, entender o outro como gostaria de ser compreendida, viver e dar amor para receber o amor que espera do outro. Dias depois de termos encerrado aquela sessão, ela me trouxe notícias, falando sobre o quanto estava errada sobre o amor. Estava pedindo e reclamando todo o tempo, se envolvendo com pessoas que não lhe faziam sentir-se realizada, estava definitivamente perdida e sem afeto. Ao descobrir sua responsabilidade para criar uma vida amorosa e um relacionamento feliz, percebeu que precisaria mudar sua forma de ser. Nos encontramos em algumas outras sessões e seu casamento reviveu. Ela percebeu a importância de ser presente, de não cobrar sem oferecer, e diante de tudo que experimentou, agora estava mais consciente das ações que precisaria ter para ser definitivamente feliz em sua vida.

Muitas vezes pensamos que a responsabilidade sobre o que queremos viver está nas atitudes do outro, do mundo, do Universo, de Deus... Mas, na verdade é preciso parar e refletir sobre nossas atitudes. O porquê de estarmos ou sermos tão apegados a situações difíceis e que não nos fazem prosperar? Por qual motivo criamos acontecimentos ruins que não nos deixam viver a abundância? Os eventos negativos podem ter longa duração em nossa vida, e desta maneira criam cada vez mais a realidade indesejável. Você é o que faz, sente e deseja! E para criar uma realidade positiva, precisa se abrir para amadurecer no amor. A primeira coisa que precisamos para viver uma vida mais feliz e humana é encarar nossos medos, nossos fantasmas e nossas angústias, somente curando suas crenças é possível viver de maneira livre e feliz.

Energia de Alegria

Viver e criar uma vida abundante depende totalmente da vibração que você emana, e é necessário centrar na energia de alegria para começar a entender este princípio. A alegria vibra em 540 Hertz e traz para nossas vidas uma intensidade única de criação. Quando estamos vivendo uma vida sem sentido e sem propósito, muito provável que não sintamos essa energia. Por isso, ela direciona os nossos sonhos e desejos.

A alegria possibilita o livramento de estados inferiores de consciência, como apatia e medo. Ela permite viver o que há de mais maravilhoso e que o Universo nos entrega. O que antes era "eu não consigo", agora se torna possível. À medida que avançamos do medo para vibrações mais altas, passamos do Ter para o Fazer e depois para o Ser. Em níveis mais baixos de consciência, o Ter é mais valorizado.

Quando entendemos que podemos Ter, suprir nossas necessidades básicas e de nossos dependentes, a mente começa a ficar cada vez mais interessada no Fazer. Desta forma, passamos para um conjunto social diferente, valorizamos e somos avaliados pelos que fazemos. Ao desenvolver a amorosidade e a empatia, o Fazer e agradar ao outro ganha menos relevância. Conforme a consciência expande, aumenta a compreensão do que é realmente importante e o que são apenas necessidades do ego. Por fim, ao entendermos que não é só sobre Ter, nos convencemos de que as necessidades são automaticamente preenchidas pelo Universo, e nossas ações tornam-se amorosas.

Neste despertar, já não é mais o que fazemos no mundo que importa, e sim quem somos. Provamos a nós mesmos que podemos ter o que precisamos e fazer quase tudo. Mas o que somos é o que mais importa. As pessoas procuram nossa companhia, não pelo que temos ou fazemos, mas por quem nos tornamos. Com isso, entendemos que o que verdadeiramente importa é o que estamos transformando dentro de nós.

Na vibração da alegria, vivemos o que há de melhor, encontros, oportunidades, viagens, amigos, boas relações, acontecimentos incríveis, pela imagem carinhosa, gentil, alegre, espontânea e feliz, que todos querem por perto. Esse é o maior dos níveis de consciência, que auxilia na transformação do mundo.

Mas por que será que sentimos tanta dificuldade em vibrar na alegria?

O conceito de felicidade está tão confuso hoje em dia, que de fato é difícil compreender como a alegria pode nos transformar. Existe uma rasa felicidade a venda por aí em muitos níveis, em formato de comida, sexo, redes sociais, drogas e vícios, contudo raramente as pessoas param pra refletir de maneira profunda a respeito da felicidade, pois vivem engolidas pela rotina. Trabalho, trânsito, contas, aluguéis, chefes, clientes, barulho, família, tudo isso está sempre na mente, causando um congestionamento de ideias.

E eis um primeiro problema da vida humana. Cedo ou tarde, esse barulho do cotidiano é silenciado e somos convidados a refletir sobre a nossa felicidade. Em um feriado específico, em uma viagem, algum momento em que estamos sozinhos, caminhando, experimentando algo novo, em contato com uma dificuldade, angústia ou decepção, que pode ser amorosa ou profissional, enfim, quando sofremos por alguma razão. Nesses momentos, quando o barulho da rotina é silenciado, surge o vazio. Um grande vazio silencioso e apavorante, que grita dentro de nós questões profundas. É o vazio questionador, que faz pensar sobre "quem somos e por que estamos aqui?".

Muitas vezes, infelizmente, esta pergunta é respondida com base no que fazemos, na formação, no carro, na casa... Todos os conceitos que conquistamos, nossa profissão, nível de riqueza alcançado, bens materiais, são parte da nossa história e devem ser honrados. Mas, para que a sensação do vazio seja suprida, é preciso compreender o silêncio que grita dentro de nós.

Quem é você de verdade?

Qual caminho que você está trilhando?

Onde você errou e o que está fazendo para ser melhor?

Quais são os seus valores e limitações?

Essas são algumas das questões que gritam nesse vazio do qual muitas vezes fugimos. Nos questionamos sobre a nossa profissão, sobre o relacionamento que vivemos, pensamos que algo deve ser modificado. E este é um grande acontecimento, pois pensar que algo não está bom é o começo para melhorar. As indagações que sentimos são muitas e estão longe de parecer algo momentâneo e moderno, pelo contrário, são verdadeiramente intrínsecas e servem para nos fazer evoluir. Não devemos cair na besteira de achar que essas questões aparecem por causa da rotina veloz e de tudo que tira nossa atenção. Muito antes de imaginarmos, nossos antepassados já experimentavam essas questões. Os gregos já enxergavam esse vazio, como parte da vida humana. Perceberam que as angústias são derivadas do fato de que o Universo se movimenta rapidamente e tudo pode fugir do nosso controle, caso não estejamos centrados no que verdadeiramente é importante para nós, a nossa realidade. Por isso a importância de compreender as leis universais e vivenciar o poder que elas exercem, pois, trazem controle e clareza para lidar com as angústias da nossa vida.

O fato de estarmos buscando respostas, mostra que queremos mudança.

Como podemos aguardar por dias melhores se não somos melhores em nosso dia?

Durante meus atendimentos, sempre busquei questionar meus pacientes sobre as angústias que escolhiam viver. Em uma sessão, tive a sensação de que um deles não queria realmente se livrar das angústias que sentia. Ele estava totalmente perdido em quase todas as áreas da sua vida, mas ainda assim algo o prendia no sofrimento. Quando questionei sobre a sua vontade de sofrer, ele ficou impressionado e irritado com a minha pergunta. Eu o compreendi, pois o sofrimento é parte do ser humano e de fato é comprovado que gostamos de ter motivos para ser vítimas, o famoso ganho secundário.

Para ele, o mundo estava perdido, Deus estava contra suas expectativas, sua esposa não lhe dava o amor necessário, nada fazia sentido. Mas, após essa pergunta, ele resolveu refletir sobre querer sentir angústia e sofrimento. Orientei que toda vez que sentisse algo ruim, observasse atentamente esse sentimento. Após algumas semanas, ele me trouxe respostas e disse que sentia conforto ao se vitimizar. Era a forma que ele encontrara para sentir que as pessoas podiam percebê-lo. Fazia isso desde criança para chamar a atenção de seus pais, pois, por ser o filho mais velho, sentia-se rejeitado.

Só conseguiu compreender que sua vida era angustiante após essa reflexão, voltando ao motivo de origem, e ainda assim foi relutante. Segundo ele, conseguiu entender e sentir de verdade que deveria eliminar a angústia e escolher a alegria. Trocou a vibração que o satisfazia e reparou o quanto sua mente o sabotava, pois entendeu que não aprendia nem construía nada bom. Sempre se apegava a situações tristes e angustiava-se com tudo. Pensava que desta forma seria especial para o mundo. A maneira como ele mesmo se sentia ao vibrar em níveis baixos se tornou grotesca, e assim, pôde se libertar de uma vida medíocre. Seus relacionamentos no trabalho melhoraram, seu chefe já não era um vilão, começou a ouvir mais sua esposa e as soluções passaram a aparecer com mais facilidade. Tudo na vida deste homem que se abrigava na infelicidade mudou, justamente porque ele observou que suas ações eram angustiantes, não porque Deus não o escutava, mas porque ele não sentia a aceitação e a alegria dentro de si.

Energia de Aceitação

Temos a sensação de estar fazendo algo medíocre e sem sentido quando não nos sentimos felizes, mas na verdade, tudo está completamente ligado a quem somos e o quanto estamos fazendo em nossas vidas. Quando me refiro a fazer, não estou dizendo que você precisa ser melhor em tudo, estar sempre à frente na empresa, ordenar a família e cuidar dos filhos, ser um grande empresário ou uma grande empresária, viver meditando ou participando de encontros religiosos. Na aceitação, estou citando as ações que movem a sua vida. Ações que o levam a criar o que você recebe.

Mas será que estamos aceitando a realidade que se apresenta?

O incômodo e a angústia são sintomas reais da não aceitação e criam situações e acontecimentos que atrapalham nossa vida. A exemplo disso, é preciso compreender porque a revolta é inimiga da aceitação e revela muita dor e sofrimento. Ao compreender que todos nós temos uma "pré-disposição" a gostar de sofrer e nos manter nesse sentimento, é chegado o momento de olhar para própria vida com mais aceitação. Se você se sente injustiçado e isso causa dor, se sente uma enorme angústia no peito e isso o faz sofrer, se sofre de depressão, sente perda de interesse, tristeza generalizada, culpa, distúrbios do sono, mudança em padrões alimentares, cansaço, exaustão, falta de concentração, ansiedade excessiva, todos esses são sintomas reais de que você está dando atenção à parte obscura de si mesmo, vivendo o que habita em sua mente.

Eu sei o quanto é difícil aceitar quando vivemos dessa forma. Mas aceitar e se conformar são palavras com conceitos bem diferentes. Ao se conformar você age e pensa: "Como a vida é realmente injusta e não há nada que fazer, sou um fracasso e estou perdido(a). Sou uma vítima." Este é o entendimento de conformar-se.

Aceitação é realmente sentir dor, mas abrir o coração e reconhecer que ele está partido, que o momento pode ser de perda, descontrole, falta de emprego, falta de amor-próprio, não entendimento das dificuldades e tantas outras questões que acontecem e destroem as nossas vidas. Estas situações realmente doem, a aceitação dói, bem como significa abrir o coração à realidade que se apresenta.

Conformar-se é o fim. Já a aceitação é o trânsito pela dor, mas com a possibilidade de realmente reerguer-se e sentir que dentro de você existirá um novo ciclo. O conformado está sempre abatido, infeliz, reclamando das situações e tentando encontrar conforto na tristeza. Quem aceita mobiliza-se, compreende uma dor profunda, mas continua. Igual quando voltamos a praticar exercícios físicos após muito tempo. Seus músculos doem, mas essa dor é o símbolo de que está saindo da estagnação. É uma dor saudável, um recomeço de vida. Aceitação é sobre movimentar o afeto, perceber a realidade como ela se apresenta, agir, se transformar.

É como quando nascemos, há um canal denominado "canal do parto", e o bebê que está ali, em um estado muito confortável, no líquido amniótico, em um determinado dia, precisa sair e encarar um novo estado, no qual já não predomina a água, mas o ar. Isso quer dizer que o amor é também sobre dor, sobre aprendizado, entrega e aceitação. É a dor do parto, do nascimento. E quando aceitamos o que nos acontece, mesmo que seja o encerramento de uma jornada no trabalho, o fim de um relacionamento, a perda de um ente querido, quando sentimos a dor do entendimento e nos abrimos para a aceitação, liberamos o medo de sofrer e este sofrimento já não pode mais nos acompanhar. Sentimos a dor da aceitação, é ela que nos sensibiliza a experienciar o novo.

Aceitar tem um processo inicial que se relaciona com a dor e muitas vezes essa dor está relacionada ao crescimento, um novo passo evolutivo, de ensinamento, de aprendizado, de novas escolhas. É sair do apego, da vitimização. Aceitar é se inconformar com sua atual realidade e buscar mudanças. Só podemos mudar o que aceitamos, o que não aceitamos persiste. Para mudar eu preciso criar um novo hábito.

Nós sabemos atualmente, por meio de muitos estudos, que todo hábito tem três grandes dimensões. A dimensão mais óbvia é o chamado comportamento, é o chamado comportamento automático e padrão que você repete sem gastar energia. Porém, esse comportamento sempre gera e espera por uma recompensa. É basicamente isso: todo comportamento tem uma recompensa. E não só isso, mas, antes do comportamento, você sempre utiliza um gatilho, algo que o leva a ter o comportamento. Portanto, se você já sabe o que deseja mudar, eu afirmo, tente reconhecer qual é o gatilho que o está impedindo e mude-o.

A segunda dica é: Mude uma coisa por vez. Tem gente que resolve mudar e quer resolver tudo em dois dias, isso infelizmente não ajuda a ter bons resultados duradouros. Você precisa ter tempo e consistência na sua mudança. E se você fizer uma de cada vez, chegará com consistência.

Mude as suas crenças em vez de mudar só o comportamento, porque isso vai levá-lo ao seu aperfeiçoamento total. Geralmente, por não mudarmos as crenças que aprisionam as nossas mentes é que nós demoramos tanto para mudar. Encontre o gatilho e adicione um novo comportamento. E lute para que esse comportamento se torne um hábito, pois, depois que você repete um novo comportamento por diversas vezes, você se habitua e ele acaba se tornando automático e não demanda tanto da sua energia. Mas para isso acontecer, é preciso colocar bastante energia no início, repetir dezenas de vezes o mesmo comportamento. Quanto mais energia você tiver de gastar para chegar a este novo hábito, mais consistente ele vai se tornar, e lá na frente será impossível não viver habituado. É perfeitamente possível e com tantas mudanças acontecendo no mundo, se você não mudar, o mundo vai seguir e você vai se sentir esquecido.

A partir de agora, você já deve saber que o mundo não está deixando de se transformar, novos acontecimentos ocorrem todos os dias, e, com todo esse movimento, nós também precisamos buscar a nossa mudança. Na verdade, o mundo se transforma e acontece para aqueles que sabem que ele não para e que não vai deixar de acontecer por causa das vezes que você se sente vítima. Eu sei que parece dura essa frase, e ela realmente é, mas as folhas caem no outono, o céu é azul, em alguns dias chove, em outros, faz frio, e você pode se sentir vítima de todos estes acontecimentos, mas esses estados vão continuar acontecendo independentemente de você.

No Universo tudo está acontecendo e, como sabemos, aquilo que fazemos e sentimos se torna real em nossas vidas, na nossa existência. Portanto, o que você pode controlar agora e fazer ser diferente são os seus hábitos e comportamentos. Em vez de ficar apontando e colocando a culpa no chefe, no esposo, na companheira, no mercado, no governo, pare de se preocupar tanto com aquilo que está fora do seu controle e passe a se dedicar ao que está realmente sob os seus olhos, no seu alcance, que é o seu comportamento em relação as suas ações. O seu mundo muda com ações e, enquanto você escolhe não agir, você nunca irá mudar. E digo mais, comece já a mudança que você quer ver na sua vida, nem semana que vem, nem na próxima segunda-feira, comece agora.

É fácil acreditar que as coisas vão mudar e que um novo hábito acontecerá na semana que vem ou no mês seguinte, o difícil é você dar o primeiro passo neste instante. As coisas no Universo continuam a acontecer conforme o que estamos pensando e sentindo, e melhor, nós podemos controlar algo bem único dentro dele que é o nosso próprio comportamento. Podemos ser insignificantes e muito especiais aqui em vida, porque recebemos a oportunidade dada por Deus de existirmos e isso é um grande privilégio para a nossa existência, é o que nos torna extremamente especiais.

EXERCÍCIOS E PRÁTICAS INDICATIVAS

Para eliminar feridas, como as citadas acima, eu criei uma ferramenta chamada DNA ERA Healing – Reprogramação Vibracional®, que você vai encontrar no QR Code a seguir.

www.dnareveladodasemocoes.com.br

No QR Code também deixo o modelo para a prática da Técnica Hertz® – Reprogramação da Frequência Vibracional® – que atua no nível biológico e de DNA para cura, limpeza energética e emocional. Criada e desenvolvida por mim, essa técnica vai acelerar a cura das suas feridas emocionais e elevar seu padrão vibratório em poucos instantes. A Técnica Hertz® é um processo amplo e com atuação no chamado campo morfogenético, capaz de mudar tudo ao seu redor por ressonância e campos atratores de influência. Em outras palavras, a mudança que acontecer dentro de você vai repercutir também do lado de fora, em todas as pessoas e coisas que estão à sua volta. Esse processo vai elevar a sua frequência e ajudá-lo a cocriar tudo o que você deseja.

Faça a prática sempre que quiser e achar necessário.

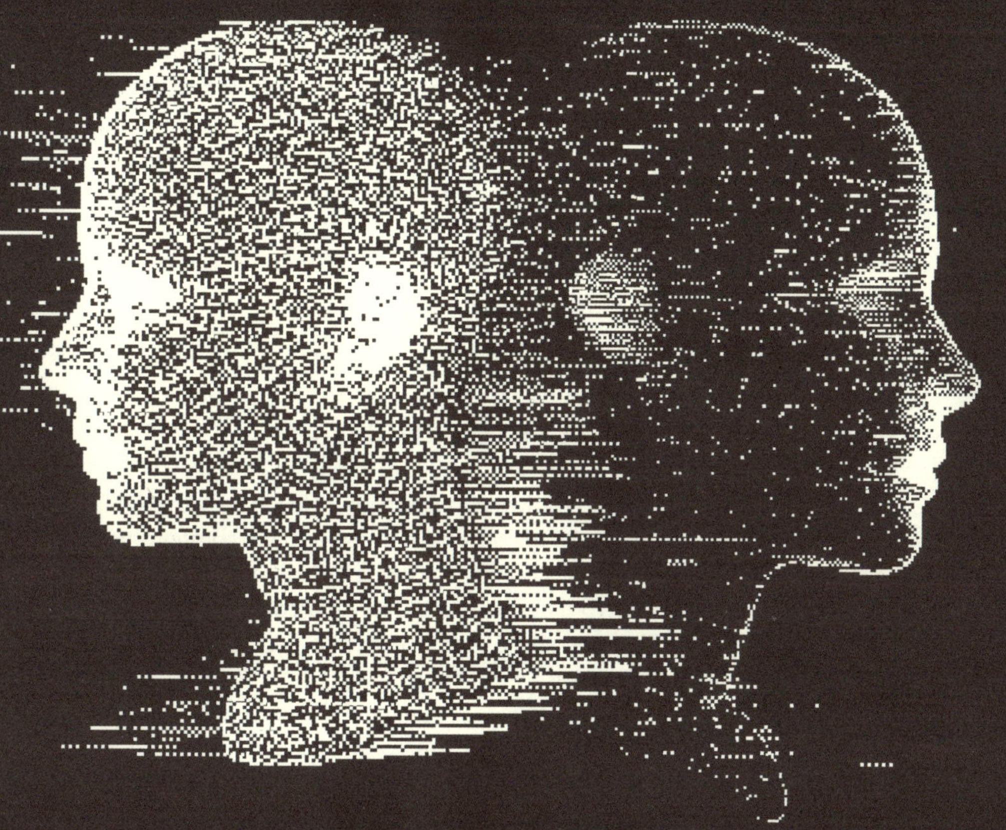

CAPÍTULO 3
EMOÇÕES DE BAIXA VIBRAÇÃO E SUAS CONSEQUÊNCIAS – COMO MUDAR ESTA REALIDADE!

Nossa mente, cérebro e corpo possuem dois modos de operação: nível Holo Cocriação® (desperto) e nível vítima (sobrevivência). Vou apresentar esses conceitos fundamentais, que serão aprofundados nos capítulos seguintes.

Quando você se torna um cocriador da realidade é comum uma oscilação entre os níveis desperto e sobrevivência/ sobrevivência e criatividade, mas sempre há um modo predominante no qual está vibrando. As circunstâncias da realidade experimentada pela pessoa indicam se ela está vibrando na sobrevivência ou na criatividade: se a vida for, em maior parte, fluida, leve e feliz, abundante, rica, harmônica, a criatividade predomina, ou seja, a consciência expandida predomina, aqui você é o Holo Cocriador® e tem consciência sobre os seus pensamentos; mas, caso a sensação e realidade predominante estiver no medo, escassez, doença, desemprego, ciúmes, traição, que precisa "matar um leão por dia" para sobreviver, então a sobrevivência predomina. Este nível chamamos de inconsciente, consciência da vitimização. Vítimas não cocriam a frequência emanada não permite, ela descolapsa, bloqueia e anula os sonhos.

NÍVEL DE EXPANSÃO (AMOR, GRATIDÃO, ALTA FREQUÊNCIA)

O nível desperto, expandido ou criativo, que chamamos de Holo Cocriador®, é o oposto do nível sobrevivência, que chamamos de vítima. É somente por meio da criatividade que podemos cocriar a nova realidade que desejamos. Basicamente, no nível desperto o corpo relaxa e há uma completa conexão com o momento presente e, por isso, os sofrimentos do passado e as preocupações com o futuro são ocultas.

Quando estamos em estado de criação, totalmente focados e envolvidos com aquilo que estamos fazendo, somos capazes de esquecer de nós mesmos. Já percebeu? Estar tão presente no momento, no que está fazendo, que perde a noção do tempo e momentaneamente se torna ninguém, nada, em lugar nenhum e em tempo nenhum, isto é, torna-se pura consciência.

É nesse estado que as cocriações são possíveis: quando esquecemos dos nossos problemas e somos capazes de nos tornar apenas uma consciência no Campo Quântico.

É nesse estado que as cocriações são possíveis: quando esquecemos dos nossos problemas e somos capazes de nos tornar apenas uma consciência no Campo Quântico. Quando você está no nível de expansão, esquece de si, do ambiente, das pessoas, dos compromissos, do tempo... Nesse momento você se torna pura consciência, conectado com o Campo Quântico, totalmente no momento presente, com toda sua atenção nas possibilidades.

NÍVEL SOBREVIVÊNCIA OU VÍTIMA / MATRIX

O nível sobrevivência ou vítima, também chamado de modo de emergência, o famoso "coitadinho" ou "miserável", é um estado de ser no qual a mente, o cérebro e o corpo se encontram em estresse em decorrência de algum estímulo externo ou interno que é percebido como uma ameaça à vida, que tira o corpo do estado de homeostase ou equilíbrio e o prepara fisiologicamente para lutar, fugir ou se esconder do perigo. É o cérebro em estado de alerta preparado para lutar ou fugir. Bingo!

Existem três tipos de estresse no nível vítima:

- **Estresse Físico**: discussões, brigas, pancadas, feridas, quedas, tragédias, choques, acidentes etc.;
- **Estresse Químico**: vírus, bactérias, obesidade, vícios, doença, metais pesados, excesso de açúcar no sangue, ressaca etc.;
- **Estresse Emocional**: separação, desemprego, trânsito, falta, miséria, traições, falências, abusos, assédios, luto, perdas, escassez, fracasso, culpa, depressão, ansiedade etc.

Sabe o que é mais interessante? Ao vibrar no estresse físico e químico você sempre irá infalivelmente evoluir para o terceiro estresse, o emocional. Por exemplo: a pessoa quebrou a perna e precisa parar de trabalhar, isso gera estresse emocional; pegou um vírus e precisa ficar em repouso, gera estresse emocional. E isso, sem consciência no nível expandido, você entra no caos por achar que é vítima de tudo quando é o Holo Cocriador da sua vida.

Cada situação de estresse tira o corpo do equilíbrio temporariamente, mobilizando a energia necessária para garantir a sobrevivência, ou melhor para sustentar a sua vitimização e miserabilidade. Bingo! E, passado o perigo, o corpo possui mecanismos naturais para se reequilibrar. Todos os organismos são capazes de tolerar estresses de curto prazo e isso é uma adaptação evolutiva. Por isso que conseguimos ter altos e baixos, o famoso um passo para frente e vinte para trás, de qualquer forma tudo está vibrando, então tudo passa e você se fortalece, passa a vibrar em emoções de esperança, fé, confiança e passa acreditar ou não que pode sair desse lugar.

Nós todos, 8 bilhões de seres humanos, conseguimos ativar a resposta de estresse apenas pelo pensamento. Quando não somos capazes de desativar o estresse e voltar ao equilíbrio, surgem as doenças, porque nenhum organismo na natureza é feito para tolerar estresse de longo prazo, ou seja, viver em um modo de emergência constante.

Essa função adaptativa foi extremamente útil no passado, quando os seres humanos precisavam fugir de predadores selvagens, mas hoje carrega um problema: do mesmo jeito que esse mecanismo seria disparado caso você encontrasse um leão faminto no seu quintal, ele também é disparado mediante outros tipos de situações percebidas como ameaças, como a mera presença da sua sogra ou seu chefe chamando-o para uma conversa. Quando o perigo cessa, o corpo não volta para a homeostase porque a pessoa continua pensando e revivendo e ruminando mentalmente a experiência de dor, traição, medo, ameaça e perigo. Bingo!

Seres humanos, por causa do tamanho do lobo frontal, têm a capacidade de pensar sobre o passado ou sobre o futuro e ativar as respostas de estresse somente por lembrar de uma experiência negativa, tirando seus cérebros e corpos do equilíbrio com um simples pensamento! Portanto, ativar estas respostas por lembranças do passado é Holo Cocriar® estes acontecimentos no futuro. Bingo!

Quando a energia está toda direcionada para o mundo externo (lado de fora) a fim de possibilitar a sobrevivência, culpando os outros pela sua vida, não resta energia no mundo interno para criatividade, expansão, evolução, cura, transformação, crescimento, reparo, regeneração ou para criar projetos e ideias, e assim o ambiente interno entra em estado de caos.

Os efeitos dos hormônios do estresse em longo prazo são graves, desregulam a expressão dos genes e os ativam para criar doenças, o que significa que uma pessoa pode adoecer em decorrência de seus pensamentos, essa é a conexão mente-corpo em última instância. Mas, da mesma forma que os pensamentos podem levar à doença, também podem levar à cura e à recuperação total.

A adrenalina do estresse é responsável por direcionar a energia física: ela ativa o corpo e o cérebro para lutar ou correr em defesa da própria vida. Quando uma pessoa vive em estresse crônico, é quimicamente dependente de descargas de adrenalina para conseguir se sentir viva e usa os problemas para reafirmar o vício na emoção de baixa vibração e se lembrar de quem é.

É por isso que as pessoas se mantêm em relacionamentos abusivos com familiares, cônjuges ou chefes: para alimentar a química do vício nas emoções negativas. Inconscientemente, é como se a pessoa pensasse "quem eu seria sem meus problemas?". Por isso, para conseguir mudar, é preciso romper com os vícios emocionais que no meu método Ourives Quantum Hertz chamo de ganho oculto ou secundário, como a psicologia se refere.

Para iniciar um processo de mudança, alterar sua realidade, mudar suas emoções definitivamente, é preciso parar de fazer as mesmas escolhas de sempre. Isso causa desconforto pela incapacidade de prever o que vai acontecer, condicionando a voltar para o passado familiar, conhecido e seguro, apesar de desagradável. Ironicamente, a pessoa se sente segura ao se sentir ansiosa ou medrosa de novo, porque são sentimentos familiares e emoções que está vivendo a vida inteira, portanto é seguro viver este caos, afinal de contas no meu instinto de sobrevivência eu não morri. O cérebro sempre funciona para o nosso melhor, e o melhor é o que ele conhece como seguro, exatamente onde você mesmo permaneceu alimentando suas frustações por tantos e tantos anos, neste caso por vibrar consistentemente nestas emoções negativas, ele reconhece essa vibração como campo de proteção e a função dele é mantê-lo seguro. Bingo!

As pessoas param suas mudanças no meio do caminho porque é difícil trocar as emoções do passado pelas do futuro, romper com o nível de sobrevivência, sair da vitimização. É difícil porque as emoções são muito viciantes, porém, havendo vontade e dedicação, é totalmente possível.

Veja na tabela a seguir um resumo das principais diferenças entre os modos sobrevivência e criativo:

ESTADOS DE MENTE E CORPO

NÍVEL VÍTIMA (SOBREVIVÊNCIA)	NÍVEL HOLO COCRIADOR (CRIATIVO)
Animal	Divino
Sobrevivência	Criação
Estresse	Homeostase
Contração	Expansão
Catabolismo	Anabolismo
Doença	Saúde
Desequilíbrio	Equilíbrio
Separação	Conexão
Degeneração	Regeneração
Medo/Raiva/Tristeza	Confiança/Amor/Alegria/Gratidão
Egoísmo	Altruísmo
Ambiente/Corpo/Tempo	Nada/Ninguém/Tempo Nenhum
Perda de energia	Geração de energia
Emergência	Crescimento e reparo
Foco estreito	Foco aberto
Realidade definida pelos sentidos	Realidade para além dos sentidos
Causa e Efeito	Causador de efeitos
Possibilidades limitadas	Possibilidades infinitas
Incoerência	Coerência
Conhecido/Familiar	Desconhecido
Mais matéria; menos energia	Mais energia; menos matéria

HORMÔNIOS DO ESTRESSE, INSTINTO DE SOBREVIVÊNCIA E VITIMIZAÇÃO

De acordo com as neurociências, viver no estresse é viver no nível de sobrevivência. Quando percebemos uma situação estressante, um momento ameaçador, potencialmente perigoso e desagradável que não podemos prever nem controlar, nosso Sistema Nervoso Simpático (SNS) entra em ação para garantir a preservação da vida, modifica a bioquímica para que tenhamos energia para fugir ou lutar, produzimos cortisol (hormônio do estresse) e ativamos o modo vitimização assim que entramos no instinto de sobrevivência. Esse processo é uma resposta fisiológica saudável e natural, muito útil nos primórdios da humanidade, que permitiu a continuidade e perpetuação da espécie até os dias de hoje.

Na linha da evolução, esse recurso adaptativo permitiu que nossos ancestrais dos tempos das cavernas sobrevivessem de maneira a perpetuar a espécie por milhares de anos, até chegar à atualidade das nossas próprias vidas. O modo sobrevivência era (e ainda é) ativado diante do estresse de uma ameaça ou perigo, fornecendo mais energia ao corpo para instintivamente avaliar, conforme a situação, se era mais conveniente fugir e se esconder do predador ou ficar e lutar. Aprendi essa linha de raciocínio com Joe Dispenza no Treinamento Mental Placebo, então entendi que quando entramos no nível vitimização analogicamente funciona da mesma maneira. Quando qualquer coisa me acontece, eu culpo os outros pelo que está acontecendo na minha vida, algo externo. Eu entro no nível de consciência da contratação e tudo começa a dar errado, pois aqui, sendo vítima, aquilo que penso, sinto e ajo está cocriando mais do mesmo. O nível de vitimização é ativado diante de um evento em que alguém fez algo para mim (ameaça, perigo, desequilíbrio, desemprego, traição, roubo, assalto, separação, acidente, engano, rejeição, ferimento, humilhação, xingamento). Esta energia emitida pelas emoções de incapacidade, injustiça, prejuízo, inferioridade etc. fornece mais energia ao corpo para institivamente avaliar, conforme a situação, se era mais conveniente lutar, atacar, ofender, ferir, julgar, reclamar, brigar, fugir etc. Bingo!! Vítimas sendo Vítimas a culpa sempre está lá fora.

Assim, diante de uma situação percebida como ameaçadora ou perigosa, nosso corpo passa por várias mudanças fisiológicas automáticas para aumentar as possibilidades de sobrevivência diante do evento que se apresenta:

- Calafrios, pupilas dilatadas para melhorar a visão;
- Rosto vermelho em chamas, pois os ritmos cardíaco e respiratório aumentam para possibilitar a corrida ou a luta;
- Mais glicose é liberada para aumentar a energia do corpo;
- O fluxo sanguíneo se direciona para as extremidades do corpo para facilitar e agilizar a movimentação;
- Paralisação da fala ou falar demais, pois são liberados cortisol e adrenalina, que chegam aos músculos também para aumentar a energia e a força para correr ou lutar;
- Sensação de desmaio, pois a circulação se desloca do cérebro anterior racional para o cérebro posterior instintivo, facilitando reações instantâneas.

Essas mudanças são naturalmente programadas para atuar em explosões de estresse de curto prazo, isto é, somente para viabilizar a sobrevivência em uma situação de perigo iminente, e quando o evento de perigo ou ameaça passa, o corpo naturalmente volta ao seu equilíbrio em alguns minutos ou poucas horas.

Com certeza você já sentiu tudo isso em um momento de raiva, de susto ou de medo. Essas mudanças fisiológicas nos fazem agir instintivamente, ou seja, sem racionalizar. Quem nunca agiu com grosseria ou agressividade em uma explosão de estresse ou raiva, falando e fazendo coisas das quais se arrependeu amargamente depois de "voltar ao normal" e racionalizar a situação? Bingo! Sempre nos arrependemos depois, pois a vibração da explosão química, do que falamos, sentimos e agimos fica no nosso campo cocriando mais disso.

Isso acontece porque quando estamos sob o efeito dos hormônios do estresse, nossa única preocupação é a própria vida e segurança, por isso agimos instintivamente com egoísmo. Em modo sobrevivência, nos tornamos materialistas e imediatistas, pois os hormônios do estresse nos fazem direcionar toda a atenção para a realidade externa, na qual se encontra o perigo ou a ameaça, e percebemos a realidade somente pelos sentidos, sem muito espaço ou tempo para analisar e racionalizar as situações.

Sem dúvida, essa função fisiológica de adaptar o corpo para lidar com estresse é fundamental à vida. A ativação do modo sobrevivência existe para que possamos resolver situações pontuais de modo a salvar nossa vida ou a vida de quem está perto. Há, entretanto, pessoas que vivem nesse estágio e inconscientemente não permitem que o corpo volte ao normal, mantendo-o em estado de desequilíbrio hormonal, o que conduz a sintomas adversos, como doenças e dificuldades nos relacionamentos, pois nenhum organismo suporta viver a longo prazo em modo de emergência.

Conforme a magnitude do evento de estresse e a maneira como ele é percebido, é possível que o corpo humano, somente pelo pensamento, mantenha-se no modo sobrevivência por semanas, meses, anos, décadas ou uma vida inteira. Aposto que você conhece alguém que passou por um grande trauma no passado – a morte de um filho, um acidente grave, uma grande traição, um assalto violento etc. – e que nunca "voltou ao normal".

Isso acontece porque todos os dias a pessoa revive a situação por meio de seus pensamentos e, como o nosso corpo não sabe diferenciar o evento original da mera lembrança do acontecimento, as mesmas emoções da experiência real do passado disparam a partir de sua lembrança. A mesma química que o cérebro produziu na altura em que a situação traumática aconteceu também é produzida quando se pensa e sente sobre a situação. Dessa forma, o cérebro se ancora no passado e entra em uma espécie de "piloto automático", de maneira que, ao recordar a experiência continuamente, será produzida a mesma química e estarão presentes as mesmas emoções.

A longo prazo, o corpo fica extremamente condicionado às descargas químicas do nível sobrevivência, ao ponto de se tornar viciado nessas substâncias. Quanto mais as emoções negativas e que causam estresse são reforçadas, mais química é liberada, mais o vício se reforça e isso mantém a pessoa sempre alerta, focando toda sua atenção e energia nos "medos, tragédias, perigos e ameaças", a ponto de conectar sua própria identidade com o mundo externo, o qual passa a defini-la.

Como as emoções do estresse causam dependência química, ou seja, vícios e feridas emocionais o indivíduo usa as pessoas e situações de sua realidade externa para alimentar sua falta. Por exemplo, usa os pais para reforçar sua dependência ao julgamento; usa o vizinho barulhento para reforçar sua dependência à raiva; culpa o chefe e a empresa por reforçar sua rejeição, abandono, inferioridade, até traição; usa seus filhos para reforçar sua dependência à culpa; usa o ex-companheiro para reforçar sua dependência à mágoa e assim por diante, até que perca totalmente o controle de sua própria vida e se torne uma pobre vítima cujos sentimentos e pensamentos são determinados por pessoas e eventos do ambiente externo. Bingo!

No nível da vítima, você está sempre alerta e alterna com bastante rapidez a ativação de cada uma das redes neurológicas correspondentes às suas injustiças, acusações, preocupações. Com o tempo, esse estreitamento do foco causa um desequilíbrio no funcionamento do cérebro, que passa a operar em um padrão desordenado, dessincronizado, ineficiente e incoerente como uma orquestra em que cada músico toca seu instrumento em um ritmo diferente dos demais. Mais adiante, falaremos em detalhes sobre a importância da coerência, tanto no cérebro, como no coração, como o método, a fórmula e a Frequência Vibracional® para alinhar e ajustar isso tudo.

A consequência desse direcionamento da atenção e energia para as questões da realidade externa é que a pessoa se manterá limitada às experiências que já conhece. Com toda atenção e energia voltada para as respostas conhecidas e previsíveis do mundo externo, não sobra energia para o mundo interno, no qual se encontram as possibilidades de mudança. Em outras palavras, não é possível pensar, sentir e direcionar o foco para o novo quando a pessoa é coitadinha e está viciada na velha realidade conhecida.

O vício na realidade familiar nem sempre é percebido pelas pessoas como de todo negativo, pois laços energéticos são criados com os elementos habituais. Muitas vezes, ainda que inconscientemente, a pessoa prefere não se aventurar com novas possibilidades para manter o controle sobre a previsibilidade de seu futuro, com base no seu passado conhecido.

Os laços energéticos que conectam as pessoas com os elementos familiares fazem com que os campos energéticos se conectem por meio de uma linha invisível pela qual as informações são compartilhadas, da mesma forma que os campos dos átomos se conectam para formar uma molécula.

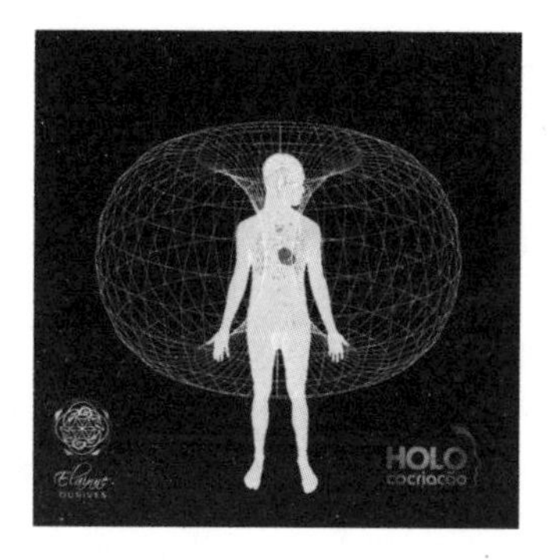

As figuras ilustram apenas um campo conectado, mas, para cada pessoa ou situação pela qual temos alguma emoção relacionada, existe um compartilhamento de campo. Para cada campo compartilhado com emoções de ódio, mágoa, culpa, raiva, medo, rancor, vingança, carência e outras de frequência similar, ocorre uma dissipação de energia que poderia ser direcionada para a Holo Cocriar® uma nova realidade, mas que está sendo usada para reforçar a relação conhecida do passado.

Da mesma forma que é preciso intenção e energia para separar os campos de dois átomos, também é preciso energia para separar dois campos. A energia necessária para permitir a libertação em relação ao velho e a abertura para o novo não pode ser encontrada no mundo externo, somente no mundo interno. A única maneira de acessar essa energia é abandonar e ir além das informações habituais e conhecidas, retirando delas o foco da atenção.

Tirando a atenção desses elementos externos, a energia também é retirada e, assim, os elos energéticos e emocionais com esses elementos vão se desfazendo. Na medida em que isso ocorre, toda a energia que antes estava fragmentada em vários processos de sobrevivência é reintegrada e pode ser redirecionada para cocriar um novo futuro, uma nova versão de você.

Quando colocamos a intenção e realmente nos comprometemos de maneira disciplinada nesse processo de mudar o foco da nossa atenção e energia, pode acontecer de certas áreas da vida começarem a desmoronar, como uma demissão no trabalho ou um divórcio. Não se assuste, é normal, é limpeza e é sinal de que seu trabalho pessoal está funcionando, pois se você realmente tira seu foco e rompe os laços energéticos com seu passado, qualquer coisa que não esteja em afinidade vibracional como o novo "você" irá naturalmente desaparecer da sua vida.

Se acontecer alguma situação pontual que pareça ruim, não se permita retornar às emoções de sobrevivência, ao nível de contração. A vibração da vitimização o levaria de volta para o passado. Continue criando seu novo futuro a partir do momento presente e mais a frente você verá que o evento, que naquele momento pareceu ruim, na verdade foi fundamental para a sua nova realidade de felicidade e satisfação. Tudo sempre acontece para nosso melhor! Isso significa confiar no desconhecido, literalmente "soltar"!

CRISES DE PÂNICO

No nível sobrevivência, a tendência é pensar nas piores possibilidades que podem acontecer, pois o futuro é visto com base no passado. É como se estivesse se protegendo, pois, teoricamente, quem se prepara para o pior tem mais chances de sobreviver, mas quanto mais age dessa forma, mais o corpo se programa pela ansiedade, pior fica. Por isso algumas pessoas têm crises de pânico, que é quando todo o medo e a ansiedade chegam a um nível de surto.

A pessoa que experimenta uma crise de pânico tende a analisar a causa olhando para a realidade externa e conclui que seu pânico é causado por fatores como: ambientes muito abertos ou muito fechados, avião, falar em público, fazer uma entrevista, baratas.

Mas a causa do pânico nunca é externa, apenas os gatilhos são. Para transcender as crises de pânico, é preciso olhar para dentro, mudar a emoção que ativa gatilho, observar que tipo de pensamentos, sentimentos e comportamentos teve e tem ao longo da vida que condicionaram seu corpo para ser a mente do medo.

As respostas nunca estão nem estarão no mundo externo. As respostas só são encontradas quando olhamos para dentro de nós e percebemos que nossa realidade e estado de ser são efeitos da nossa Frequência Vibracional®. Reações emocionais automáticas a pensamentos e circunstâncias da realidade externa.

Jamais haverá resposta externa suficiente para as perguntas de quem não está disposto a mudar sua realidade, curar suas feridas, modificar internamente. Somente quem segue em frente, apesar do passado e do presente, cocria dias melhores. Prestando mais atenção a si mesmo e ao mundo interior, sendo capaz de inibir conscientemente pensamentos, sentimentos e comportamentos inconscientes. Quanto mais a pessoa se observa, mais ela é capaz de se modificar.

As reprogramações vibracionais, assim como a Técnica Hertz® - Reprogramação da Frequência Vibracional® que ensino e que vai experienciar no final deste capítulo, são ferramentas para operar essa mudança de estado de ser inconsciente para um novo estado de ser consciente, reprogramando as emoções bloqueadas - mesmo que não saiba o que o impede de sair dessa situação. No começo, o corpo vai resistir como um cavalo selvagem resiste a ser selado, e seu trabalho será dizer para o seu corpo que "vocês" não irão se levantar até que consigam se conectar com o momento presente.

Quando finalmente conseguir se render e se fixar no momento atual, não existirá mais ansiedade. A ansiedade é provocada pela preocupação e temor em relação ao futuro, mas, como no eterno momento presente o futuro não existe, a ansiedade também não existe.

Claro, é preciso muita dedicação, repetição e disciplina para acessar o momento presente, mas chegará o momento em que você não vai meditar porque "tem que meditar", mas porque verá os benefícios da meditação na sua saúde, na sua realidade e na sua vida.

Se você deseja mudar e sabe que 95% de você é inconsciente, o caminho é se tornar consciente do inconsciente: tomar consciência dos seus hábitos e reações emocionais, e acessar seu sistema operacional. Quanto mais consciente você se tornar sobre essas ações inconscientes, mais controle terá sobre elas.

É impossível criar um novo futuro na qualidade de vítima, sentindo insegurança ou preocupação. Isso é passado. Para se conectar com o Divino, você precisa ser divino! Para comandar o seu destino você precisa se sentir invencível.

Para mudar, você precisa ser maior do que seu ambiente e do que as condições de sua realidade vigente. É isso que grandes personagens da história fizeram. Não se permita ser definido pelo seu presente e passado, viva na sua visão de futuro. Você precisa ser mais apaixonado e comprometido com seu futuro do que com seu passado, caso queira criar um novo.

A CRIANÇA FERIDA

A criança que fomos está viva dentro de nós. Se você nunca parou para pensar nisso, vai precisar começar a refletir a respeito agora que quer aumentar a frequência das suas emoções para cocriar uma realidade perfeita. Garanto que não vai mais ficar indiferente a comentários como aqueles que dizem que meninos e meninas "não vão lembrar de nada mesmo" no futuro. Sim, nós lembramos de tudo. Mesmo que não nos damos conta, as experiências e os sentimentos positivos e negativos estão muito bem guardados na chamada mente inconsciente, o nosso grande arquivo de emoções e memórias de longo prazo. Ao longo da vida, os impactos vão aparecendo, sejam eles bons ou ruins.

Por não ter condições de lidar com experiências pesadas e desagradáveis tão cedo e, principalmente, por não ter recebido suporte da família depois de vivenciar situações difíceis, muitas pessoas levam a vida reprimindo sentimentos da infância. Simplesmente não sabem que se comportam segundo o que está profundamente gravado em seu inconsciente.

Muitos pais, com a melhor das intenções, pensam que a melhor forma de proteger seus filhos do sofrimento é esconder ou abafar sentimentos como raiva e tristeza. Tentam fingir que seus meninos e meninas podem viver longe dessas emoções.

Por isso, quando crescemos, repetimos e, ao mesmo tempo, negamos o impacto disso em nossas vidas. Aprendemos desde cedo a reprimir tudo. Geralmente, há muita resistência ligada à cura da nossa criança ferida. Ninguém quer entrar em contato com essa dor, todos agem como se fosse possível não olhar para ela e continuar a viver uma vida plena, leve, livre e feliz.

Por mais que você não queira ver a menina ou o menino ferido que existe dentro de você, ele existe e não vai deixar de sentir a dor que carrega desde sempre. Dor que se manifesta, muitas vezes, quando busca, na idade adulta, tudo aquilo que não recebe nos primeiros anos de vida.

Quer um exemplo prático? Imagine um homem adulto, por volta de 40 anos, que carrega consigo uma carência extrema de afeto materno. Um belo dia, ele discute com o irmão mais velho e, adivinhe, termina a briga dizendo que vai contar tudo o que sabe sobre o outro "para a mamãe". É ou não é uma criança ferida pedindo, desesperadamente, a atenção da mãe?

Esse homem, na verdade, não tem consciência das suas motivações, não sabe por que age com tamanha infantilidade. Aliás, sequer deve se considerar infantil. Provavelmente vai levar esse padrão de comportamento por toda a vida, caso não decida olhar para essa questão com atenção. Como não tem consciência de tais atitudes, a pessoa tem comportamentos que nem imagina de onde vieram e não sabe o que provocou aquela reação.

O mesmo ocorre com pessoas que trabalham à exaustão para serem reconhecidas, já que não tiveram o reconhecimento dos pais na infância; que nunca dizem "não" com medo de desagradar os outros e não serem amadas; vivem cobrando mais e mais atenção do parceiro ou da parceira em uma tentativa de preencher uma carência mais básica e profunda.

Assim é a nossa criança ferida, o menino ou a menina triste que habita em cada um de nós. Uma criança que precisa de atenção, amor e acolhimento.

CONFIANÇA NA IDADE ADULTA

Acolher a sua criança interior é se permitir ser um adulto com mais confiança, mais força para realizar os seus sonhos e viver com mais leveza e equilíbrio. Não é pouca coisa, não é mesmo?

Se as nossas feridas mais básicas e primordiais não forem curadas, vamos seguir vibrando na dor, na insegurança. E, adivinhe, vamos atrair situações em sintonia com esse padrão, como se a nossa trajetória não fosse nada além de um ciclo de erros. Os mesmos erros repetidos. É isso que você quer para você?

Por mais complexo e dolorido que seja, o autoconhecimento leva à libertação. Não há outro modo de evoluir verdadeiramente. Por isso abordo o tema em tantos cursos, vídeos e textos nas minhas redes sociais, sempre falando sobre a importância de sermos agentes da nossa própria mudança. Você é o único responsável por tudo o que acontece na sua trajetória.

Olhe para a criança que vive dentro de você. Tenha carinho por ela e lhe estenda a mão. Somente assim a sua vida vai mudar de fato, deslanchar rumo à cocriação de todos os seus sonhos.

Não faça julgamentos, não tenha medo. A pureza e a resiliência da infância são bases importantes para a nossa formação. Observe como as crianças são capazes de se reerguer com facilidade, como costumam perdoar sem muito esforço. Elas caem, levantam, voltam a brincar e a sorrir. Amam verdadeiramente. Lembre-se de que está tudo vivo aí dentro, de que tudo isso pode ajudá-lo a ser melhor do que é hoje. Apenas olhe para a sua criança interior, atenda às suas demandas e trabalhe para curar as suas feridas.

SINTA-SE ABRAÇADO

Fechar os olhos e se sentir abraçado com a criança que você foi um dia é um bom ponto de partida para a sua caminhada de cura. Apenas comece a sentir essa energia. Depois, diga o quanto você a ama e permaneça por alguns minutos (quantos você precisar) nessa vibração. Se puder, escreva sobre isso depois, sobre o que você sentiu com essa experiência. A Técnica Hertz® também oferece bons resultados na cura da sua criança ferida. Recorra à prática sempre que achar necessário.

A criança interior é a representação simbólica da infância em sua sabedoria e valor. As feridas da infância que todos guardamos são, para nós, bases de transformação, ferramentas que podem nos ajudar a evoluir. Está nas nossas mãos olhar de frente para essas questões ou jogar tudo para debaixo do tapete, arcando com o preço disso.

A cura dessas dores profundas não é automática, instantânea, simples. Pode até levar uma vida inteira, não importa. Porque estas dores não são do seu eu adulto e sim da criança ferida. Então, é fundamental ter coragem e generosidade de olhar para si com olhos de amor, crescimento, aceitação, libertação e perdão.

ACOLHIMENTO E TRANSFORMAÇÃO DAS DORES

Para acolher e curar de fato a sua criança interior e lidar com as suas dores de modo que sejam curadas, é preciso, além da amorosidade consigo mesmo, a disposição para ressignificar a própria história.

Esse acolhimento é uma prova de amor, de maturidade, de vontade de evoluir. Enquanto não fizermos isso, não abrirmos os braços para o menino ou a menina que fomos, ele ou ela continuará no comando da nossa vida, reagindo a tudo que tem ligação com aquela antiga dor. E isso, sabemos, só vai atrair ainda mais dor, um ciclo de tristeza sem fim. Não é a sua criança ferida quem deve se cuidar, é você, o adulto que ela se tornou, o responsável por essa mudança. Tome as rédeas da sua vida e siga em frente.

Olhe para a criança que vive dentro de você. Tenha carinho por ela e lhe estenda a mão. Somente assim a sua vida vai mudar de fato, deslanchar rumo à cocriação de todos os seus sonhos.

Quando olhar nos olhos daquele que você foi um dia – maneira de se conectar com a sua essência que sugeri anteriormente –, atravesse as barreiras dos anos e se sinta no instante em que a imagem foi feita. Entre em contato com os sentimentos daquele pequenino ou daquela pequenina, acolha as emoções que surgirem no momento, ofereça amor. Internamente, diga que está tudo bem e que ele ou ela está em segurança agora. Respire profundamente pelo nariz por três vezes. Solte o ar lentamente e sinta toda a paz desse momento.

Se quiser, ainda pode escrever uma carta da sua criança ferida para você adulto. Deixe que ela conte tudo o que está acontecendo e o que ela precisa para se sentir melhor, que ela tenha liberdade para falar tudo o que quiser, sem julgamentos, dê ouvidos a tudo o que está guardado internamente, há tanto tempo.

Quando sentir que terminou, que todas as emoções já foram registradas no papel, respire novamente pelo nariz três vezes ou até se sentir confortável. Solte o ar lentamente. Agradeça à sua criança ferida pela oportunidade de evolução, pela liberdade que ela está proporcionando.

Agora, com os olhos do adulto que você é, leia a carta da sua versão mirim. Mas faça isso com compaixão, buscando entender e acolher seus sentimentos.

Em seguida, será a vez do seu eu adulto escrever para aquele que você foi um dia. Faça isso com todo o amor e intenção de ajudar a acalmar o destinatário das suas palavras. Fique à vontade para escrever que vai cuidar dele ou dela, que ele ou ela está em segurança e que está tudo bem. Use afirmações positivas, nada de "não" e "nunca" no texto. E, claro, faça tudo isso com sentimento, sendo verdadeiro em cada palavra. Quanto mais amor envolvido, mais a sua criança ferida se sentirá amparada e pronta para agir com mais confiança.

Muito simples, não é mesmo? Mas muito poderoso, você vai ver. Ao fim dessa terapia com você mesmo, verá que a sua vibração será outra, com a frequência infinitamente mais alta.

O ADULTO À FRENTE DAS SITUAÇÕES

A partir dessas ações, você vai conseguir refletir diante de situações sobre as quais não enxergava com tanta clareza antes, afinal, apenas se deixava levar pelas suas emoções. Quanto mais trabalha a sua autorresponsabilidade, mais amadurece.

Assim, sempre que perceber que os sentimentos da sua criança ferida estão vindo à tona, pare um pouco, respire e permita que a sua versão adulta assuma o comando. Isso vai ajudar muito a organizar as emoções e, aos poucos, a mudar o seu comportamento automático. Será possível até antever situações de risco, aqueles gatilhos que parecem disparar em nós sem nenhum controle.

TRÊS FERIDAS EMOCIONAIS

Medo do abandono e da traição: Essa emoção aparece, na maioria das vezes, como ansiedade e dificuldade de confiar nos outros, e isso pode ter sido despertado lá atrás, do tempo em que faltou amparo do pai ou da mãe (ou de ambos) na primeira infância. Na cabeça de uma criança, essa é a base para que o futuro adulto nunca mais queira se sentir daquele modo. Há casos que culminam em atitudes como, em um relacionamento, abandonar o parceiro ou parceira a qualquer sinal de insegurança, na tentativa de se antecipar um problema e, assim, evitar o risco de ser abandonado. É o clássico da insegurança e do medo de se envolver, tão comum entre os casais.

Incapacidade: Outra ferida facilmente identificável é o não se sentir capaz. Claro que com a melhor das intenções, muitos pais limitam a autonomia dos seus filhos, acreditando que devem fazer tudo por eles. Uma prática que vai desde guardar os brinquedos do filho na hora de dormir até resolver por ele conflitos simples com os amigos na hora das brincadeiras.

É o suficiente para plantar nos pequenos a semente de que eles não são capazes de fazer nada por conta própria, sendo sempre melhor que alguém cumpra as obrigações por eles. Por isso há tanta gente frustrada por aí, sem condições de lidar com os problemas, jogando o peso das suas dores nos outros.

Querer agradar todo mundo: Uma terceira ferida emocional que certamente faz parte do time das mais comuns é a obrigação de agradar. A origem disso está na atitude dos pais que condicionam seu amor à adoção de determinados comportamentos pelos filhos. É dizer aos pequenos que eles não serão amados se não tirarem boas notas ou não comerem verduras no almoço, por exemplo.

Assim, meninos e meninas entendem que devem corresponder às expectativas daqueles que lhes deram a vida se quiserem receber amor. Sempre digo aos pais que o laço entre eles e seus filhos não deve depender das ações dos herdeiros. É preciso que cada um seja reconhecido em sua individualidade, sendo apoiado e estimulado de acordo com o seu jeito de ser. Se assim fosse, ninguém haveria de crescer se sentindo obrigado a ser perfeito, imune a falhas. Nenhum homem ou mulher pensaria que deve se anular em função dos outros, nunca se sentindo bom o suficiente.

IDENTIFICANDO AS EMOÇÕES

E aqui chegou a hora de falar diretamente a pais, mães, tios, tias, avôs e avós, cuidadores de modo geral. Se você quer ajudar uma criança a crescer livre e sem tantos ferimentos (sabemos que uma ou outra questão todo mundo tem, é inevitável), ensine-a a identificar e a lidar com as suas emoções.

O psicólogo estadunidense John Gottman destaca a figura dos pais como "preparadores emocionais". São aqueles que, em vez de esconder dos filhos a tristeza e a frustração, por exemplo, os ensinam a lidar com elas.

Muita gente ainda pensa que deve "poupar" os filhos, que acredita ser possível esconder deles os problemas da família. Isso é deseducar, na verdade. Até porque as crianças sempre vão sentir o que está acontecendo. A energia do casal e da casa muda em situações de conflito, não tem jeito. Melhor abrir o jogo e dizer que os momentos difíceis fazem parte da vida e que o mais importante é saber conversar, que é conversando e ouvindo o outro que todos se entendem.

Não se deve impedir que eles saibam que nem tudo é como queremos. Ensine que a força para mudar o jogo está dentro deles, que tudo muda a partir das suas atitudes e de mais ninguém. Logo, considero todas essas lições muito valiosas, faço uso delas o tempo todo com os meus filhos, por exemplo.

A CRIANÇA FERIDA NOS PAIS E NAS MÃES

Ainda sobre educação, é importante refletir sobre como ter filhos nos coloca em contato com a nossa criança ferida. É uma excelente oportunidade de trabalhar essa questão, não deixe passar.

Vamos aos fatos: aqueles pais que explodem quando os filhos se agitam demais, que gritam e perdem o controle, podem estar sob comando de suas crianças feridas, que se enxergam no lugar dos seus pequeninos, que se identificam de alguma forma. É como se, no peito de cada adulto problemático, de cada pai ou mãe nervoso, existisse um menino ou uma menina machucado.

Por isso, cuide de quem está aí dentro para conseguir educar quem está aqui fora, para ser o melhor exemplo que puder para seu filho. A sua meta é mudar a sua Frequência Vibracional®, organizar as suas emoções. Essa é a jornada que nós estamos seguindo aqui. Que venha o novo, a ressignificação daquilo que não foi tão bom quanto poderia ter sido para você, mas que pode servir de base para a sua evolução pessoal.

Sempre que a nossa criança interior entra em cena, reagimos de modo infantil ou nos aproveitamos do fato de que somos adultos para agir como não pudemos quando éramos pequenos. Por isso, tantos pais gritam e até machucam os seus filhos. Estou me referindo àqueles atos violentos, impensáveis, que depois nos fazem sentir assustados com nós mesmos. São gatilhos disparados no calor da hora, diante da emoção.

Se não tivemos o direito de ser crianças, se a nós não foi concedida a possibilidade de agir por impulso e por vezes até de maneira descontrolada, viramos adultos que não conseguem lidar com determinadas atitudes infantis e que explodem com os filhos.

ACOLHER A CRIANÇA É SER MADURO

Caminhar rumo à maturidade emocional é acolher as nossas crianças feridas e seguir em frente com uma relação melhor, mais respeitosa e bonita com os nossos filhos.

Deixe essa criança chegar, observe os efeitos que ela faz despertar nas suas ações. Aprenda com isso e faça o melhor para que os seus filhos carreguem menos feridas no peito do que você.

Aos poucos, você pode mudar os rumos da sua história. Seja grato aos seus filhos, a todas as crianças que estão perto de você. Elas são a ponte para uma relação melhor com aquele ou aquela que está aí dentro, precisando tanto do seu carinho, da sua força, da sua compreensão.

As suas dores estão pedindo para ser identificadas, olhadas, curadas, e assim haverá de ser. Apenas permita que as reflexões apresentadas neste capítulo façam parte do seu processo de evolução.

A sua Frequência Vibracional® vai começar a mudar a partir do momento em que você começar a pensar no assunto. Inicie com pequenas ações – como tantas recomendadas aqui – e persista. A cura não virá de uma vez, nem está ligada a um estado emocional de eterna alegria, mas da noção de que as emoções estão aí para serem sentidas e para que, a partir da reflexão a respeito delas, possamos ser melhores a cada dia.

PRISÃO MENTAL NEGATIVA

As feridas emocionais o mantêm com a Assinatura Eletromagnética® baixa. Enquanto você permanecer preso a uma programação mental negativa, viverá, como a maioria das pessoas, em uma prisão de condicionamentos que só servem para limitar as suas oportunidades. Desse modo, o mundo seguirá girando enquanto você permanece parado.

Para mudar os resultados de suas ações e, consequentemente, modificar a biologia do seu corpo, você deverá zelar pela qualidade dos seus pensamentos. Isso também modifica as respostas emocionais e a vibração emitida pelo seu campo eletromagnético, começando pela luz irradiada por suas células e DNA.

O DNA é uma molécula presente no núcleo das células de todos os seres vivos. É a molécula da vida, dotada de uma inteligência extraordinária. O DNA muda de acordo com emoções, pensamentos e ações direcionadas à sua estrutura. É possível alterá-lo modificando a sua Frequência Vibracional®, ou seja, suas emoções. Pesquisas, como as do biofísico russo Pjotr Garjajev, apontam para a plasticidade, mostrando que o DNA pode ser reprogramado quanticamente por ondas eletromagnéticas. Eu abordei com profundidade esse assunto nos livros *DNA Milionário®* e *DNA da Cocriação®*.

QUÍMICA DOS PENSAMENTOS

Então, o que acontece com seu cérebro quando você pensa?

Como o coração é uma porta de comunicação com o DNA, é importante falarmos sobre o assunto. A química dos pensamentos, carregada com a vibração do coração e a intenção do seu desejo, é lançada para o corpo por neurotransmissores, substâncias químicas produzidas pelos neurônios, que por sua vez são as células nervosas do cérebro.

Essa interação provoca o que os neurocientistas chamam de biossinalização, que nada mais é do que a corrente elétrica e química de comunicação entre células, neurônios e cada componente do cérebro. Pensamento é elétrico, sentimento é magnético e comportamento produz energia para eletromagnetismos. Bingo!

É isso que determinará o acesso inicial às aberturas temporais, permitindo que sua energia se torne compatível com a realidade ou futuro alternativo sonhado, uma vez que tudo é projetado pela mente e organizado pela química do cérebro e suas neuroassociações vibracionais.

Percebe que o segredo para ativar a vibração original do DNA está na coerência harmônica? No equilíbrio entre o coração e a mente? Esse equilíbrio que acessa as camadas mais profundas do inconsciente é muito poderoso e realmente transformador.

SINTONIA FINA

Quando você vai escolher uma música no rádio, imagino que sintonize com aquelas que mais o agradam e mude de frequência quando começa a tocar uma música que foge do seu gosto, não é assim? Com as emoções acontece o mesmo. Temos o poder de sintonizar com o que imaginamos ser bom, justo, certo, e mudar a frequência quando algo nos causa medo, repulsa ou sentimentos desagradáveis.

Imagine o cérebro como uma grande antena capaz de captar frequências de todos os tipos vibracionais. Ele sempre vai se conectar com padrões de ondas parecidas entre as disponíveis no Universo, padrões eletromagnéticos que apresentam amplitudes e frequências específicas.

E o que isso tem a ver com emoção? Tudo a ver com emoção, pois cada pensamento de sua mente gera uma força eletroquímica em seu cérebro que, por sua vez, fornece impulsos quânticos que vão estimular cada célula, molécula, músculo, órgão e, por fim, o próprio DNA de seu corpo.

Reconhecer esses processos bioquímicos, além de ser esclarecedor, é uma espécie de alívio e de libertação, porque você nota que não precisa ficar se adequando ou ser desse ou daquele jeito para ser amado ou respeitado. Sendo agora um adulto, você não tem de mostrar um boletim cheio de notas altas para ninguém. No lugar disso você pode focalizar áreas que o fazem feliz e aumentar a sua vibração por meio delas. Por exemplo, se mostrar excelência dentro da sua profissão o alegra e aumenta a sua autoestima, elevando também a sua Frequência Vibracional®, trabalhe isso. Esse deve ser o seu foco.

A vida não precisa ser dura para ser boa, você não precisa se matar de trabalhar para realizar todos os seus sonhos. Apenas cuide dos seus pensamentos, dos seus sentimentos e das suas ações. Seja generoso consigo mesmo, respeite seus limites. Vá em busca do seu equilíbrio, lembre-se de que você pode corrigir o que está desalinhado no seu *DNA Revelado das Emoções®*. Só você, mais ninguém.

MUDANDO A PERCEPÇÃO DA REALIDADE

A mudança de percepção da realidade também traz alterações significativas em toda a neuroplasticidade do cérebro, gerando novas conexões, sinapses e vibrações por toda a rede de comunicação cerebral. O nível de consciência atua como um filtro ou lente por meio do qual a pessoa percebe e interage com a realidade a sua volta.

O que determina a percepção e a interpretação dessa cena é o nível de consciência da pessoa que observa. Observe a seguir os níveis de consciência e as percepções a eles relacionadas:

Nível de consciência	Percepção relacionada ao nível de consciência
Nível 20 – Vergonha	"É um vagabundo sujo e nojento, devia ter vergonha na cara e sair dali."
Nível 30 – Culpa	"A pessoa chega a uma situação miserável dessas por culpa das más escolhas que fez na vida."
Nível 50 – Apatia	"Ninguém, nem o Estado, nem a sociedade, pode fazer nada pelos moradores de rua."
Nível 75 – Sofrimento	"Que tragédia lamentável, um homem desses, abandonado, sem amigos, sem família, sem ter o que vestir, comer ou onde morar."
Nível 100 – Medo	"Este homem deve estar esperando a oportunidade para cometer algum crime, é melhor chamar logo a polícia."
Nível 125 – Desejo	"Por que ninguém faz nada pelos moradores de rua? Bem, alguém poderia fazer alguma coisa..."

Nível 150 – Raiva	“Este homem parece ser violento e agressivo, a qualquer momento pode atacar alguma vítima indefesa.”
Nível 175 – Orgulho	“Que absurdo a pessoa chegar numa situação dessas.”
Nível 250 – Neutralidade	“Deixem-no quieto, ele não está prejudicando ninguém.”
Nível 200 – Coragem	“Tudo o que ele precisa é de um emprego e um lugar para viver.”
Nível 310 – Disposição	“Vou lá falar com ele e ver se precisa de ajuda.”
Nível 350 – Aceitação	“Certamente este homem tem uma história intrigante e motivos que o levaram a esta situação.”
Nível 400 – Razão	“Este homem precisa solicitar algum auxílio do governo, ele é um sintoma da atual crise econômica e dos problemas sociais do país.”
Acima do Nível 500	“Na lente da compaixão, o homem parece amigável e amável, alguém que não teve oportunidades na vida e foi vítima de um sistema massacrante que o marginalizou.”

É assim que nosso nível de consciência determina o que vemos e quem somos em relação aos outros e à realidade exterior. O mecanismo da percepção é como um cinema em que o projetor é a própria consciência. Pelo nosso nível de consciência entramos em sintonia com um padrão que vai permear nossos pensamentos, sentimentos e atitudes, de maneira que a verdade se torna subjetiva, uma questão de perspectiva, pois cada pessoa enxerga a realidade com as lentes que possui, cada indivíduo secretamente sente que a sua experiência no mundo é única, verdadeira e precisa.

No dia a dia, tudo o que aparece como subjetivamente convincente conforme o nível de percepção de uma pessoa é tomado como verdade ou verdadeiro. Nos níveis mais baixos de consciência, as proposições são aceitas como verdadeiras mesmo quando ilógicas, improcedentes ou quando expressam princípios que não são demonstráveis prática ou racionalmente.

MÉTODO QUÂNTICO

O pesquisador norte-americano Joe Dispenza é criador de um método para controlar a mente e mudar a vida, técnica que eu amo e me inspiro. Nos treinamentos que fiz com Dispenza, ele ensina que o cérebro está ligado a tudo o que fazemos, o tempo todo. Isso inclui o modo como pensamos, sentimos, agimos e nos relacionamos com os outros. Já no treinamento que fiz no Instituto HeartMath da Califórnia, aprendi que o coração está ligado a tudo; todos os meus estudos sobre cinesiologia e fisiologia, por sua vez, demandam que o corpo está ligado a tudo que fazemos. Então, estudando a frequência das emoções humanas, desenvolvi o que você está aprendendo aqui sobre Emosentização®: **alinhamento entre mente, coração e corpo**. Bingo!

O cérebro é o órgão da personalidade, do caráter e da inteligência, sendo o responsável por todas as informações que guiam os nossos atos. Por isso é tão importante ter um cérebro saudável, é ele que vai nos fazer mais felizes, mais dispostos e plenos de saúde, ricos, sensatos e decididos a fazer boas escolhas.

Quando ocorre algum problema nessa parte do corpo, como uma lesão na cabeça ou um trauma forte do passado que não sai do pensamento, por exemplo, o que se vê é infelicidade, doença, fracasso. Por isso, nunca é demais lembrar: o pensamento negativo e uma programação deficiente no passado podem nos prejudicar, e muito, no presente.

Viver pensando no medo, e agir em estado de tensão, só faz sentir ansiedade. Quem se sente assim vive na defensiva constantemente, algo que não é nada bom. Esse temor leva a uma hiperatividade de longo prazo nos centros de medo do cérebro. Simplesmente não vai passar até que você consiga resolver isso, seja em que momento da vida for.

PENSAR, AGIR E SENTIR

Somos mente, corpo e coração e evoluímos quando essas três partes caminham juntas. Portanto, sempre é preciso pensar, agir e sentir.

Ninguém vai conseguir emagrecer, por exemplo, apenas se pensar que isso é possível. Além do pensamento, é preciso controlar os impulsos de comer excessivamente, identificar se você não está fazendo compensações (como comer uma caixa de chocolate porque alguém o magoou ou confrontou), fazer exercícios, ter uma boa relação com o corpo, dentre outros.

É como aquelas pessoas que procuram um amor verdadeiro e uma relação sólida, mas só

Por isso é tão importante ter um cérebro saudável, é ele que vai nos fazer mais felizes, mais dispostos e plenos de saúde, ricos, sensatos e decididos a fazer boas escolhas.

encontram parceiros que não querem nada muito sério. Entenda: atraímos o que somos, não o que queremos. Se você é inseguro, se não se considera merecedor, vai atrair pessoas inseguras. É assim que funciona.

O segredo é tornar consciente aquilo que está oculto. Na maior parte das vezes, os nossos pensamentos são iguais aos de ontem, aos da semana passada, aos dos anos anteriores. Nada vai mudar se não aprendermos a trocar a procrastinação e o sofrimento por harmonia e gratidão.

Nesta jornada rumo à libertação, saiba que tudo começa no pensamento. O tal pensar, agir, sentir, lembra? A partir do momento em que você olha para algo, uma traição, por exemplo, você abre a possibilidade de isso entrar na sua vida. E isso vale para os seus medos em relação ao assunto ou para a sua insistência em fazer fofoca sobre as puladas de cerca do marido daquela sua amiga. Nessa hora, o Universo entende que, de tão interessado no assunto, você deseja ser traído também. E, pronto, muitas vezes é o suficiente para que isso ocorra.

Nessa linha, tudo o que está na sua vida hoje foi observado e alcançado por meio do medo ou do amor, da gratidão ou da reclamação. Para avançar de fato, você precisa entrar em sintonia com os seus sonhos, metas e objetivos.

O PODER DA GRATIDÃO

Outro ponto fundamental de desenvolvimento para quem quer viver com liberdade e leveza é o foco na gratidão, uma ferramenta e tanto para a felicidade e para a transformação, como já mencionei.

Pelo que você é grato hoje? Pense nisso e, todos os dias, responda a essa pergunta. Sinta-se feliz primeiro por estar vivo e depois por ter tudo o que tem. Use o poder da gratidão para que o seu cérebro funcione melhor.

Sentir-se grato ajuda o cérebro a produzir a dopamina, que é um neurotransmissor ligado à sensação de bem-estar. Estudos que analisam a felicidade do ponto de vista biológico, apontam que existem quatro substâncias químicas dentro de nós que são parceiras rumo a uma existência mais feliz: endorfina, serotonina, dopamina e oxitocina.[5]

A dopamina especificamente é acionada quando conseguimos dar o primeiro passo para realizar um objetivo ou quando cumprimos uma meta. Aquela sensação de dever cumprido, sabe? E o que é melhor: ela também pode ser produzida a partir de situações simples do dia a dia, como não ter fila no cinema no sábado à noite ou encontrar um amigo querido que você não via há tempos.

Para entrar na frequência da gratidão, além de ficar atento às alegrias cotidianas, você pode definir metas de curto prazo e fazer o seu melhor para realizá-las a fim de ter um bom estoque de dopamina. Logo, comece

5 LIPTON, B. H. **A biologia da crença: ciência e espiritualidade na mesma sintonia: o poder da consciência sobre a matéria e os milagres**. São Paulo: Butterfly, 2007.

celebrando as suas conquistas, sejam quais forem e do tamanho que forem. Uma ginástica cerebral maravilhosa, não é mesmo?

ATIVE O CAMPO ELETROMAGNÉTICO DA GRATIDÃO

A gratidão é o espelho das suas realizações financeiras, pessoais e profissionais. Sem ela, você não faz o círculo girar no sentido horário, no fluxo quântico da prosperidade universal.

A gratidão vibra numa frequência superior a 900 Hertz e está na mesma sintonia do Universo e da Matriz Holográfica®. Tudo que você fizer tem de ser feito com base no direcionamento da gratidão, então:

1. **Agradeça** pelo ontem, pelo hoje e pelo amanhã. Agradeça pela sua história de vida até aqui e pela história que construirá;
2. **Agradeça** pelas pessoas que estão ao seu redor. Pelos pais que lhe possibilitaram a vida, pelos familiares, amigos e até por seus inimigos, pois eles contribuíram para que você seja quem é;
3. **Agradeça** às coisas de todo dia: pelas refeições, pelo dinheiro que chega e até pelo dinheiro que está programado para chegar;
4. **Simplesmente agradeça** para gerar a emoção que vai colocá-lo no fluxo quântico da gratidão. É a frequência que aumenta a vibração.

A BELEZA QUE EXISTE: ALEGRIA, ALEGRIA

Ajude o seu cérebro e, portanto, o seu corpo a funcionar melhor. Visualize a vida dos seus sonhos todas as manhãs. Apenas o ato de parar para ouvir uma música e olhar coisas bonitas já é um excelente exercício. Uma coisa simples como contemplar a beleza de uma flor, sempre lhe fará bem.

Tal como quando eu ainda morava no meu escritório com os meus filhos, vivendo de maneira improvisada, somente o fato de olhar os quartinhos lindos de criança já me trazia felicidade. Aqueles cômodos perfeitos, de menino e de menina, me encantavam. Adoro decoração, e sempre me alegrou, mesmo que aquela realidade fosse tão distante do que eu vivia no momento.

Outro recurso para ter alegria que usava naquela época era ver vídeos engraçados com os meus filhos à noite. Simplesmente precisava sorrir, sabia que tinha de buscar o riso mesmo que não tivesse razões para gargalhadas. Mas é exatamente assim: a gente não tem que ter motivos, tem que ter ação.

O motivo, nesse caso, vem como consequência do caminho que você escolheu seguir. Primeiro você age e depois encontra a razão para sorrir.

Se você por acaso perguntar aos meus filhos qual a memória mais vívida da mamãe nessa época, deve ouvi-los dizer que eu estava sempre estudando ou vendo filmes divertidos e fotos de mansões.

Nesse ponto, digo que sempre amei ver imagens de ambientes decorados, móveis bem-acabados, lustres. Quando via algo muito especial ou quando dava uma gargalhada alta ao lado dos meus filhos, fechava os olhos e de fato conseguia entrar na vida que eu queria ter.

ATIVE O CAMPO ELETROMAGNÉTICO DA ALEGRIA

Na escala sutil da consciência, a alegria vibra em 540 Hertz e ultrapassa qualquer vibração mais sutil no Universo. É o **Estado Puro de Consciência do Criador**, uma emoção que o coloca em uma posição privilegiada para alcançar a materialização ou cocriação dos resultados que deseja.

Além de ser uma emoção contagiante, ela libera os chamados hormônios do bem, que já vimos anteriormente: serotonina, endorfina e oxitocina, que aceleram as sinapses cerebrais, aumentam a potência energética das células e fazem alterações qualitativas no seu DNA.

DO JEITO QUE EU SONHEI

Agora, veja você como o Universo responde na mesma medida quando pensamos, agimos e sentimos. Antes de construir a casa dos meus sonhos, previ em minha mente os detalhes do projeto que, depois, foi elaborado pelo arquiteto e apresentado a mim. Fiquei impressionada quando encontrei nele exatamente os detalhes que eu desejava ter um dia no meu lar.

O profissional responsável pela obra não conhece a minha mente, não sabe de nada disso, mas colocou no papel os mais perfeitos registros do meu sonho. Por tudo isso, pergunto a você: se deu certo no meu caso, por que não vai dar certo também para você? Se quer de fato transformar a sua vida, libertar-se de todas as prisões e armadilhas. Então, o que vai fazer hoje para produzir amor, bem-estar e gratidão dentro de você, tudo por meio dos seus pensamentos? Como vai pensar, agir e se sentir daqui por diante?

Olho para trás e vejo que tudo aquilo valeu a pena. Cada gota de sofrimento teve o seu papel, a sua importância na minha história. Se precisei passar por tudo aquilo para chegar onde estou hoje, tudo bem. Sou grata por aquela dor, uma vez que ela me ensinou tanto.

Nos dias em que me sinto cansada, sem energia, apenas paro para ler os comentários dos meus alunos e seguidores nos meus vídeos e outros conteúdos. São tantos relatos de evolução, gratidão e prosperidade que esqueço toda dificuldade e fico com vontade de fazer ainda mais.

Volto a lembrar do termo que criei para expressar o cultivo do sentimento positivo e gerador, "emosentizar", palavra que uso para explicar o que é Emosentização®, maneira como podemos pensar, agir e sentir para alcançar o alinhamento vibracional que vai nos levar ao encontro dos nossos sonhos. Por meio do alinhamento cocriamos autoconfiança para cocriar nossa realidade e sintonizar com os nossos reais desejos. Eu acredito nessa força.

INTELIGÊNCIA EMOCIONAL

Ao falar sobre autoconfiança, fica o reforço de que, se não confiarmos em nós mesmos, ninguém mais vai confiar.

A diferença entre aqueles que conseguem evoluir e os que desistem está exatamente na capacidade de superar suas dores internas, as crenças limitantes, aprender a lidar com as suas emoções. Somente assim será possível mandar embora os medos, a insegurança, a ansiedade e os pensamentos negativos.

Outra reflexão: se pararmos para pensar, vamos chegar à conclusão de que a maior parte das nossas preocupações nunca chega a virar realidade. Se simplesmente confiarmos mais em nós, tudo vai fluir com mais facilidade e alegria em nossas vidas. Pense nisso, está aí uma das ideias que vou ficar feliz se você conseguir guardar deste livro.

PRÁTICA DA LIMPEZA MENTAL

Para aquecer os motores, proponho um exercício prático para você já começar a sua faxina interna e limpar a negatividade que pode estar impedindo seu crescimento. Isso vai ajudá-lo a se soltar e se preparar para toda a transformação que está por vir.

1. Faça uma lista de tudo o que lhe causa preocupação e o faz se sentir mal;
2. Faça uma segunda lista de emoções positivas que seriam capazes de mudar as suas preocupações e a sua energia. Talvez não seja simples, eu sei, mas insisto: persista, será muito válido poder observar o que está por trás das suas preocupações, o que tem dentro dos seus pensamentos, impedindo que viva a vida dos seus sonhos;
3. Coloque as duas listas lado a lado.
4. Cada emoção negativa que identificou use o decreto quântico de limpeza. Consciência Presença Divina de Luz, limpa em mim _______________ (emoção negativa) agora! Consciência Presença Divina de Luz, Eu Sou _______________(emoção positiva) agora!

O sentido desse exercício se apresentará quando você persistir em eliminar as preocupações que lhe amedrontam e conscientemente substituí-las por pensamentos de confiança capazes de levá-lo até a sua realização pessoal.

Nossas vidas estão caminhando sempre para frente, em um movimento de chegadas e partidas. A nós cabe somente fazer as escolhas adequadas, segundo aquilo que acreditamos ser o melhor. O nosso desenvolvimento é o elemento principal, a melhor parte da colheita.

Sabendo que esse movimento depende 100% das nossas escolhas, o desejo de ir em busca da própria felicidade deve ser a nossa principal motivação na vida, o que nos faz vibrar de verdade.

Precisamos entender a importância de conduzir as nossas intenções e motivações para conquistar os nossos desejos mais verdadeiros, aqueles que nos fazem sentir uma forte energia. Nesse momento, diante dessa descoberta, os nossos planos deverão ser calculados e projetados, e o nosso ser se expandirá e abraçará uma nova integração.

Quando nascemos, temos a unicidade com a nossa mãe e depois nos ligamos ao nosso pai. Como já expliquei aqui, ao falar sobre programação mental, a partir do momento em que passamos a receber ordens baseadas nas experiências dos nossos pais, vamos perdendo a nossa própria essência e passando a viver para compreender o que essas figuras estão nos propondo.

Com isso, nossa natureza, essência, desfragmenta-se e se isola para se manter protegida das sombras da alma. Medo, raiva, ira, ódio, escassez, depressão, vingança, luxúria, rancor e outras emoções adquiridas ao longo do caminho nos desconectam do amor, da nossa essência divina.

ACREDITE, SINTA, AJA!

Importante: esse processo não se dá por conta própria, precisa acontecer a partir de você. Suas ações já se fazem extremamente importantes a partir dessa decisão, quando você realmente entende que a mudança começa dentro de si e se materializa no exterior.

Para que compreenda esses processos e deixe vir à tona a sua essência esquecida, precisa acreditar e se alinhar às forças universais, às leis que governam e fazem tudo funcionar. Suas intenções, pensamentos e sentimentos têm de ser puros e genuínos, não podem ser baseados no ego ou em situações de manipulação que têm como base o medo e o desespero.

Seus verdadeiros sentimentos precisam estar alinhados e intencionados com o amor e com a gratidão, devendo honrar a você e aos demais. É um desejo puro e saudável de conquistar aquilo que lhe faz feliz verdadeiramente, sem diminuir ou magoar os outros.

O MODO COMO VOCÊ VÊ OS OUTROS

Nesse contexto de evolução e alinhamento, a maneira como você vê a si e aos demais deve se manter a mesma. Você não pode ver o outro como uma ameaça. Se isso acontecer, saiba que a forma como você vê o outro é uma parte primária de sua realidade, da sua consciência pessoal. Não podemos viver as nossas vidas pensando que o mundo é um campo de julgamentos e competições, ninguém aguentaria.

Precisamos trabalhar para elaborar melhor as nossas metas e deixar que o medo vá embora quando surgirem novas ideias e desafios. Devemos nos projetar mais confiantes e acreditar em nós e nos demais, incentivando-os e fazendo com que tenham energia para realizar seus sonhos também.

Enquanto eu olhar o mundo e o outro como ameaça, estou cocriando para minha vida o que condeno no outro, logo, o que vejo no outro cocria a minha realidade, e assim vamos continuar agindo como vítimas feridas, agindo inconscientemente pelo desespero e pela urgência de conquistar as nossas vontades. Ou seja, nada disso vai ajudar.

Em contrapartida, quando você decide fazer o contrário e passa a incentivar as pessoas, a acreditar no outro ser que habita o mesmo espaço que você, o fluxo de energia e harmonia é ativado. Você passa a ser uma fonte de soluções. Nada nem ninguém poderá ser uma ameaça.

A verdade é que quando você se nega a aceitar os demais, suas ideias, vibrações e poderes, não consegue expandir e deixar de lado o medo de se arriscar, de mudar de vida.

Entretanto, quando você age com compreensão, aceitando o outro e confiando em seu potencial, demonstra ao Universo que está disposto a trabalhar em conjunto para atrair mais harmonia a si, aos outros e ao mundo. Quanto mais aceitação você se permitir, maior influência sentirá sobre os acontecimentos que chegarão até sua vida por meio das leis universais.

Quando você não compreende ou não aceita o outro, envia sinais de ódio, mágoa, inveja e outras emoções que podem acabar com a sua energia e com a dos demais. Nessa hora, você está em desarmonia. Esses sinais negativos fazem você cocriar ainda mais dessa energia e só geram hostilidade.

BEM-VINDA, CONSCIÊNCIA

A consciência é a base de todo ser, o chão de tudo o que existe em nós e no mundo à nossa volta. Por isso, o despertar da nossa consciência é o principal motivo da nossa existência.

Para a vida caminhar em direção ao nosso propósito maior, que é a felicidade plena e o estabelecimento de uma conexão direta entre coração e consciência, é importante investigarmos a nossa identidade, liberando o espaço ocupado pelas crenças limitantes e abrindo a cena para um *mindset* de felicidade e plenitude. Nessa hora, muito do que parecia escuridão se transforma em um verdadeiro clarão de luz feito pela emoção de aceitar ser quem você verdadeiramente é ou deseja ser.

Para que prevaleça o amor e a felicidade em suas ações e atitudes, já vimos que é preciso limpar e curar emoções antigas, adquiridas ao longo do seu crescimento; abrindo caminho para que suas novas ações sejam pautadas por harmonia, alegria e respeito.

Aceitar-se é permitir que a felicidade exista para você. Não tem como aumentar frequência sem se aceitar, aceitação é frequência de cura. Evoluir é abrir-se para investigar suas manias e defeitos e entender o que existe em sua vida como o complemento de quem você se tornou. A melhor parte de tudo é que é possível mudar, revirar-se e estabelecer um Novo Eu, cheio de novas possibilidades e meios de ser.

O que você está fazendo aqui é a pergunta mais direta que você pode se fazer, é jogar para si a verdade e limpar a mesa da sujeira que restou. A partir de agora, não há nenhuma possibilidade dessa pergunta continuar sem uma resposta dentro de você. Ao ter contato com tantas formas de aprender olhando para dentro, você vai querer conhecer mais sobre si mesmo.

Saiba que é um grande e especial caminho que se abre para a cura e a aceitação, olhando diretamente para si e compreendendo que tudo, exatamente tudo, é como você escolheu.

Nossas vidas não estão sendo experienciadas à toa, como se fôssemos seres sem propósito e sem ligações. Cada um de nós, na sua singularidade, possui uma história e uma trajetória a seguir, um propósito de vida. Todos estamos aqui para ser feliz, viver o amor, a prosperidade e as experiências que nos elevem para viver em alegria e conhecer a plenitude. Temos o poder de mudar, alterar a realidade e Holo Cocriar® uma nova vida, e você só precisa saber como!

EM SUAS MÃOS

A solução para isso é reprogramar tudo aquilo que o incomoda. O poder de mudar o mundo está em suas mãos. A reprogramação da Frequência Vibracional®, é possível por meio da Técnica Hertz® que fará comigo agora. As ferramentas mais eficazes do mundo estão aqui, prontas para ajudar você a ser cada vez melhor, mais precisamente, ajudar você a ser a melhor versão de si.

A Técnica Hertz® consiste na reprogramação da Frequência Vibracional®, crenças limitantes e Blindagem Emocional. É **poderosa e revolucionária** para Holo Cocriação® de objetivos, sonhos e metas. A Técnica Hertz® é um procedimento de autoaplicação, cujo objetivo central é **reprogramar** a

Frequência Vibracional®. Sua finalidade é promover o alinhamento energético e aumentar o estado vibracional e a Cocriação Instantânea de Sonhos. A única no mundo que você não precisa saber previamente qual a sua crença ou os seus bloqueios, pois ela atua neurológica e cientificamente na mudança de polaridade da mente.

No Universo, tudo é uma questão de ressonância e alinhamento. Nesse ponto, as técnicas são essenciais para limpar o campo e elevar a vibração a fim de entrar em ressonância vibracional com fatos e eventos extraordinários do mundo.

Para Holo Cocriação® funcionar, o **primeiro passo** é entender que você é 100% responsável pelo seu destino e por tudo que acontece em sua vida. Isso ocorre porque a Frequência Vibracional® que você emite é definida pelo conjunto das emoções, pensamentos e comportamentos. Sobretudo as emoções, emitidas pelo poderoso campo eletromagnético do coração. Para Holo Cocriar® a realidade desejada, você precisa eliminar as emoções negativas. Se elas estiverem no caminho você bloqueia sua vida e não cocria.

Um estudo realizado pelo Instituto HeartMath, pelo qual eu sou formada, comprovou que o campo do coração é sessenta vezes maior e até 5 mil vezes mais potente que o campo elétrico do cérebro.

A Técnica Hertz para Holo Cocriação® vai lhe ajudar a assumir a responsabilidade pela sua VIDA, mudando as suas emoções. Bingo! Pois a vibração atingida na Técnica tem um PODER de colapso maior do que a mente, pensamentos e sentimentos. Uma vez que ela é a única para o alinhamento de mente, emoção e corpo.

De acordo com os princípios da Holo Cocriação® e as bases da Física Quântica, o que determina a realidade é a sua Frequência Vibracional®. Ou seja, aquilo que você vibra irá definir os acontecimentos da sua vida. Sejam eles bons ou ruins.

A Técnica Hertz® aplicada a Holo Cocriação®:

- Aumenta sua Frequência Vibracional®;
- Fortalece a blindagem energética;
- Cura as feridas emocionais e emoções negativas;
- Desprograma crenças de dinheiro imediato;
- Acelera a reprogramação mental;
- Elimina as crenças limitantes;
- Reprograma a nível celular, mental e de DNA.

A Técnica Hertz® age por meio de comandos de luz, eliminando todas as vibrações inferiores do Campo Quântico que estão impregnados no seu **ser**, nas suas **células e moléculas**. Ao eliminar essas vibrações, você fortalece seu escudo protetor quântico, impedindo que frequências inferiores avancem sobre seu sistema de defesa.

Dessa forma, é possível realizar a Holo Cocriação® desejada e impedir a indesejada de se materializar. Guiado por mim, você aprenderá a EMOSENTIZAR®! Ou seja, manifestar a energia do átomo e da infinita consciência (você), alinhada com sua intenção, pensamento, emoção e ação em movimento. Ela é um entrelaçamento quântico das mais **poderosas** técnicas de terapia magnética, energética e vibracional do mundo, sendo a mais **avançada** e completa da atualidade.

A técnica agirá rapidamente sempre que praticá-la, isso porque a Física Quântica traz novos estudos acerca do poder da manifestação energética e do poder infinito da consciência.

Se você quiser ter uma vida próspera e abundante, precisa sintonizar sua frequência com a **prosperidade** e a **abundância**, assim como quando deseja ouvir um programa radiofônico.

Ao elevar sua frequência e entrar em sintonia com o amor universal, com a gratidão, a harmonia, o perdão, a alegria, a paz e o afeto, emoções que vibram em frequências superiores a 500 Hertz, só irá colapsar acontecimentos fantásticos extraordinariamente plenos.

A Técnica Hertz® é a única no mundo que eleva a sua vibração! Partimos do estudo que se tudo pode ser medido em Hertz: pensamentos, emoções, desejos, sonhos, reclamações e até mesmo a cadeira em que você está sentado enquanto lê este livro. Tudo emite uma Frequência Vibracional® capaz de ser medida, ou seja, podemos medir a frequência da Holo Cocriação® como podemos alterar estes Hertz e mudar a polaridade da frequência que estamos vibrando. Bingo!

A unidade "Hertz" é utilizada para medir a frequência de ondas e vibrações, expressando a quantidade de ciclos por segundo, de um evento periódico.

A mente humana é formada por experiências que determinam a forma como cada ser irá enxergar sua própria existência. Por exemplo, "nenhum rico entrará no reino dos céus" ou "o casamento é uma instituição falida". Tudo isso são crenças que fazem parte da construção da sua própria realidade.

Se você está tomado por esse lixo mental, é necessário fazer uma reprogramação mental completa, trocando ideias fixas por uma capacidade de cocriar a vida que sempre sonhou!

Preparado para ser guiado por mim além de aprender a mais **poderosa** técnica do mundo e **limpar** tudo que o **impede** de ter todos os seus **sonhos** realizados!

Quanto mais você reprogramar a sua mente, limpando-a de emoções negativas, mais aumentará sua frequência. Quanto mais elevada estiver a sua frequência, mais poder para colapsar uma nova vida você terá.

www.dnareveladodasemocoes.com.br

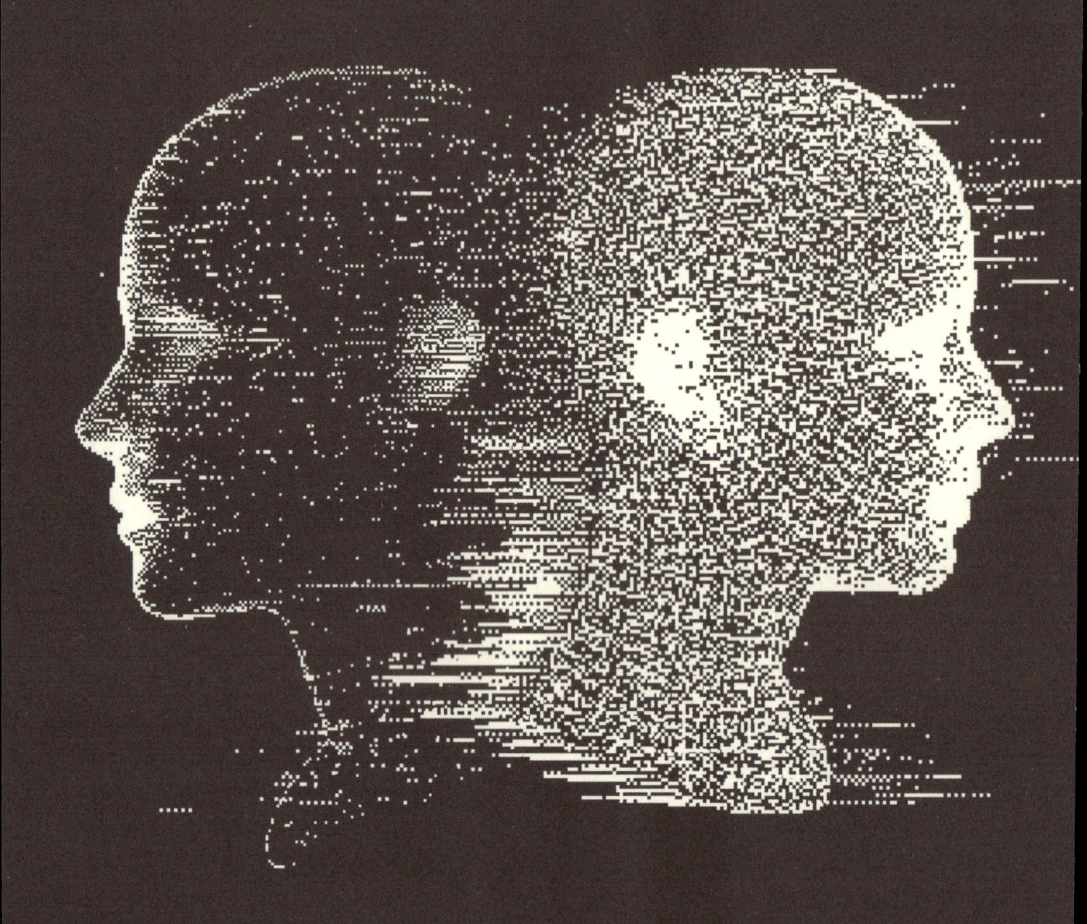

CAPÍTULO 4
RODA DAS EMOÇÕES - COMPREENDENDO A RODA DAS EMOÇÕES DE PLUTCHIK

COMO AS EMOÇÕES SÃO FORMADAS E CURADAS E OS DIFERENTES ENTENDIMENTOS HISTÓRICOS

Não há como nos aprofundarmos nas pesquisas das emoções ou no processo de cocriação da realidade em alta frequência sem falar mais sobre os estudos desenvolvidos pelo psicólogo estadunidense Robert Plutchik, que criou a Teoria Psicoevolucionária e dedicou décadas de sua vida ao estudo das emoções e sua aplicação no processo de psicoterapia, deixando um grande legado.

O ponto principal das suas pesquisas corresponde a uma compreensão das emoções em uma perspectiva evolucionária e à determinação da existência de oito emoções primárias, reconhecidas não somente em humanos, mas em todos os animais, tal como a alegria, confiança, medo, surpresa, tristeza, repúdio (nojo), raiva e antecipação.

EMOÇÕES GRÁFICAS E O ARRANJO CIRCULAR

Na teoria de Plutchik, as emoções são apresentadas graficamente em um arranjo circular denominado "Roda das Emoções", por meio do qual as emoções primárias, quando combinadas entre si, dão origem a emoções secundárias, que posteriormente geram as emoções terciárias.

Lembre-se de que emoções têm frequência, e você pode ajustar o que sente e o seu próprio comportamento para calibrar o padrão vibratório daquilo que repercute emocionalmente no seu corpo, na sua mente e em todo o seu ser.

ESTADOS REATIVOS

O primeiro conceito de emoção são as reações corporais padronizadas diante de um estímulo que leva o indivíduo a agir. No campo da Física Quântica e da cocriação, entende-se esse fenômeno como resposta fisiológica e vibracional, ou seja, cada reação corresponde a uma ação energética no corpo.

De acordo com a Escala da Consciência de Hawkins, ao sentir uma emoção, você emana um padrão vibratório. Por exemplo: ao sentir alegria, sua frequência emocional ultrapassa 540 Hertz, produzindo hormônios de satisfação e expandindo o campo eletromagnético de dentro para fora, das células e moléculas para o núcleo do Universo.

No sentido oposto, o estado de tristeza vai gerar uma frequência emocional baixa, menor que 200 Hertz, sem qualquer impacto positivo no corpo, no campo ou na Matriz Holográfica®.

No primeiro caso, você acelera a cocriação em esferas elevadas; no segundo, ao sentir a emoção da tristeza sua cocriação é anulada por barreiras emocionais e energéticas de baixa frequência em torno de si.

DIMENSÕES EMOCIONAIS E O PROCESSO ADAPTATIVO

Existem oito dimensões de emoções básicas e todas as demais descritas nas nossas linguagens são uma mistura delas. Elas estão presentes em todos os animais, mas as diferentes formas de expressão refletem a operação das forças evolucionárias, agindo sob os mesmos mecanismos fundamentais de garantia da sobrevivência, adaptação e perpetuação da espécie.

PODER REGULATÓRIO

O mais incrível é que, no caso dos humanos, a consciência tem o poder para regular as emoções e o que se vem a sentir. Isso mesmo! Você tem o poder de regular e fazer a gestão das suas emoções e, quando consegue esse feito, reprogramando a mente e sua vibração interior, assume o controle de sua existência. Fisiologicamente, isso é totalmente possível e aceitável.

A Neurociência comprova essa regulação por meio de testes de encefalograma, medindo alterações morfofisiológicas no cérebro com mudanças repetidas de hábitos.[6] A partir de uma média entre vinte e um e sessenta e seis dias (podendo chegar a noventa dias) de adoção de novos comportamentos emocionais e novas posturas diárias, o cérebro e as conexões neurais são alterados de modo que a pessoa possa criar novas trilhas neurais e outros registros informacionais implantados em todo o Campo Quântico e por volta do corpo.

Com isso, a mente passa a produzir uma nova bioquímica, injetando novos hormônios no corpo e na corrente sanguínea, alterando, assim, a percepção de mundo, o pensamento, a emoção gerada, o sentimento e, naturalmente, a expansão do Campo Quântico e eletromagnético.

Diante dessa perspectiva, é possível elevar a frequência, blindar o campo e subir gradativamente, ou mesmo instantaneamente, até a dimensão 1.000 Hertz, em que tudo é possível, e você pode trafegar livremente pelo campo das infinitas possibilidades do Universo.

CARACTERÍSTICAS BÁSICAS DAS EMOÇÕES SEGUNDO PLUTCHIK

1. Intensidade

Para a grande maioria das palavras do vocabulário das emoções é possível encontrar outra que sugira a emoção ou em uma forma mais intensa ou em

---

6 DISPENZA, J. **Como criar um novo eu:** descubra o método quântico para controlar a sua mente e mudar a sua vida. São Paulo: Lua de Papel, 2014.

uma versão mais fraca dela. Por exemplo: versões mais intensas da raiva são a ira e a fúria, enquanto formas menos intensas da raiva são a irritação e o aborrecimento. Assim, Plutchik concluiu que quase todas (se não todas) as emoções existem ao longo das dimensões de intensidade.

2. Grau de Similaridade

Além da intensidade, as dimensões emocionais se relacionam pela similaridade. A dimensão da raiva, por exemplo, está mais próxima da dimensão do repúdio do que da dimensão da alegria. É, de fato, possível estudar sistematicamente o grau de similaridade das várias dimensões de emoção ou de emoções primárias, como será mostrado brevemente.

3. Expressão de Ações ou Bipolaridade

As emoções, em regra, possuem uma natureza bipolar e se relacionam por meio dessa bipolaridade, no sentido de que, na nossa experiência cotidiana, tendemos a pensar nas emoções como pares opostos (felicidade/tristeza, amor/ódio).

Ciente dessa natureza bipolar das emoções, você pode, por exemplo, praticar o autocontrole e auto-observação para modificar seu estado emocional indesejado ao trabalhar o estado emocional oposto desejado. Por exemplo: caso perceba sentimentos de ódio, você pode se trabalhar para cultivar o amor.

COMO MEDIR AS EMOÇÕES

As teorias cognitivas geralmente descrevem os gatilhos conceituais das reações emocionais; as teorias motivacionais são mais propensas à atenção direta dos pesquisadores para mudanças fisiológicas autônomas internas e externas, como as expressões faciais que indicam emoções.

As teorias apoiadas na evolução, por sua vez, focam sua atenção na medição do comportamento expressivo de humanos e animais, enquanto as teorias psicanalíticas sugerem que os métodos de medição que melhor refletem os típicos estados inconscientes e misturados consistem nas técnicas darwinianas e de projeção.

AVALIAÇÕES E AUTORRELATOS

As principais maneiras para medir e avaliar as emoções são os autorrelatos dos sentimentos subjetivos, avaliações do comportamento dos indivíduos, avaliação do produto do comportamento de alguém (por exemplo, uma escrita ou um desenho) e, finalmente, as emoções podem ser avaliadas por meio da observação de mudanças neurológicas e fisiológicas.

Vejamos cada tipo de avaliação mais detalhadamente:

A. Avaliação das Emoções por meio de Autorrelatos

Autorrelatos, como o nome sugere, são relatos subjetivos que as pessoas fazem a respeito de suas percepções de emoções. Uma das formas mais comuns de um terapeuta conduzir um autorrelato é usando "listas de controle" ou "listas de checagem", que contêm uma série de adjetivos do vocabulário das emoções para a pessoa identificar quais deles correspondem aos seus sentimentos em determinada situação.

LISTA DE CHECAGEM

O índice de emoção e humor é formado por 72 termos divididos em nove grupos, sendo os oito primeiros correspondentes às oito dimensões das emoções básicas: confiança, timidez, descontrole, depressão, desconfiança, controle, agressão e agregamento; e o último grupo representa uma dimensão da ativação ou da excitação com termos como fraco e forte.

Confiança	Depressão	Agressão
Confiante	Deprimido	Agressivo
Amigável	Sombrio	Furioso
Prestativo	Triste	Mandão
Contente	Vazio	Arrogante
Cooperativo	Inflexível	Irritado
Tolerante	Desamparado	Briguento
Calmo	Desencorajado	Irritado
Paciente	Desesperançoso	Raivoso
Descontrole	**Desconfiança**	**Agregamento**
Cauteloso	Desprezado	Sociável
Fascinado	Desinteressado	Generoso
Surpreso	Entediado	Alegre
Confuso	Desconfiado	Afetuoso
Atento	Amargo	Feliz
Questionador	Sarcástico	Satisfeito
Intrigado	Ressentido	Deleitado
Aturdido	Farto	Descontrolado
Timidez	**Controle**	**Controle**
Medroso	Esperançoso	Desacelerado
Assustado	Inquisitivo	Lento
Nervoso	Curioso	Relaxado
Tímido	Ávido	Fraco

Preocupado	Interessado	Ativo
Ansioso	Ousado	Forte
Envergonhado	Impulsivo	Enérgico
Cauteloso	Barulhento	Incansável

Essas "dimensões emocionais" se referem a um sentido mais amplo que engloba as emoções similares e as variações de intensidade indicadas nessa tabela, na qual as oito primeiras colunas correspondem às oito dimensões das emoções básicas e na última coluna, sob a designação "controle", não é uma dimensão emocional, mas a característica da dimensão: se é de excitação ou inibição de comportamentos.

Por exemplo: a alegria é uma emoção de excitação (ou ativação), que leva o ser vivo a reproduzir os comportamentos que geram bem-estar, enquanto o medo é uma emoção de inibição, que o leva a se abster de comportamentos potencialmente perigosos que representem uma ameaça à sua vida ou integridade.

ESCALAS DE QUESTIONÁRIOS

Além das listas de checagem, também são usadas "escalas de questionários" para avaliar as emoções por meio dos autorrelatos. Em tais questionários ou escalas, geralmente os entrevistados devem responder perguntas do seguinte tipo:

- Você sente falta de autoconfiança?
- Você se sente sozinho e triste?
- Você é capaz de dizer aos outros o que está na sua mente?
- Você perde a paciência facilmente?

Aplicada de outra forma, a escala de questionário pode conter afirmações as quais a pessoa deverá marcar situações como sendo verdadeiras ou falsas para ela, da seguinte forma:

- Eu trabalho sob grande pressão;
- Eu frequentemente me encontro preocupado com algo;
- Eu certamente me sinto sem utilidade;
- Eu sou uma pessoa altamente temperamental;
- Às vezes, eu sinto como se fosse me despedaçar.

As respostas a questões como essas refletem, presumidamente, o estado emocional ou os traços emocionais de uma pessoa conforme tenham sido aplicadas, respectivamente, em referência ao momento presente ou a alguma situação do passado. Esse método é especialmente usado para medir o nível de ansiedade de uma pessoa e é bastante usado em entrevistas de emprego em grandes empresas.

B. Avaliação das Emoções por meio da Análise do Comportamento

Em 1973, Plutchik e um grupo de colegas pesquisadores desenvolveram uma metodologia de observação do comportamento para a avaliação das emoções em crianças pequenas, numa tentativa de determinar as relações entre os traços de personalidade e a manifestação de comportamentos inadequados em sala de aula.

Ele pediu aos professores que respondessem a um questionário para avaliar as crianças em relação a doze traços de personalidades, usando uma escala de intensidade para afirmações como: "Esta criança experimenta novas atividades com entusiasmo", "Esta criança sempre começa discussões" e "Esta criança se sente tímida com outras pessoas e novas situações", entre outras.

Dessa forma, com o questionário adequado, é possível avaliar as emoções e os traços de personalidade tanto de crianças como também de bebês, pessoas mentalmente incapazes e animais não humanos.

C. Avaliação das Emoções por meio dos Produtos do Comportamento Humano

É feita uma análise de comportamento por meio de uma técnica chamada "medição projetiva das emoções", que consiste em solicitar que o indivíduo avaliado faça desenhos, por exemplo, de um homem e de uma mulher e, conforme os detalhes – sua localização na página, estilo, sombra na face ou no corpo, assimetria bruta dos membros, figuras fortemente inclinadas, olhos cruzados, dentes a mostra, mãos grandes etc. –, muitas observações podem ser feitas a respeito das emoções e dos aspectos psicológicos da pessoa, tais como agressividade, depressão, ansiedade, conflito emocional e impulsividade.

D. Avaliações Fisiológicas e Neurológicas das Emoções

Esta abordagem é baseada nas pesquisas do fisiologista William James (1842-1910) a respeito das alterações fisiológicas causadas por um estado emocional e consiste, basicamente, na aferição dessas mudanças para verificar a presença de alguma emoção.

A avaliação fisiológica é, por exemplo, o fundamento dos famosos aparelhos detectores de mentiras, capazes de medir diferentes mudanças fisiológicas em uma pessoa enquanto ela está respondendo "sim" ou "não" para questões sobre uma determinada situação, tal como em uma investigação criminal.

O aparelho mede o padrão de respiração, o ritmo cardíaco, a pressão sanguínea e a resistência elétrica da palma, todos alterados pelo estresse, medo e ansiedade quando a pessoa está mentindo.

Os indicadores de alteração fisiológica avaliados nessa abordagem, geralmente, são:

- Fenômenos elétricos da pele (resistência da pele ou possiblidade condutora);
- Pressão sanguínea;
- Eletrocardiograma e frequência cardíaca;
- Frequência, padrão e profundidade respiratória;
- Temperatura da pele;
- Resposta da pupila (dilatação e contração da pupila);
- Secreção salivar;
- Suor;
- Análise do sangue, saliva e urina (ex.: nível de açúcar no sangue, de hormônios e índices metabólitos);
- Frequência metabólica (consumo de oxigênio);
- Tensão muscular;
- Tremor;
- Piscar dos olhos e movimentação ocular;
- Eletroencefalógrafo (atividades elétricas do cérebro);
- Tomografia por emissão de pósitrons (PET), que mede a atividade metabólica no cérebro;
- Ressonância magnética funcional (RMF), que mede o fluxo sanguíneo em áreas específicas do cérebro;
- Ressonância magnética por imagem por espectroscopia, que mede por imagem o metabolismo de químicos específicos do cérebro;
- Magnetoencefalografia (MEG), que mede as mudanças em campos eletromagnéticos fracos advindos de correntes elétricas do cérebro;
- Espectroscopia no infravermelho próximo (NIRS), que mede o fluxo sanguíneo do cérebro;
- Sinal óptico relacionado ao evento (EROS), mede a movimentação da luz por meio das áreas locais do cérebro.

Aprendemos nos capítulos anteriores como o dr. David Hawkins mediu a frequência das emoções por meio de exercícios associados à cinesiologia e com o apoio de aparelhos e práticas de interação humana e social. E como a Técnica Hertz reprograma a frequência, alterando as polaridades de negativa para positiva, na qual também é possível medir a frequência após aplicação, por meio de testes musculares, como ensino na minha Mentoria 1.000 Hertz. A diferença entre a Técnica Hertz e as duas pesquisas é que Plutchik mediu a presença das emoções primárias e secundárias, enquanto Hawkins mediu a frequência das emoções encontradas e nos meus estudos medimos a frequência da Assinatura Vibracional. Bingo!!

EM BUSCA DAS EMOÇÕES PRIMÁRIAS

De um ponto de vista histórico, existe uma alternativa muito mais antiga do que medições ou verificação de listas de palavras para tentar entender as emoções e seu poder. Essa abordagem alternativa consiste na suposição de que existe um pequeno número de emoções que são consideradas primárias, fundamentais ou básicas e que todas as outras emoções são misturas derivadas das primárias.

VISÕES ANTIGAS

Entre os séculos III e XI, filósofos Hindus afirmavam que existiam oito emoções básicas ou naturais, traduzidas como paixão sexual, amor ou deleite; diversão, alegria ou humor; tristeza; medo ou terror; perseverança; repúdio e espanto.

O filósofo francês René Descartes (1596-1650) presumiu que existiam apenas seis emoções primárias, todas as outras eram misturas compostas ou derivadas dessas seis. Ele sugeriu que amor, ódio, desejo, alegria, tristeza e admiração eram as emoções primárias.

Uma tentativa mais extensa de desenvolver um sistema de emoções foi apresentada pelo filósofo holandês Baruch Spinoza (1632-1677), o qual presumiu que existiam apenas três emoções primárias: alegria, espanto e desejo; e todas as outras eram consideradas como derivações dessas. Já o filósofo inglês Thomas Hobbes (1588-1679) sugeriu que existiam sete emoções simples: apetite, desejo, amor, aversão, ódio, alegria e dor.

No começo do século XX, William McDougall (1871-1938), psicólogo britânico, analisou o conceito de emoções primárias e secundárias e definiu sete emoções básicas: medo, repúdio, surpresa, sujeição, raiva, euforia e sentimentos ternos. As emoções secundárias ou complexas, formadas a partir de combinações das emoções primárias, seriam, por exemplo, o ódio, que McDougall definiu como uma mistura de raiva e repúdio; ou repugnância, que resulta da combinação de medo e desgosto.

LISTA PARALELA DAS EMOÇÕES

Outra lista de emoções básicas foi proposta por Silvan Tomkins (1911-1991), psicólogo norte-americano que presumiu que existem oito emoções básicas, divididas em positivas e negativas: interesse, surpresa e alegria como as emoções positivas; e angústia, medo, vergonha, repúdio e raiva como as negativas.

Essas emoções básicas são respostas padrões inatas a certos tipos de estímulo e podem ser expressas por meio de uma variedade ampla de reações corporais.

ALTERAÇÃO GENÉTICA

Tomkins também sugeriu que existe uma base genética relacionada a cada espécie para a expressão das emoções básicas e enfatizou a importância das expressões faciais como maneira inata de demonstração das emoções.

Essas emoções básicas são respostas padrões inatas a certos tipos de estímulos e podem ser expressas por meio de uma variedade ampla de reações corporais.

Hoje, a Epigenética e a Neurogênese entendem que a consciência tem poder de afetar as emoções e, consequentemente, a natureza vibracional das células, das moléculas, do DNA e das neuroassociações do cérebro.

O biólogo Bruce Lipton é o principal expoente dessa corrente de cientistas e pesquisadores da área. Em seu livro *A biologia da crença*,[7] Lipton apresenta vários experimentos que comprovam essa perspectiva e dão significado a suas observações científicas.

Para Lipton, todo ser humano é capaz de mudar sua própria biologia e, assim, alterar suas crenças sobre a vida, sobre o mundo e sobre si mesmo. O resultado é uma mudança morfogenética do ser e, portanto, de seus campos particulares de influência e de vibração.

A TEORIA DAS EMOÇÕES

A Teoria das Emoções fundamenta a ideia de que certas emoções são primárias e todas as outras são derivações dessas, presumindo também que as emoções primárias são identificáveis, de certa forma, em todos os níveis filogenéticos e que têm uma função adaptativa na luta individual por sobrevivência.

OITO DIMENSÕES EMOCIONAIS

Plutchik conceituou oito dimensões de emoções primárias, descritas pelas palavras alegria, tristeza, confiança, repúdio, medo, raiva, antecipação e surpresa.

---

7 LIPTON, B. H. **A biologia da crença**: ciência e espiritualidade na mesma sintonia: o poder da consciência sobre a matéria e os milagres. São Paulo: Butterfly, 2007.

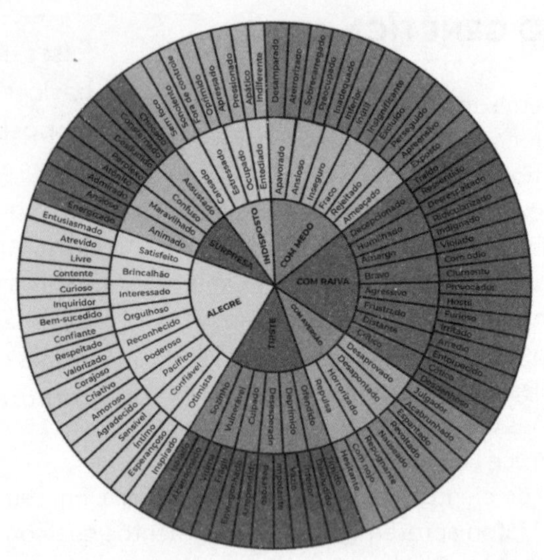

A Roda de Plutchik, em sua versão original, apresenta diferentes cores e pode ser encontrada facilmente na Internet.

Em vez de simplesmente falar em emoções ou estados emocionais, usamos o termo "dimensão emocional" por compreender que "dimensão" engloba os vários sinônimos que essas palavras podem ter, bem como as variações de intensidade que cada uma carrega.

A tabela a seguir ilustra a formação das emoções secundárias a partir de combinações das oito emoções primárias.

Amor + Alegria → Afeto
Alegria + Confiança → Amor, Amizade
Medo + Surpresa → Temor
Tristeza + Repúdio → Remorso
Repúdio + Raiva → Ódio
Alegria + Medo → Culpa
Raiva + Alegria → Orgulho
Medo + Repúdio → Vergonha
Antecipação + Medo → Ansiedade

DERIVAÇÕES

Todas as possibilidades de estados emocionais são derivadas das emoções primárias, tal qual um infinito espectro de cores é derivado das combinações em diferentes intensidades de cores primárias, assim como há inúmeros compostos químicos derivados dos elementos químicos primários contidos na tabela periódica.

RODA DAS EMOÇÕES: A ELABORAÇÃO

Para elaborar a Roda das Emoções, Plutchick utilizou uma abordagem conhecida por "diferencial semântico", criada pelo psicólogo Charles E. Osgood (1916-1991) e que tem por objetivo determinar alguns significados conotativos das emoções em contraste com o significado denotativo ou literal.

O termo "significados conotativos" se refere a ideias ou imagens que as pessoas associam com uma palavra, mas que não a define. Um exemplo é a expressão "me arrepiei", que geralmente é associada com o medo.

O método era aplicado pedindo a estudantes voluntários que classificassem pares de perfis bipolares de emoções. As correlações entre cada par dos perfis eram então computadas para produzir uma matriz de todas as possíveis correlações de pares.

CORRELAÇÕES SUBMETIDAS

Essas correlações eram submetidas a um fator de análise, que permitia traçar os dados em um gráfico bidimensional, encaixando-os em uma ordem circular na qual as emoções similares se encontravam agrupadas e os pares bipolares de emoções ficavam localizados em pontos diametralmente opostos no círculo.

Para realizar um estudo mais profundo para essa ordenação circular dos conceitos de emoções em termos de similaridade e bipolaridade foi usado um método para analisar as palavras referentes às emoções. O resultado está exposto na imagem a seguir que é o protótipo da Roda das Emoções:[8]

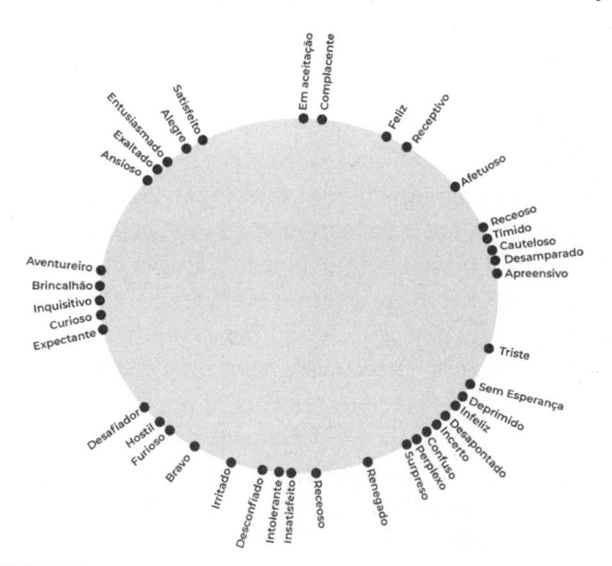

8 Adaptado de PLUTCHICK, R. **Emotions and Life**: Perspectives from Psychology, Biology, and Evolution. Washington, D.C.: Amer Psychological, 2002.

FAMÍLIAS EMOCIONAIS

Concluiu-se que era evidente que emoções com significados similares tendem a formar aglomerados ou "famílias" de emoções. Por exemplo, os termos solitário, apático, manso, culpado, abalado, arrependido, sem esperança e deprimido são agrupamentos similares encontrados nas dimensões do medo, da raiva e de outras dimensões básicas de baixa vibração.

Ainda existe a possibilidade de definir algumas palavras ambíguas da linguagem das emoções. Por exemplo: o termo *preocupado* é geralmente trazido para o contexto do medo. Todavia, ele foi empiricamente localizado no agrupamento das palavras ligadas a depressão.

Similarmente, *desdenhoso*, que tem um sentimento definido por rejeição ou repúdio, foi localizado no agrupamento das palavras de raiva. Isso sugere que o significado denotativo ou literal nem sempre corresponde ao significado conotativo ou à forma como as pessoas utilizam os termos das emoções.

O grau de similaridade entre duas palavras é representado pela sua proximidade em um espaço bidimensional, no qual elas se apresentam em um padrão circular em que todas as categorias são difusas ou misturadas umas às outras, sem fim nem começo.

Termos que são próximos, como *calmo* e *relaxado*, tendem a ser sinônimos, todavia termos opostos no círculo tendem a ser antônimos, como *animado* e *entediado*, *irritado* e *calmo*, *triste* e *deleitado*. O mais impressionante é que, ao estudar todas as linhas de pesquisas e minhas própria experiência pessoal, cheguei tranquilamente a consciência do poder do afeto, representado pelo agrupamento de emoções como amor, perdão, harmonia, alegria, gratidão, aceitação, apreciação, contemplação, compaixão e paz.

Citando o afeto, lembrei do que aprendi com as pesquisas de Robert Plutchik, que vou revelar mais adiante. Mas primeiro quero explicar o conceito de emoção:

A. **AFETO:** emoção e afeto são sinônimos na maioria dos contextos que se refere a experiências e sensações corporais internas decorrentes de estímulos e que criam uma demanda de ação. Bingo! Você pode não ter feito bingo, mas até a conclusão você vai! Sabia que os psicólogos acadêmicos usam o termo emoção em suas pesquisas, enquanto os clínicos e psicanalistas usam o termo afeto?

B. **HUMOR:** enquanto as emoções são reações a eventos pontuais, específicos e significantes, o humor corresponde a um estado emocional contínuo e duradouro, que pode se estender por dias ou semanas e que nem sempre possui um estímulo ou causa óbvia. Na psicologia clínica, o termo humor é usado em sentido estrito para fazer referência a desordens de humor, como aquelas que envolvem algum tipo de depressão ou o seu oposto, uma obsessão ou mania.

C. **TEMPERAMENTO:** o temperamento é ainda mais duradouro do que o humor, consistindo naqueles aspectos da personalidade, do comportamento e das emoções que são constitucionais, estáveis ao longo do tempo e das situações, que têm uma sustentação neurofisiológica e que têm, inclusive, certo grau de herança genética. Em outras palavras, o temperamento se refere aos traços pessoais que podem ser identificados já na infância e tendem a persistir por toda a vida do indivíduo.

Todos os afetos são representações experienciais de um sistema de processamento de informação que pode servir como um mecanismo de várias emoções e comportamento humano.

APLICAÇÃO PRÁTICA DA RODA DAS EMOÇÕES

Como você já deve ter percebido, as suas emoções são determinantes na tomada de decisões e ações, afetando profundamente sua vida, e por isso é fundamental que você seja capaz de reconhecê-las para que possa manter e reforçar aquelas que são boas e levam a ações produtivas e transpor as que dificultam o alcance daquilo que deseja realizar. Por isso, a Roda das Emoções é uma excelente ferramenta de autoconhecimento que, no meu Método Ourives Quantum Hertz®, por exemplo, usamos para definir as emoções que precisam ser eliminadas, alteradas e modificadas, pois permite identificá-las.

Além de ser um recurso para cocriação da realidade e Reprogramação Mental e emocional para o estudo da Holo Cocriação®, já que permite o autoconhecimento e a autorregulação, a Roda tem várias outras utilidades práticas. Toda sua compreensão é um balizador durante o processo de cocriação e de expansão do Campo Quântico vibracional. Veja a seguir alguns aprendizados que a Roda possibilita:

- Compreensão da complexidade das emoções;
- Compreensão da origem das emoções;
- Visualização das polaridades contrárias de cada emoção;
- Classificação e identificação das emoções de maneira mais clara;
- Geração de empatia no entendimento das emoções alheias;
- Entendimento que uma emoção pode desencadear outras;
- Estímulo a compreensão das relações e inter-relações entre os diferentes estados emocionais e de que as emoções não são apresentadas isoladamente: um estímulo pode desencadear uma variedade de reações emocionais de diferentes intensidades;
- Auxílio na expressão emocional, pois facilita a atenção e a identificação das próprias emoções;
- Aumento da capacidade de gerenciar e conduzir as emoções devido à compreensão emocional;
- Ferramenta lúdica que pode ser utilizada até por terapeutas que trabalham com crianças e adolescentes.

RODA DAS EMOÇÕES

A Roda das Emoções em sua forma original tem, na verdade, o formato de uma estrela de oito pontas, na qual cada uma representa uma emoção primária em oposição ao seu par: alegria e tristeza, raiva e medo, confiança e repúdio, antecipação e surpresa.

A denominação "roda" decorre do fato de que quando a estrela é "fechada" pela junção de todas as suas pontas, forma-se uma figura tridimensional semelhante a um cone invertido, a partir do qual vários círculos (rodas) podem ser traçados por meio de cortes transversais para indicar a variação da intensidade das emoções, que nem a polaridade contrária no ponto diametralmente oposto.

Nela, estão dispostas as oito emoções básicas e suas variações de intensidade, bem como as combinações que geram as emoções secundárias. O degradê ou gradiente das cores representa a intensidade das emoções, que é decrescente do centro para as extremidades da estrela.

Fique tranquilo, caso você tenha esquecido o que aprendeu nas aulas de Geometria quando estava na escola, basta olhar a figura a seguir, para entender o mecanismo peculiar da Roda. Veja a Roda das Emoções em seu formato tradicional:

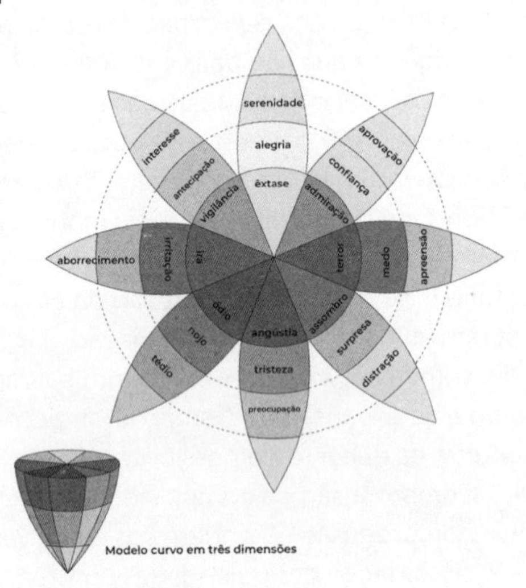

Agora, veja esta outra imagem ilustrando a estrela fechada, formando uma figura tridimensional, semelhante a um cone invertido:

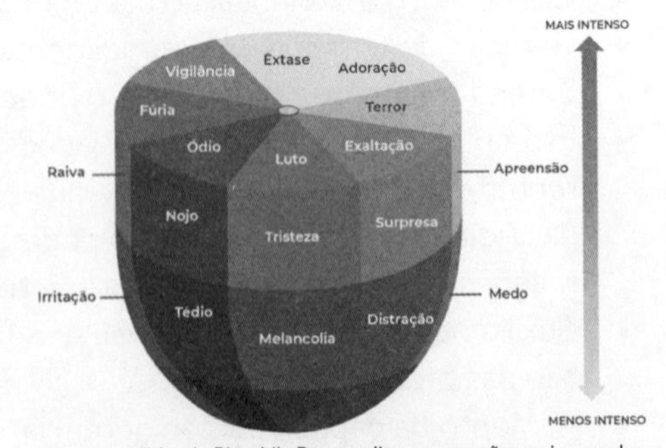

As cores sólidas de Plutchik. Para explicar as emoções mais complexas que as primárias e secundárias descritas em sua roda de cores, Plutchik usou uma forma tridimensional. Note que a intensidade das emoções varia verticalmente. Emoções no topo do sólido são as mais intensas, e as do fundo, menos.

DÍADES EMOCIONAIS

As emoções de Holo Cocriação® são chamadas de díades (ou pares simétricos), formadas pela união de duas pontas da estrela, de modo que um par de emoções primárias resulta em uma terceira emoção classificada como secundária. As díades se formam da seguinte maneira:

Primeira Díade da Holo Cocriação®: é formada pela junção de duas pontas imediatas (vizinhas):

Surpresa + Tristeza → Decepção
Tristeza + Repúdio → Remorso
Repúdio + Raiva → Desprezo
Raiva + Antecipação → Agressividade

Segunda Díade da Holo Cocriação®: é formada pela composição de duas pontas não consecutivas entremeadas por uma ponta:

Alegria + Medo → Culpa
Alegria + Raiva → Orgulho
Confiança + Surpresa → Curiosidade
Confiança + Antecipação → Fatalismo
Medo + Tristeza → Desespero
Surpresa + Repúdio → Descrença
Tristeza + Raiva → Inveja
Repúdio + Antecipação → Cinismo
Raiva + Tristeza → Inveja

Terceira Díade da Holo Cocriação®: é formada por duas pontas não consecutivas entremeadas por duas pontas:

Alegria + Surpresa → Satisfação
Alegria + Repúdio → Apatia
Confiança + Tristeza → Sentimentalismo
Confiança + Raiva → Dominação
Medo + Repúdio → Vergonha
Medo + Antecipação → Ansiedade
Tristeza + Raiva → Inveja
Surpresa + Raiva → Indignação
Tristeza + Antecipação → Pessimismo

Mais uma vez, nada melhor que visualizar a imagem para compreender esse conceito de díade:

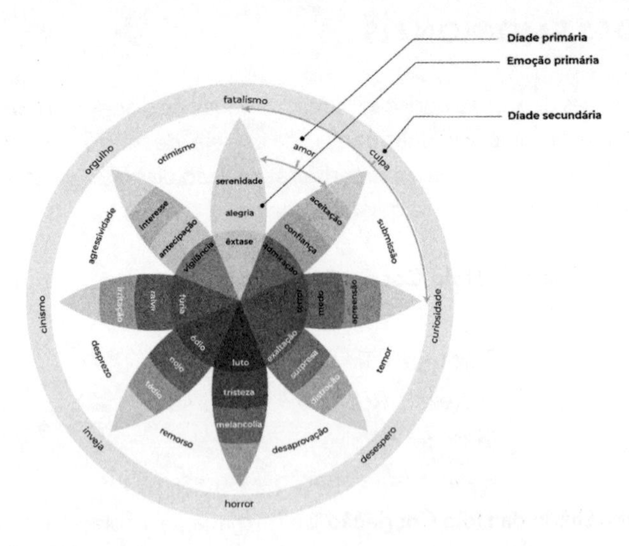

Índice de Emoções e Humor

PERCEBENDO AS EMOÇÕES

Identificar nossos sentimentos e emoções nem sempre é fácil justamente porque, na maioria das vezes, eles se apresentam de maneira composta, conforme acabamos de ver nas díades da Roda das Emoções. Usando a Roda como ferramenta de autoconhecimento, você será capaz de entender melhor suas emoções e, identificando-as, pode orientar suas atitudes ao mudar ou manter o estado emocional em que você se encontra.

ESPECTRO COMBINADO

Tudo o que sentimos tem origem nas emoções primárias, ou seja, qualquer sensação que você tiver tem como origem a alegria, a tristeza, a confiança, o repúdio, o medo, a raiva, a antecipação e a surpresa. Assim, por mais que existam inúmeras emoções, a origem de tudo o que sentimos se encontra em uma ou duas dessas oito emoções.

É muito interessante quando também comparamos as emoções com as cores, pois da mesma maneira que juntando duas cores primárias em diferentes proporções obtemos uma cor secundária específica, duas emoções primárias combinadas também geram uma emoção secundária. A mistura de duas emoções secundárias produz uma emoção terciária e assim por diante, fazendo com que o espectro da variedade das emoções seja quase tão infinito quanto o das cores.

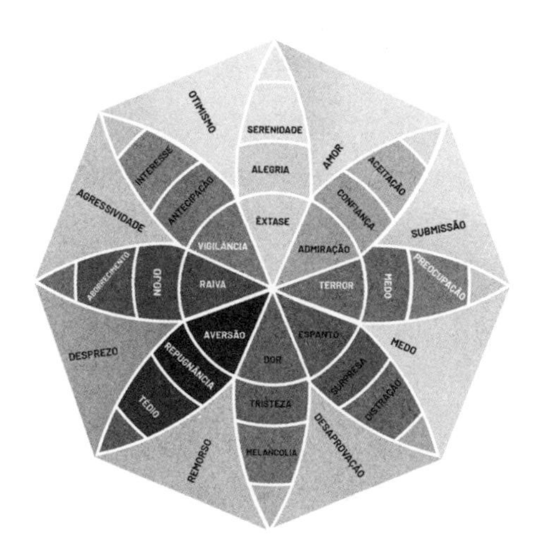

Na prática, o mais importante disso tudo é que, sempre que você ficar confuso ou incomodado a respeito de como está se sentindo, a Roda das Emoções poderá ajudá-lo a identificar seus sentimentos de maneira direta, por oposição ou por decomposição. Isso é essencial em todo o processo de cocriação e de ajuste vibracional do Campo Quântico, na escalada até a frequência de 1.000 Hertz®.

EMOÇÕES BÁSICAS, POLARIDADES E COMBINAÇÕES

Anteriormente identificamos um total de oito emoções básicas que, de maneira consciente ou inconsciente, atuam como gatilhos para comportamentos que têm por objetivo garantir a sobrevivência. Elas são biologicamente primitivas e evoluíram a fim de incrementar a aptidão reprodutiva animal.

Veja a descrição das oito emoções básicas e suas funções evolutivas:

EMOÇÃO	FUNÇÃO
1. Confiança	Socialização, agregamento e segurança pela criação de laços sociais.
2. Medo	Guiar o indivíduo para a autoproteção e prevenção do perigo, levando-o a agir com cautela diante da percepção de um estímulo ameaçador.
3. Surpresa	Orientação, facilitando os processos ligados à atenção e à exploração, ativada diante de um evento inesperado ou imprevisto.
4. Tristeza	Reconhecimento da perda, conhecimento dos próprios limites, reintegração e reorganização da pessoa pelo enfrentamento da dor.

5. Repúdio	Proteção e prevenção do perigo por meio do mecanismo da rejeição, é ativado diante da percepção de objetos, substâncias ou outros animais (humanos ou não) ameaçadores.
6. Raiva	Mobilização de força e de energia orientada para provocar uma mudança em uma situação que é irritante ou ameaçadora, ativada diante da frustração, decepção ou quando a energia de nosso desejo e objetivo é bloqueada por um obstáculo.
7. Antecipação	Previsão de eventos futuros, mapeamento e exploração na busca de recursos ou alternativas de maneira prévia, surge mediante a geração de expectativas.
8. Alegria	Reprodução das situações que geraram acontecimentos benéficos para a manutenção do bem-estar do indivíduo.

Veja, nas tabelas a seguir, as combinações, polaridades e intensidades das emoções a partir das emoções primárias ou básicas dispostas nas duas colunas centrais:

EMOÇÃO BRANDA	BRANDA OPOSTA	EMOÇÃO BÁSICA	BÁSICA OPOSTA	EMOÇÃO INTENSA	INTENSA OPOSTA
Serenidade	Melancolia	Alegria	Tristeza	Extasia	Angústia
Aprovação	Tédio	Confiança	Repúdio	Admiração	Repugnância
Apreensão	Aborrecimento	Medo	Raiva	Terror	Ira
Distração	Interesse	Surpresa	Antecipação	Assombro	Vigilância

As combinações que geram as emoções secundárias (díade secundária) e seus opostos:

COMBINAÇÃO DE EMOÇÕES PRIMÁRIAS EM EMOÇÕES SECUNDÁRIAS	COMBINAÇÃO DE EMOÇÕES PRIMÁRIAS OPOSTAS EM EMOÇÕES SECUNDÁRIAS OPOSTAS
Antecipação + Alegria → Otimismo	Surpresa + Tristeza → Desaprovação
Antecipação + Confiança → Esperança	Surpresa + Repúdio → Descrença
Antecipação + Tristeza → Ansiedade	Surpresa + Raiva → Indignação
Alegria + Confiança → Amor	Tristeza + Repúdio → Remorso
Alegria + Medo → Culpa	Tristeza + Raiva → Inveja
Alegria + Supresa → Prazer	Tristeza + Antecipação → Pessimismo
Confiança + Medo → Submissão	Raiva + Repúdio → Desprezo
Confiança + Surpresa → Curiosidade	Nojo + Antecipação → Cinismo
Confiança + Tristeza → Sentimentalidade	Alegria + Repúdio → Morbidez

Supresa + Medo → Temor	Raiva + Antecipação → Agressividade
Tristeza + Medo → Desespero	Raiva + Alegria → Orgulho
Medo + Repúdio → Vergonha	Raiva + Confiança → Dominância

CALIBRANDO PARA HOLO COCRIAR®

Para calibrar na perspectiva da cocriação, você pode fazer a combinação de duas emoções básicas positivas e, com isso, ajustar o padrão e elevar sua vibração em instantes:

Alegria + Confiança = estado emocional do amor e a ativação da frequência de 500 Hertz.

EMOÇÕES POSITIVAS E EMOÇÕES NEGATIVAS

A classificação das emoções como positivas ou negativas é considerada por muitos estudiosos como questionável, a compreensão é de que, teoricamente, não existem emoções negativas ou "ruins". Por essa perspectiva, todas as emoções são boas, úteis e fundamentais para a garantia de nossa sobrevivência. Caso contrário, já teríamos desaparecido ao longo da linha do tempo da evolução. O que existe é o significado que nossa mente dá as coisas. E isso determina o processo de Holo Cocriação®, cocriando o negativo (assalto, pobreza, doença) ou positivo (riqueza, saúde, felicidade, amor, emprego).

Qualquer que seja a emoção, originalmente, ela tem três funções básicas:

1. **Função Adaptativa**: a emoção prepara o organismo para se adequar à ação que a sucede, ou seja, adapta a conduta à ação que deve ser realizada de acordo com as condições ambientais;
2. **Função Motivacional**: a emoção estimula ou diminui a motivação em direção a um objetivo por meio dos mecanismos de excitação e inibição do sistema nervoso autônomo;
3. **Função Social**: a emoção contribui nas relações interpessoais por ter um caráter preditivo, fazendo com que os indivíduos possam intuir minimamente como agir e possibilitando a compreensão da emoção expressada pelos demais.

As emoções, em suas essências, não são boas nem más, todas são necessárias e apresentam funções concretas que promovem a sobrevivência e a adaptação.

Ciente disso, vamos detalhar esta classificação:

- **Emoções Positivas:** fazem referência ao conjunto de emoções que se relacionam com sentimentos agradáveis e que nos fazem avaliar uma situação como benéfica, um exemplo é a alegria. As emoções positivas ajudam a aumentar a atenção, a memória, a consciência, a frequência e a retenção de informações.
- **Emoções Negativas:** são aquelas que estimulam sentimentos desagradáveis e nos fazem considerar a situação apresentada como prejudicial. As emoções negativas advertem para determinadas circunstâncias consideradas ameaça ou perigo, ajudando-nos a focar a atenção no problema que se apresenta e despertando o instinto de lutar ou fugir, mas também tendem a reduzir a vibração do campo, pois são consumidoras de energia vital.

Veja mais emoções positivas e negativas na ilustração a seguir:

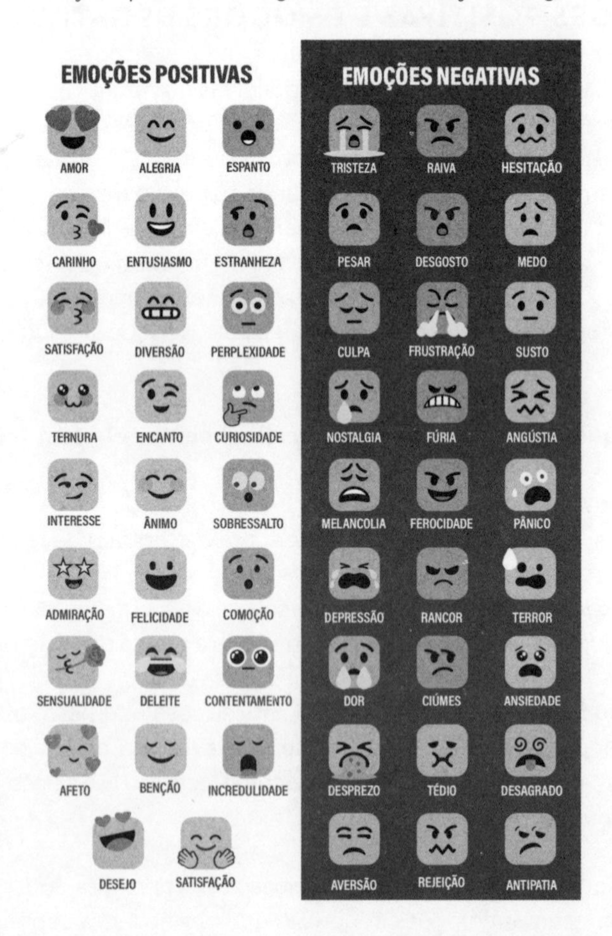

MANIFESTAÇÃO EMOCIONAL E ENERGÉTICA

A sua realidade corresponde à manifestação física daquilo que você vibra energeticamente e à potência do seu poder de cocriador para alterar a realidade. Por isso, a cocriação dos seus desejos é proporcional à sua capacidade de cultivar emoções de vibração elevada.

Porém, primeiramente, você precisa identificar quais são as emoções de baixa vibração para, em seguida, limpá-las e desprogramá-las, abrindo espaço para o novo. Só então começar a afirmar e programar as novas emoções elevadas.

Para falar em emoções de baixa e alta vibração, é importante também que você conheça a Escala das Emoções de Hawkins, conforme apresentei no capítulo anterior, pois é nela que as emoções estão calibradas e escalonadas.

Enquanto as emoções de baixa vibração têm campo atrator baseado na força; as emoções de elevada vibração têm campo atrator baseado no poder. E é no poder, conforme você aprendeu até aqui, que encontramos o potencial de cocriador da realidade. É essa autoconsciência e determinação prática que vai fazer você expandir sua consciência vibracional, para cocriar na dimensão de luz, acima de 500, 700, 800, 1.000 Hertz de potência.

Relembre a Escala das Emoções de Hawkins:

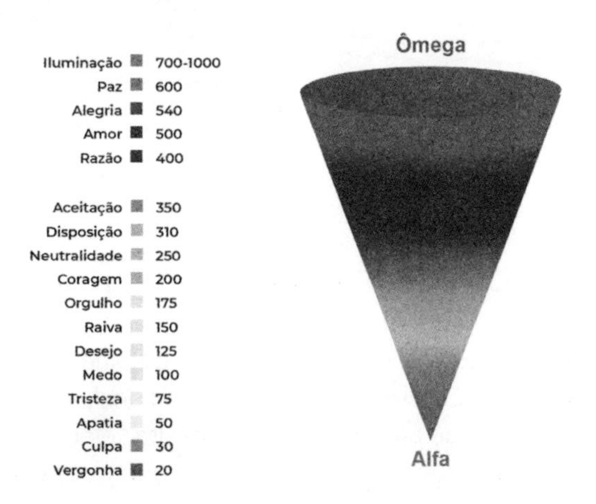

Eu sei que nem sempre é fácil identificar os sentimentos negativos: você sente o desconforto, sabe que tem alguma coisa errada, percebe que as coisas não fluem na sua vida e que, apesar da sua dedicação, não consegue cocriar a realidade que deseja. Entretanto, se você for capaz de identificar qual é a emoção que especificamente está comprometendo seus resultados, automaticamente também identificará a polaridade oposta.

PODER

FORÇA

	VISÃO DE DEUS	VISÃO DA VIDA	NÍVEL	FREQUÊNCIA	EMOÇÃO	PROCESSO
EXPANDIDO	Eu	É	Iluminação	700 - 1000	Inefável	Consciência Pura
EXPANDIDO	Todo-Ser	Perfeito	Paz	600	Êxtase	Iluminação
EXPANDIDO	Alguém	Completo	Alegria	540	Serenidade	Transfiguração
EXPANDIDO	Amar	Benigno	Amor	500	Reverência	Revelação
	Sábio	Significado	Razão	400	Entendimento	Abstração
	Misericordioso	Harmonioso	Aceitação	350	Perdão	Transcendência
	Inspiração	Esperançoso	Boa Vontade	310	Otimismo	Intenção
	Capaz	Neutralidade	Satisfatório	250	Confiança	Desprendimento
	Permissível	Viável	Coragem	200	Afirmação	Fortalecimento
	Indiferença	Exigência	Orgulho	175	Desprezo	Presunção
	Vingativo	Raiva	Antagônico	150	Ódio	Agressão
	Negação	Desapontamento	Desejo	125	Súplica	Escravização
CONTRAÍDO	Punitivo	Assustador	Medo	100	Ansiedade	Retirada
CONTRAÍDO	Desdenhoso	Trágico	Mágoa	75	Arrependimento	Desânimo
CONTRAÍDO	Condenação	Desesperança	Apatia	50	Abdicação	Desespero
CONTRAÍDO	Vingativo	Maldade	Culpa	30	Destruição	Acusação
CONTRAÍDO	Desprezo	Vergonha	Miserabilidade	20	Humilhação	Eliminação

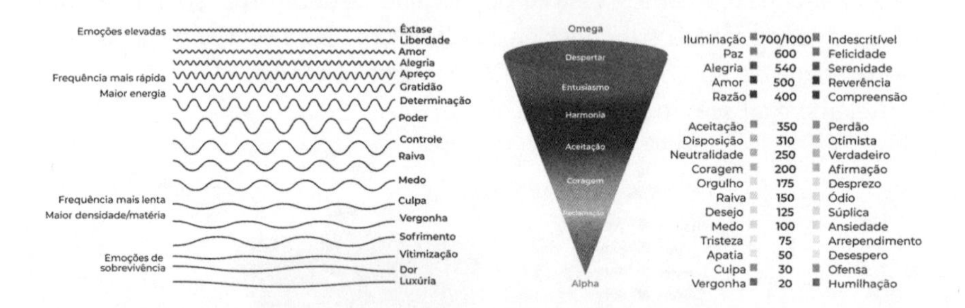

EXPANSÃO DA CONSCIÊNCIA EMOCIONAL

Aqui, falamos da Roda das Emoções. Passei vários detalhes e todo o conceito. Isso é essencial no seu processo de expansão vibracional, porque quanto mais claro ficar, mais rápido você passará a cocriar em alta velocidade no Universo.

Por isso, a seguir, apresento novamente uma configuração mais avançada da Roda das Emoções, com várias emoções agrupadas em "famílias" pela similaridade e com suas polaridades contrárias nos pontos diametralmente opostos:

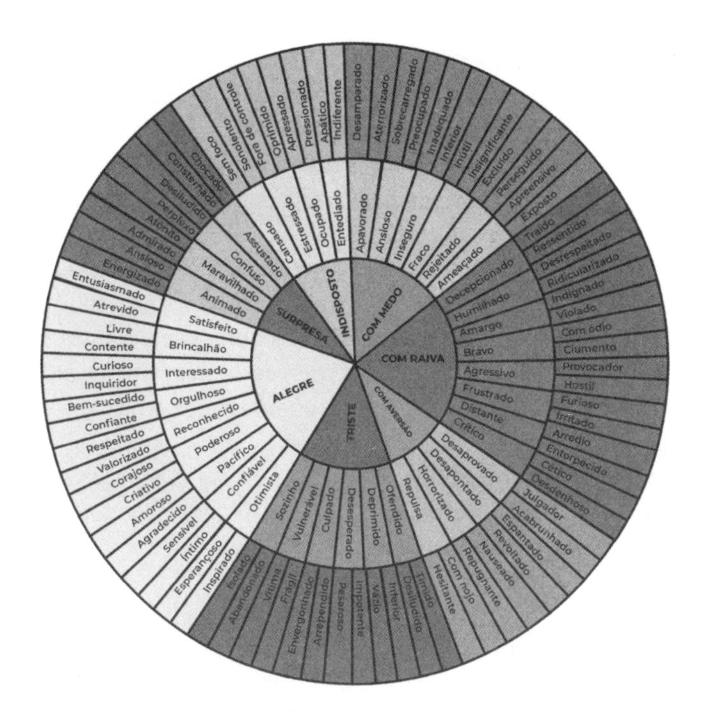

Como Aplicar o Agrupamento Emocional?

Basicamente, existem duas formas de usar essa Roda para identificar suas emoções: de dentro para fora ou de fora para dentro. Se você sente especificamente alguma emoção da parte mais externa da roda, deve mover-se para dentro a fim de encontrar a emoção primária que deu origem a essa específica. Mas, se você não souber qual emoção está sentindo, pode partir das emoções mais genéricas contidas na região central da roda e mover-se para fora na procura da emoção específica.

ESTADO DE PRESENÇA EMOCIONAL

Quando você consegue identificar e nomear suas emoções, torna-se mais presente e consciente da situação e, assim, tem a possibilidade de mudá-la. Se algo está o incomodando, é necessário trabalhar, limpar e transmutar, e o pressuposto básico é saber quais são as emoções que estão predominantemente pautando sua conduta para, então, buscar a polaridade contrária capaz de lhe trazer equilíbrio e nutrir seu potencial de cocriador da realidade.

Essa sistematização das emoções facilita a ampliação do autoconhecimento e, com ele, o autocontrole e a capacidade de se programar conscientemente para manter a vibração elevada.

Com a observação e utilização da Roda como ferramenta de autoconhecimento, você vai expandir seu vocabulário emocional, o que ajuda a identificar com mais precisão as suas emoções, compreender melhor o que está sentindo e agir para manter ou alterar o padrão conforme sua conveniência. Por exemplo, antes de uma entrevista de emprego, você se encontra realmente ansioso ou apenas inseguro? Sempre vale a reflexão!

Apesar de, geralmente, nosso foco estar nas emoções negativas que desejamos limpar e transcender, é importante que você não se limite a usar a roda para identificar somente as emoções que deseja mudar, foque sua atenção na manutenção das emoções positivas como gratidão, alegria, confiança e criatividade, que beneficiam a saúde mental e ativam seu potencial de cocriador da realidade.

Sentimento: Estado subjetivo puro, como é a alegria, a tristeza e o repúdio.

Emoção: Cadeia de eventos que incluem sentimentos, cognição, impulsos e reações conscientes e inconscientes.

FÓRMULA E PRÁTICAS

Diante de todo o ensinamento prático da Roda das Emoções, no próximo capítulo vou aprofundar alguns aspectos da própria Psicologia das Emoções.

Depois dessas bases científicas, você vai conhecer a Fórmula da Emosentização Hertz®, que é a Fase I do Método de Blindagem Emocional 1.000 Hertz® e, assim, calibrar para o alto, de maneira dinâmica e muito eficaz, sua frequência.

Essa prática começará a liberar seu campo para, nos capítulos seguintes, inserirmos novos exercícios, técnicas e o Método Completo de Blindagem Quântica 1.000 Hertz®, que mudará sua existência em apenas sete dias. Vamos juntos!

Essa sistematização das emoções facilita a ampliação do autoconhecimento e, com ele, o autocontrole e a capacidade de se programar conscientemente para manter a vibração elevada.

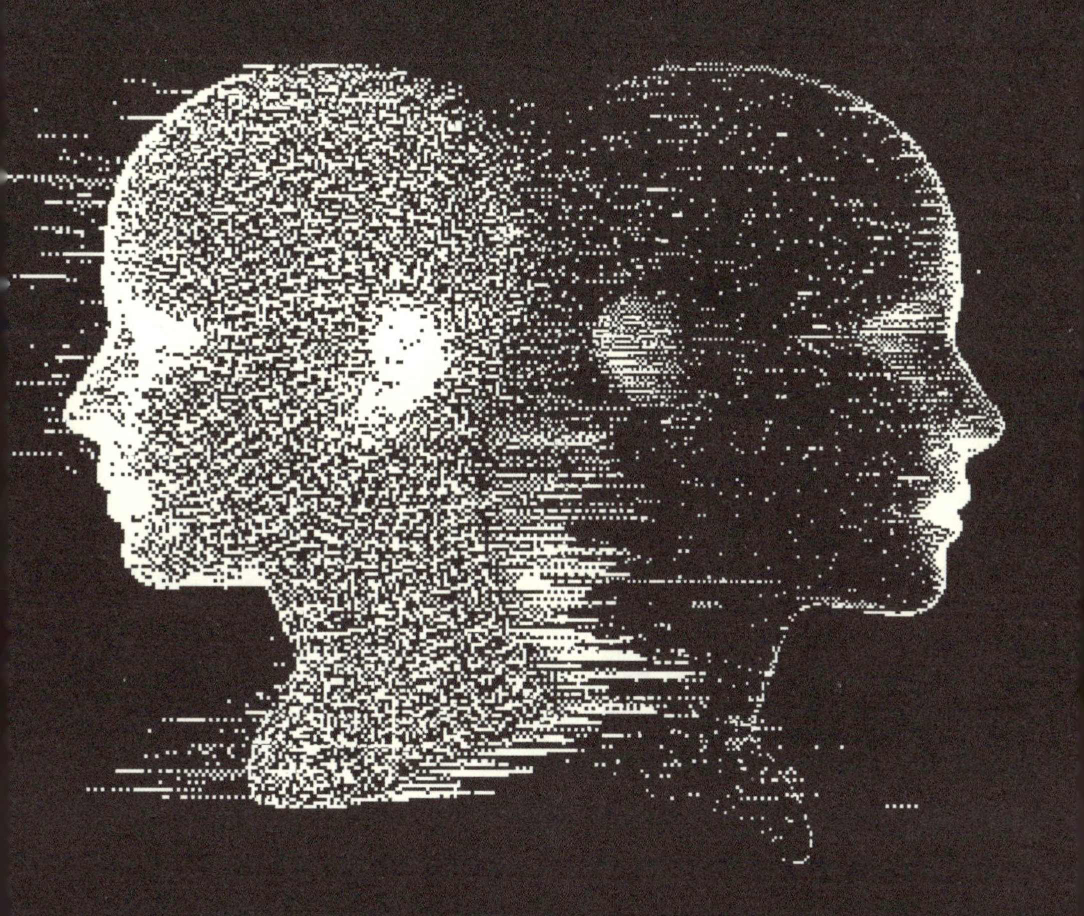

CAPÍTULO 5
EMOÇÕES HUMANAS E A APLICAÇÃO PARA O AUMENTO DE FREQUÊNCIA

Quero abordar alguns conceitos antes de entrar nas explicações sobre a Psicologia das Emoções para, no capítulo seguinte, seguirmos preparados para a ativação da Fórmula da Emosentização Hertz®.

Esses conceitos darão a base e validarão sua compreensão geral para todo o restante do livro, até a aplicação do Método de Blindagem da Frequência Emocional 1.000 Hertz®.

TUDO É ENERGIA E FREQUÊNCIA

Com essa perspectiva, quero que você saiba que tudo no Universo é energia e emite uma Frequência Vibracional®, ou seja, tudo consiste em estados de energia (campos de atração ou de repulsão energética) em movimento.

Por essa ótica, podemos observar que:

- Seus pensamentos têm uma Frequência Vibracional®;
- Seus sentimentos têm uma Frequência Vibracional®;
- Suas ações têm uma Frequência Vibracional®;
- Tudo o que existe no mundo têm a própria Frequência Vibracional®.

RITMOS DIFERENCIADOS

Basicamente, o que diferencia uma coisa da outra é a energia, que vibra em ritmos diferentes, ou seja, a velocidade da vibração de determinado elemento no Universo. E isso inclui não apenas os aspectos físicos, materiais e palpáveis, mas também suas emoções, sentimentos, pensamentos, desejos e até mesmo intenções emanadas.

FREQUÊNCIA E COCRIAÇÃO

A Frequência Vibracional® das suas emoções envolve todo o processo de cocriação da realidade, pois a onda de frequência emitida pelo seu Campo Quântico entra em fase ou sintonia com outra onda compatível no Universo.

Quando isso acontece, ocorre o entrelaçamento quântico das partículas e a estruturação física da matéria. É isso que determina, basicamente, os pontos positivos e negativos cocriados por você em todas as áreas da vida e o que, essencialmente, cria a matéria dos seus mais lindos sonhos neste plano.

QUAL A SOMA DA FREQUÊNCIA?

A base de toda a frequência é a composição e a soma da vibração das emoções, dos pensamentos e dos comportamentos diários da consciência, ou seja, daquilo que você sente, do padrão dos seus pensamentos e de como se comporta emocionalmente todos os dias.

Em termos científicos, essa seria a soma de três energias: cognitiva (pensamento), emocional (sentimento) e física (fisiologia). Tudo isso nos conecta profundamente ao mesmo campo de energia do Universo, conhecido cientificamente por não localidade, Vácuo Quântico ou, conforme eu mesma classifico, Matriz Holográfica®.

FATOR EMOCIONAL

O detalhe que quero apresentar neste capítulo é que o fator mais importante para a cocriação da realidade é a emoção, ou melhor, a frequência emocional.

A frequência emocional é regida, sobretudo, pela vibração do coração. Diferente do que se imaginava ou do que os estudos indicavam, o coração tem um campo eletromagnético 5 mil vezes mais poderoso e três vezes mais extenso do que o do cérebro, conforme foi comprovado nas pesquisas realizadas pelo renomado Instituto HeartMath, nos EUA.

AMPLITUDE E FREQUÊNCIA

A amplitude, a frequência e a velocidade da onda de energia emitida pelo coração são muito mais pulsantes e eficazes do que as do cérebro no contato e fusão com a onda do Universo para a cocriação da realidade.

Essa onda que emana do pulso eletromagnético do coração é determinada pela frequência do sentimento ou da emoção gerada com mais intensidade pela consciência.

A frequência emocional é regida, sobretudo, pela vibração do coração. Diferente do que se imaginava ou do que os estudos indicavam, o coração tem um campo eletromagnético 5 mil vezes mais poderoso e três vezes mais extenso do que o do cérebro.

BASICAMENTE, O QUE TUDO ISSO REPRESENTA OU QUER DIZER?

Que a emoção tem o maior poder de Colapso de função de onda no Universo! Para mim, isso é uma descoberta extraordinária, motivo pelo qual eu me aprofundei e sigo, ainda hoje, em estudos avançados sobre as frequências emocionais.

ORIENTAÇÃO GERAL

Diante desses fatos, em toda a minha empreitada de auto-observação e análises científicas, percebi que existe, por trás de toda a compreensão dos sentimentos, o que podemos chamar de Psicologia das Emoções, termo que dá a orientação geral para este capítulo.

Quero descrever, antes mesmo de apresentar no capítulo seguinte a primeira técnica avançada para cocriar em alta frequência, na dimensão 1.000 Hertz, o que é a prática que chamo de Emosentização Hertz®.

INTERPRETANDO A PSICOLOGIA DAS EMOÇÕES

É importante você entender o conceito de Psicologia das Emoções para aprender a lidar com as emoções de modo ainda mais eficaz, lúcido e direcionado no processo de cocriação de sonhos, bem como para potencializar o impulso da frequência das emoções quando entrarmos na parte prática dos exercícios vibracionais do Método de Blindagem da Frequência Emocional 1.000 Hertz®.

Quanto mais conhecimento, desprendimento do ego e compreensão sobre o que vibra internamente e emocionalmente dentro de você, melhores e mais expressivos serão os resultados alcançados em diferentes situações e momentos de sua vida.

Por isso, vamos entender, neste momento, um pouco mais sobre a Psicologia das Emoções!

Se você partir do pressuposto de que a psicologia é a ciência que faz a análise do comportamento e dos processos mentais, tanto de indivíduos como de grupos humanos em diferentes situações, você conclui que a Psicologia das Emoções também vai analisar como acontecem essas emoções e os seus impactos na vida das pessoas nas mais variadas situações.

FÁBRICA DE SUBSTÂNCIAS

Para compreender esse campo das emoções, é preciso deixar claro que o cérebro é uma fábrica de substâncias químicas e que determinadas emoções são responsáveis por desencadear a liberação dessas químicas no organismo por meio do cérebro.

Assim, para entender as emoções, é preciso, em um primeiro momento, separar a compreensão entre pensamentos e sentimentos, razão pela qual eu elaborei algumas premissas ou bases:

BASE 1: PENSAMENTOS SÃO DIFERENTES DE SENTIMENTOS, QUE SÃO DIFERENTES DE EMOÇÕES

O pensamento é o que dá a forma para uma determinada coisa. Quando você pensa em uma maçã, imagina uma maçã. Quando pensa em um elefante, imagina um elefante.

Entretanto, se eu falar para você pensar em "furmam", que é uma palavra que acabei de inventar, você não vai pensar em nada, porque não existe uma imagem associada à "furmam".

Se o pensamento é o que dá forma para as coisas, então, para cada coisa que é formada em sua mente por causa desse pensamento, surge uma emoção.

Veja o comparativo a seguir:

COMO COMPREENDER A DIFERENÇA ENTRE EMOÇÃO E SENTIMENTO	
EMOÇÕES	**SENTIMENTOS**
Ocorrem nas regiões subcorticais do cérebro, na amígdala e nos córtices pré-frontais.	Ocorrem nas regiões neocorticais do cérebro.
Ajudam as espécies, inclusive a humana, a sobreviver, produzindo reações rápidas a qualquer tipo de ameaça.	Os sentimentos são associações mentais e reações em resposta às emoções.
As reações emocionais são codificadas em nossos genes e, embora variem individualmente e dependam das circunstâncias, são geralmente semelhantes em todos os seres. Por exemplo: você sorri e seu cão balança o rabo, como se estivesse sorrindo também.	Um sentimento é como um retrato mental do que está acontecendo no seu corpo quando é criada uma emoção.
As emoções transmitem sentimentos, são fisiológicas e instintivas. Como no exemplo citado anteriormente, você não controla o fato de que, quando sorri, seu cachorro também "sorri com o rabo", como se a sua emoção influenciasse a dele e vice-versa. Tudo é instintivo e fisiológico.	Um sentimento surge a partir do instante em que o cérebro interpreta as emoções. Portanto, qualquer sentimento só pode surgir provocado por alguma emoção.
As emoções geram reações bioquímicas em seu corpo e alteram seu estado físico.	Os sentimentos representam reações e associações às emoções, sendo assim, são influenciados por fatores como experiências pessoais, memórias e crenças.
Emoções são temporárias, vêm e vão milhares de vezes no decorrer da vida.	Os sentimentos podem persistir e aumentar ao longo da vida.
Tanto as suas emoções quanto os seus sentimentos desempenham um papel poderoso na sua interação com o mundo. Ambos atuam como uma força motriz por trás de muitos comportamentos e experiências que você vivencia ao longo da sua jornada. Por isso, meu objetivo é destrinchar a psicologia dessas emoções para mostrar para você o quanto viver inconsciente dessas verdades pode causar problemas físicos, financeiros e até mesmo espirituais durante toda a sua vida.	

Mais sobre a Diferença entre Emoções e Sentimentos

Na linguagem do dia a dia, costumamos usar as palavras emoção e sentimento como sinônimas, mas, no vocabulário da psicologia, apesar de intimamente conectadas, não são exatamente assim. É comum haver confusão, especialmente porque uma mesma palavra pode ser usada para descrever tanto uma emoção quanto um sentimento.

Emoção e sentimento estão conectados por um nexo de causalidade, no qual o sentimento é consequência de uma emoção. Outra diferença é que, enquanto as emoções são externas e de curta duração, os sentimentos são internos e podem ter um efeito duradouro.

Por exemplo: se quando você era criança sentiu raiva do seu pai diante de um castigo que recebeu e considerou como injusto, naquele momento, a raiva desencadeou uma reação corporal e, provavelmente, você se expressou com algum tipo de birra, mas depois seu corpo voltou ao normal. Essa emoção é chamada de raiva.

Entretanto, se depois de adulto você ainda se lembra da situação de maneira dolorosa, rancorosa e percebe manifestações de raiva em suas atitudes, isso é um sentimento, também chamado raiva.

Relações e Respostas

A emoção está relacionada com o processo fisiológico e a reação neurológica no momento da situação que a estimulou. Já os sentimentos estão relacionados aos processos mentais que nos levam, por exemplo, a ficar relembrando, remoendo e revivendo as emoções vividas no passado. Sentimentos são duradouros e, em regra, fáceis de esconder. Inclusive, uma pessoa pode viver uma vida inteira sem expressar totalmente os seus sentimentos.

Um exemplo de sentimento reprimido: quem passa por uma profunda tristeza, pode perfeitamente comportar-se como se estivesse alegre e nunca revelar a realidade. Em casos extremos, pode até tentar enganar a si mesmo, pois passa a agir como se fosse normal ser triste por dentro e alegre para os outros.

Na linguagem do dia a dia, costumamos usar as palavras emoção e sentimento como sinônimas, mas no vocabulário da psicologia, apesar de intimamente conectadas, não são exatamente assim.

Expressões Automáticas ou Reflexos Ocultos

Enquanto as emoções são perceptíveis, os sentimentos podem ser escondidos. Devido às manifestações fisiológicas, as emoções são consideradas como "públicas", pois são praticamente impossíveis de disfarçar ou esconder.

Quando você se emociona, as expressões faciais e corporais são automáticas: sua pele fica vermelha, suas mãos suam, seu corpo se contrai, você baixa a cabeça, gagueja, dá uma risada, cai no choro... Enfim, as emoções são visivelmente perceptíveis.

Já os sentimentos refletem como você se sente em decorrência de uma emoção, por isso, eles estão ligados ao Universo da mente e ao mundo interior do indivíduo.

Na tabela a seguir, sistematizei as diferenças fundamentais entre emoções e sentimentos:

EMOÇÕES	SENTIMENTOS
Externas	Internos
Públicas	Privados
Reações fisiológicas	Processos mentais
Curta duração	Longa duração
Quase impossível disfarçar	Facilmente disfarçados
Reações a estímulos externos	Reações a emoções
Presentes em todos os animais	Exclusivos dos humanos
Genéricas para todos	Muito particulares

Sentimentos Positivos

Como os sentimentos são produtos das emoções, e existem emoções positivas e negativas, também existem sentimentos positivos e negativos, bons e ruins, agradáveis e desagradáveis.

Os sentimentos positivos são aqueles que geram na pessoa um estado de bem-estar, caracterizado por sensações agradáveis e benéficas. Pessoas que experimentam sentimentos positivos apresentam maior flexibilidade de pensamento, têm a criatividade aguçada e desenvolvem o senso de amplitude em qualquer situação.

Além disso, o sentimento positivo favorece os laços sociais, porque proporciona o bem-estar coletivo. Sem dúvida, o cultivo de sentimentos elevados também influencia diretamente na composição do espectro do campo vibracional e eletromagnético de cada pessoa.

O sentimento positivo e sua manutenção estendida influenciam nas respostas emocionais – fisiológicas e energéticas – também. Alguns exemplos de sentimentos positivos são: felicidade, humor, alegria, amor, gratidão e esperança.

Sentimentos Negativos

Em contrapartida, os sentimentos negativos se manifestam na forma de desconforto e servem para indicar que algo não está bem. Especialistas afirmam, inclusive, que eles nos ajudam a evoluir, porque apesar de ser possível esconder, não há como rejeitar o sentimento negativo, somente é possível aprender a conviver e administrá-lo.

Autoconhecimento Emocional

A busca pelo autoconhecimento é fundamental para conseguir identificar e tratar os sentimentos que estão comprometendo seu desempenho pessoal, familiar, social, profissional e financeiro.

Sabendo quais são seus sentimentos, você consegue aproveitar melhor os recursos, tomar melhores decisões ao lidar com problemas e, assim, abrir os caminhos para seu poder de cocriador da realidade.

Durante nosso dia, experimentamos vários sentimentos diferentes e estar atento a eles é um dos mais poderosos exercícios de autoconhecimento. Muitas vezes, os sentimentos podem parecer confusos, pois geralmente são sobrepostos e misturados.

Por exemplo: ao receber uma promoção no trabalho, uma pessoa pode se sentir honrada, feliz e, ao mesmo tempo, apavorada diante das novas responsabilidades.

Então, diante de uma situação particular, é sempre bom se perguntar:

- O que eu estou sentindo agora?
- O que este sentimento está gerando em mim?
- Eu realmente preciso dele?

Na tabela a seguir, deixo uma lista de palavras relacionadas a sentimentos e emoções para guiá-lo no seu processo de autoconhecimento e de expansão do nível de consciência. A lista parece enorme, mas é apenas uma pequena amostra do amplo Universo das emoções humanas:

Sabendo quais são seus sentimentos, você consegue aproveitar melhor os recursos, tomar melhores decisões ao lidar com problemas e, assim, abrir os caminhos para seu poder de cocriador da realidade.

TRISTEZA					
Abandono	Desânimo	Opressão	Aflição	Agitação	Agonia
Isolamento	Amargura	Apatia	Arrependimento	Ausência	Banalidade
Consternação	Contrariedade	Contrição	Culpa	Decadência	Desconforto
Decepção	Dependência	Amargor	Derrota	Desânimo	Desaprovação
Descontentamento	Miséria	Desencantamento	Desesperança	Desengano	Desídia
Desmotivação	Desolação	Difamação	Desventura	Melancolia	Disforia
Dor	Luto	Estagnação	Exclusão	Fracasso	Humilhação
Incompreensão	Inexpressividade	Infelicidade	Autopiedade	Necessidade	Desprezo
Inibição	Nostalgia	Punição	Desgraça	Pessimismo	Solidão
Sofrimento	Tormento	Vazio	Escassez	Vitimização	Remorso

ALEGRIA					
Alvoroço	Alívio	Encorajamento	Apaziguamento	Coragem	Assertividade
Autenticidade	Complacência	Autonomia	Beatitude	Brilho	Calma
Certeza	Conforto	Contemplação	Prazer	Empolgação	Felicidade
Dignidade	Diversão	Empoderamento	Entusiasmo	Esperança	Euforia
Exaltação	Sucesso	Êxtase	Fervor	Firmeza	Frenesi
Grandeza	Sabor	Constância	Inspiração	Jovialidade	Liberdade
Realização	Otimismo	Placidez	Plenitude	Regozijo	Satisfação
Suficiência	Tranquilidade	Triunfo	Vigor	Apreciação	Veemência

RAIVA					
Abuso	Queixa	Agressividade	Arrogância	Rugosidade	Barbárie
Beligerância	Bravura	Brutalidade	Zombaria	Ira	Desrespeito
Desespero	Destruição	Discórdia	Desagrado	Dominação	Alienação
Acusação	Inveja	Exasperação	Aborrecimento	Ferocidade	Frustração
Fúria	Hostilidade	Impaciência	Inconformidade	Indignação	Injustiça
Insatisfação	Insulto	Invasão	Irritabilidade	Mau humor	Manipulação
Teimosia	Ódio	Orgulho	Pedantismo	Petulância	Prepotência
Ressentimento	Superioridade	Traição	Vingança	Violência	Revolta

AMOR					
Aceitação	Valorização	Admiração	Adoração	Afeto	Gratidão
Aprovação	Gentileza	Apoio	Harmonia	Benevolência	Bondade
Proximidade	Compaixão	Compreensão	Compromisso	Condescendência	Condolência
Confiança	Consideração	Consolação	Conforto	Cordialidade	Cuidado
Doçura	Parceria	Empatia	Estima	Força	Generosidade
Heroísmo	Honestidade	Honra	Humildade	Integridade	Intimidade
Justiça	Paciência	Paz	Pertencimento	Segurança	Receptividade
Respeito	Sensibilidade	Temperança	Tolerância	Unidade	Acolhimento

MEDO					
Encolhimento	Alarme	Angústia	Ansiedade	Apocalipse	Covardia
Mal-estar	Desconfiança	Desproteção	Desamparo	Fobia	Fragilidade
Horror	Indefensa	Instabilidade	Inferioridade	Incompletude	Insegurança
Insignificância	Insuficiência	Intimidação	Inquietação	Mesquinhez	Nervosismo
Pânico	Paralisia	Perturbação	Preocupação	Subjugação	Submissão
Suspeita	Terror	Vergonha	Vitimização	Falta	Pobreza

SURPRESA					
Alteração	Ambivalência	Anormalidade	Espanto	Deslumbre	Confusão
Choque	Curiosidade	Perplexidade	Desorientação	Dissonância	Distração
Dúvida	Emergência	Ceticismo	Estupor	Expectativa	Estranheza
Imprevisibilidade	Ineditismo	Inconsistência	Descrença	Incredulidade	Indecisão
Incomum	Inoportunidade	Intriga	Irrealidade	Maravilha	Fascínio

REPÚDIO					
Abominável	Aversão	Abstinência	Estranhamento	Antagonismo	Antipatia
Separação	Censura	Contenção	Continência	Desafetos	Execração
Inadequação	Evasão	Incompatibilidade	Imoralidade	Imundice	Intolerância
Náusea	Nocividade	Obscenidade	Rejeição	Repúdio	Repulsa

450 SENTIMENTOS

TRISTEZA	ABATIMENTO	AGITAÇÃO	AMARGURA	AUSÊNCIA	CONTRARIEDADE
ABANDONO	AFLIÇÃO	ISOLAMENTO	ARREPENDIMENTO	DESPRESTÍGIO	DEPENDÊNCIA
OPRESSÃO	AGONIA	APATIA	EXCLUSÃO	DECEPÇÃO	PENÚRIA
FARDO	HUMILHAÇÃO	DESALENTO	DECADÊNCIA	DESAMOR	DESDÉM
DESVALORIZAÇÃO	PESAR	CULPA	DESÂNIMO	DESCONTENTAMENTO	FRACASSO
BANALIDADE	LUTO	DERROTA	DESCONSOLO	DESESPERANÇA	DESOLAÇÃO
CONTRIÇÃO	DEPRESSÃO	DESAPROVAÇÃO	DOR	DESMOTIVAÇÃO	LÁSTIMA
DISFORIA	DESÂNIMO	DESILUSÃO	ESTAGNAÇÃO	INFELICIDADE	NOSTALGIA
DESGRAÇA	DESENCANTO	DESAPONTAMENTO	INEXPRESSIVIDADE	NEUTRALIDADE	PESSIMISMO
MISÉRIA	PREGUIÇA	MISANTROPIA	NECESSIDADE	DESPRAZER	TORMENTO
INDIFERENÇA	INCOMPREENSÃO	DEPRECIAÇÃO	ANGÚSTIA	PADECIMENTO	AMOR
DESCRÉDITO	MELANCOLIA	PERDIÇÃO	SOFRIMENTO	ACEITAÇÃO	APEGO
DESCONFORTO	INCAPACIDADE	SOLIDÃO	ACOLHIMENTO	AMABILIDADE	ATRAÇÃO
PENA	INCOMPETÊNCIA	ADMIRAÇÃO	AGRADO	HARMONIA	CARINHO
REMORSO	VAZIO	AGRADECIMENTO	APROVAÇÃO	CAPRICHO	INTEGRIDADE
VERGONHA	AFEIÇÃO	APOIO	HONESTIDADE	COMPROMISSO	HONORABILIDADE
ADORAÇÃO	PAZ	JUSTIÇA	COMPREENSÃO	CONSIDERAÇÃO	DESEJO
HUMILDADE	BONDADE	COMPAIXÃO	COMISERAÇÃO	CUIDADO	AMOROSIDADE
BENEVOLÊNCIA	PROXIMIDADE	CONFIANÇA	CORRESPONDÊNCIA	PACIÊNCIA	GRATITUDE
INTIMIDADE	CONDOLÊNCIA	CORDIALIDADE	EMPATIA	GENEROSIDADE	SENSUALIDADE
CONDESCENDÊNCIA	CONSOLO	INTERESSE	FORTALEZA	SENSIBILIDADE	TEMPERANÇA
CONSOLAÇÃO	VITÓRIA	INTROSPECÇÃO	SEGURANÇA	SOLITUDE	RAIVA
DOÇURA	INDOLÊNCIA	RESPEITO	SOLIDARIEDADE	VALORIZAÇÃO	BARBARIDADE
ESTIMA	RECEPTIVIDADE	SIMPATIA	UNIDADE	ASPEREZA	ATREVIMENTO
RELEVÂNCIA	SERENIDADE	TOLERÂNCIA	ARROGÂNCIA	CÓLERA	DESGOSTO
CARÊNCIA	TERNURA	AGRESSIVIDADE	CIÚMES	DISCÓRDIA	NOJO
TENACIDADE	QUEIXA	ESCÁRNIO	DESTRUIÇÃO	CRÍTICA	FRUSTRAÇÃO
ABUSO	BRAVURA	DESPEITO	ENGANO	FEROCIDADE	CRUELDADE
COMBATIVIDADE	DESESPERO	OSTRACISMO	ABORRECIMENTO	IMPOTÊNCIA	INVASÃO
DESCONSIDERAÇÃO	DOMINAÇÃO	EXASPERAÇÃO	IMPACIÊNCIA	INSULTO	OBRIGAÇÃO
DISPLICÊNCIA	ESTRESSE	HOSTILIDADE	INSATISFAÇÃO	MOLÉSTIA	FÚRIA
INVEJA	GROSSERIA	INJUSTIÇA	MANIPULAÇÃO	PREPOTÊNCIA	SUPERIORIDADE
INACEITAÇÃO	INDIGNAÇÃO	MAU HUMOR	PETULÂNCIA	RESSENTIMENTO	ALEGRIA
INCONFORMIDADE	IRRITABILIDADE	ORGULHO	REPRESSÃO	ALÍVIO	AUTENTICIDADE
IRA	ÓDIO	RANCOR	CONTURBAÇÃO	ASSERTIVIDADE	EXCEPCIONALIDADE
OBSTINAÇÃO	TEIMOSIA	VIOLÊNCIA	CORAGEM	BEATITUDE	COMODIDADE
REBELDIA	VINGANÇA	APAZIGUAMENTO	AUTONOMIA	GOZO	DESPREOCUPAÇÃO
TRAIÇÃO	SAUDOSISMO	JOVIALIDADE	JOCOSIDADE	DELEITE	EQUANIMIDADE
BOM ÂNIMO	PRIMAZIA	CERTEZA	REGOZIJO	DIVERSÃO	EUFORIA
DOCILIDADE	CALMA	CONTEMPLAÇÃO	ANIMAÇÃO	ESPERANÇA	ÊXTASE
VERVE	INSPIRAÇÃO	DIGNIDADE	ENTUSIASMO	LEDICE	FRENESI
COMPLACÊNCIA	ALENTO	ENCANTO	ÊXITO	FIRMEZA	ONIPOTÊNCIA
ILUSÃO	EMPODERAMENTO	EQUILÍBRIO	FERVOR	MOTIVAÇÃO	PLACIDEZ
GRANDEZA	EXCITAÇÃO	DESTEMOR	LUXÚRIA	PRAZER	SOSSEGO
EXALTAÇÃO	FELICIDADE	REALIZAÇÃO	PAIXÃO	SOLENIDADE	VIGOR
FASCÍNIO	LIBERDADE	OSTENTAÇÃO	SATISFAÇÃO	VEEMÊNCIA	SURPRESA
JÚBILO	OUSADIA	VAIDADE	VALENTIA	CONSTERNAÇÃO	DESLUMBRAMENTO
OTIMISMO	COMPRAZIMENTO	TRIUNFO	AMBIVALÊNCIA	DESNORTEAMENTO	ESTREMECIMENTO
PLENITUDE	TRANQUILIDADE	ANORMALIDADE	DESPERCEBIMENTO	CETICISMO	ESTRANHEZA
SUFICIÊNCIA	ARREBATAMENTO	CURIOSIDADE	EMERGÊNCIA	DEBILIDADE	INCREDULIDADE
ASSOMBRO	COMOÇÃO	DÚVIDA	EXTRAORDINARIEDADE	INCONGRUÊNCIA	EXCENTRICIDADE
CONFUSÃO	DISTRAÇÃO	IGNORÂNCIA	INCOERÊNCIA	DESPREPARO	OBSESSÃO
DESORIENTAÇÃO	ESTUPOR	DESCONHECIMENTO	INDECISÃO	NOTABILIDADE	EPIFANIA
ESTUPEFAÇÃO	DESATENÇÃO	DISSONÂNCIA	DELÍRIO	GENIALIDADE	ASCO
IMPREVISÃO	IRRACIONALIDADE	INTRIGA	PRODÍGIO	VACILAÇÃO	ANTAGONISMO
DESCRENÇA	INCONVENIÊNCIA	PERPLEXIDADE	URGÊNCIA	RECRIMINAÇÃO	DESAFETO
INSUSPEIÇÃO	PECULIARIDADE	TRAUMA	AFASTAMENTO	CONTENÇÃO	DESTITUIÇÃO
ABALO	RECEIO	ABSTINÊNCIA	CENSURA	DESPREZO	ENFADO
CHOQUE	INCÔMODO	AVERSÃO	DESDENHO	EMPACHO	INADEQUAÇÃO
ABOMINAÇÃO	SEPARAÇÃO	DISSABOR	ANULAÇÃO	CANSAÇO	SORDIDEZ
ANTIPATIA	DESAVENÇA	DISTANCIAMENTO	ESTARRECIMENTO	BAIXEZA	DESAJUSTE
DESAGRADO	DESENTENDIMENTO	EXECRAÇÃO	IMORALIDADE	REJEIÇÃO	RUPTURA
DISCRIMINAÇÃO	INCOMPATIBILIDADE	INADMISSIBILIDADE	OBSCENIDADE	REPULSA	MEDO
EVASÃO	ESCUSA	NOCIVIDADE	REPUGNÂNCIA	ESVAECIMENTO	SUJEIÇÃO
INAPETÊNCIA	ENTEJO	REPÚDIO	ACOVARDAMENTO	ANSIEDADE	DESASSOSSEGO
INTOLERÂNCIA	RENÚNCIA	OJERIZA	HESITAÇÃO	COVARDIA	FOBIA
RELUTÂNCIA	PERVERSIDADE	CONSTRANGIMENTO	CIRCUNSPECÇÃO	ESPANTO	INSTABILIDADE
IMPLICÂNCIA	ALARDE	CAUTELA	ESCRUPULOSIDADE	DESAMPARO	INFERIORIDADE
DESACOLHIMENTO	AMEDRONTAMENTO	DESVALIMENTO	PAVIDEZ	INTIMIDAÇÃO	INTRANQUILIDADE
APREENSÃO	DESPROTEÇÃO	IMPASSIBILIDADE	INSUFICIÊNCIA	NERVOSISMO	PÂNICO
DESCONFIANÇA	HORROR	INSIGNIFICÂNCIA	MORTIFICAÇÃO	PARALISIA	ACATAMENTO
FRAGILIDADE	INSEGURANÇA	RESISTÊNCIA	PAVOR	MÁGOA	TEMOR
INQUIETAÇÃO	MESQUINHARIA	PERTURBAÇÃO	RESERVA	SUSTO	TERROR
INÉRCIA	PREOCUPAÇÃO	PUSILANIMIDADE	SUBMISSÃO	TIMIDEZ	VIGILÂNCIA
ALERTA	PUDOR	SUSPEITA	EMBARAÇO	VULNERABILIDADE	VITIMISMO

E, neste outro cartaz, uma ilustração bem interessante no formato de uma tabela periódica que categoriza as emoções e sentimentos em "famílias":

TABELA PERIÓDICA DAS
EMOÇÕES

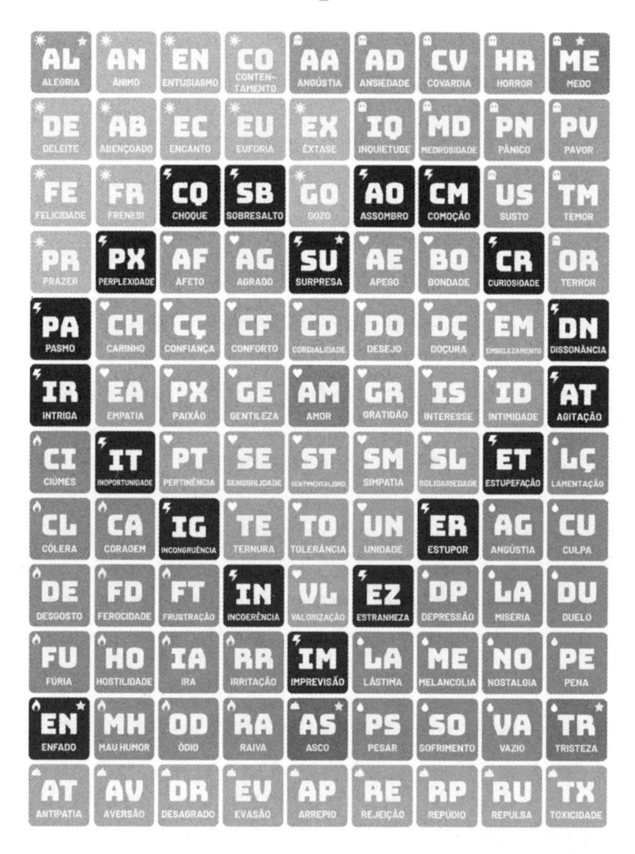

BASE 2: A PARTIR DO MOMENTO EM QUE VOCÊ ENTENDE QUE PENSAMENTO, EMOÇÃO E SENTIMENTO SÃO DIFERENTES, SEMPRE QUE PENSAR EM ALGUMA COISA, VOCÊ ATIVA UMA REDE NEURAL

A soma da frequência dos seus pensamentos, sentimentos e emoções gera a sua Frequência Vibracional® e determina o impacto que ela provoca no Universo e no processo de cocriação da realidade em ondas de vibração superior.

Redes Neurais

A compreensão da atividade das redes neurais é o segredo e a base do meu estudo para compreender as emoções e a cocriação da realidade que fundamenta o entendimento prático da influência das emoções em toda a manifestação da vida.

As **redes neurais** são grupos de neurônios interconectados que são acessados e ativados juntos, seja quando você está pensando, emocionando-se, sentindo, apenas se lembrando de algo ou imaginando alguma coisa.

Em qualquer uma dessas situações, você ativa uma determinada rede neural. Basicamente, isso significa que todas as memórias, pensamentos e sensações (emoções) estão interligados por meio de uma rede neural.

Como isso funciona na prática?

- Sempre que você pensa em algo, surge um conceito sobre isso;
- Esse conceito é formado a partir dos seus pensamentos, emoções, sentimentos e percepções sobre o assunto;
- Esse conceito sobre o que você pensa e sente reforça a rede neural correspondente.

Por exemplo, o que você pensa sobre o amor?

O seu pensamento sobre o amor gera uma emoção correspondente no seu corpo, que reflete um sentimento também de amor. Então, se você pensa que é bom amar, você sente uma emoção "positiva" e consequentemente outros sentimentos "positivos" são desencadeados, liberando hormônios, sensações vibracionais e uma onda de energia com frequência emocional (vibração) positiva.

Essa onda circula na mente, no corpo, na fisiologia, nas moléculas, nas células, no DNA e em todo o Campo Quântico relacional. Isso significa que toda vez que você pensa em algo, existe um conceito e uma percepção sobre isso, que gera a vibração e a frequência das ondas que manda ao Universo.

BASE 3: O CORPO FICA VICIADO NA DESCARGA QUÍMICA QUE É DESENCADEADA QUANDO UMA REDE NEURAL É ATIVADA, REFORÇADA E ESTIMULADA COM CONSTÂNCIA

As ações de pensar, sentir e se emocionar reforçam uma rede neural, ou seja, fortalecem as conexões sinápticas entre as células nervosas (neurônios), fazendo com que o cérebro e o corpo fiquem viciados no estímulo dessa mesma rede neural.

Conforme essa química é desencadeada, sempre que a mesma rede é ativada para liberar as mesmas substâncias químicas no seu organismo, vários ciclos da sua vida se repetem, fazendo com que sua realidade seja criada com a reprodução de eventos e situações equivalentes às experiências do seu passado que originalmente construíram a rede neural em questão.

Toda vez que você pensa em algo, existe um conceito e uma percepção sobre isso, que gera a vibração e a frequência das ondas que manda ao Universo.

Por exemplo: se o que você pensa a respeito do amor é algo positivo, a percepção que você tem sobre o conceito também será positiva. Portanto, toda vez que você pensar ou sentir algo relacionado a esse conceito de amor, uma determinada rede neural será ativada, gerando uma descarga química no seu organismo liberada pelo seu cérebro, a qual refletirá por todo o seu sistema e produzirá a frequência emocional compatível e alinhada à trilha (conexão) que você mesmo criou na sua mente.

Vários ciclos da sua vida se repetem, fazendo com que sua realidade seja criada com a reprodução de eventos e situações equivalentes às experiências do seu passado que originalmente construíram a rede neural em questão.

Cadeia Reforçada

Sempre que essa rede neural for reforçada, as mesmas substâncias químicas são liberadas no seu organismo em um processo inconsciente e automático, e as mesmas ações que plasmam e moldam o desencadeamento dessa química no seu cérebro precisarão ser reproduzidas para que as mesmas experiências se repitam.

Com certeza esse é um ciclo viciante para a sua mente – que desencadeia uma química específica, emoções resultantes e vibrações compatíveis em todo o seu ser em milésimos de segundos – ao ser um processo que influencia todo o seu repertório emocional e a tomada de decisões, porque tudo isso é gerado a partir do impacto emocional e energético ativado por sua rede neural viciante.

Comportamentos Viciantes

Vou dar mais um exemplo para que entenda: digamos que você sinta extremo prazer ao sentar-se em frente à televisão e devorar um pote de sorvete. Você tem um conceito sobre o que representa o sorvete na sua vida, isto é, o que representa essa imagem e essa percepção de você mesmo sentado, deliciando-se com um pote de sorvete.

Digamos que sempre que você tem essa atitude e sinta muito prazer fazendo isso são desencadeados em seu corpo, como recompensa, hormônios de bem-estar, como a dopamina, a serotonina e a oxitocina. Isso reforça o caminho neural para que, sempre que você queira sentir prazer ou bem-estar, sinta a necessidade de devorar um pote de sorvete. Uma coisa puxa a outra, automaticamente.

Experiências Reproduzidas

A ideia é a seguinte: o seu corpo fica viciado na química que é desencadeada por esse comportamento. Então, por mais que você queira mudar este tipo de atitude, o seu cérebro, por estar viciado, vai fazer com que você se coloque em experiências que repitam esse ciclo na sua vida: Pensar em um sorvete, emocionar-se quando senta no sofá para tomar esse sorvete, além de sentir falta e desejo constantes por esse hábito.

BASE 4: REFORÇAR UMA REDE NEURAL SIGNIFICA DEIXAR O CÉREBRO VICIADO EM UMA DETERMINADA QUÍMICA EMITIDA DURANTE ESSE PROCESSO. ISSO EXPLICA POR QUE OS MESMOS ACONTECIMENTOS SE REPETEM NA VIDA DAS PESSOAS E PORQUE PARECE MUITO DIFÍCIL MUDAR UM HÁBITO

É por isso que os mesmos acontecimentos continuam se repetindo em sua vida: o modo como você pensa, sente e se emociona em relação às mesmas coisas, pessoas e situações cria e ativa essas redes neurais que, quanto mais ativadas, mais se fortalecem e causam resistência quando você tenta mudar o hábito.

Resumo Prático

Basicamente, até aqui, ensinei como a emoção é produzida a partir do cérebro e da criação de uma rede neural. Porém, existem alguns fatores ocultos e inconscientes nesse processo que você precisa entender e desmistificar para que possa produzir a química certa, a emoção e a vibração correspondentes aos seus sonhos, permitindo ativar a frequência elevada em torno de si, de modo a acelerar sua capacidade de cocriação da realidade.

Falo isso porque é possível reprogramar a mente e a Frequência Vibracional®, ou melhor, a sua frequência emocional. Existem dispositivos avançados para limpar sua mente, reprogramar a sua vibração e para ativar redes neurais saudáveis e produtivas.

Como?

Com o pensamento positivo + emoção alinhada + sentimentos e ações compatíveis, você compõe a programação da Frequência Vibracional® (emocional). É possível, inclusive, mudar essa programação de maneira extremamente acelerada e surpreendente.

Para começar a mudança da frequência e elevar a vibração, você deve prestar atenção, inicialmente, em três fatores:

- O que você está pensando;
- O que você está falando, ouvindo, observando e fazendo;
- O que você está sentindo.

Tecido Vibracional

A partir dessa percepção, quero que você considere algo importante: a vibração funciona como o tecido do Universo. Portanto, ela estará em tudo o que existe, o tempo todo, como se fosse composta de cordas vibracionais expressadas em forma de energia.

Diante disso, deve ficar claro para você que uma vibração pode ser reconhecida como positiva ou negativa em decorrência da Frequência Vibracional®

(emocional) emitida por ela, que é medida na unidade Hertz.

A vibração funciona como o tecido do Universo.

Entenda que tudo pode ser reprogramado em termos de Frequência Vibracional®, por isso, quanto mais baixa estiver essa frequência, mais próxima de 0 Hertz, mais difícil será o seu processo de cocriação em alta frequência. Em contrapartida, quanto mais essa frequência estiver elevada, próxima de 1.000 Hertz, mais fácil será cocriar qualquer coisa que você queira e mais fácil será sintonizar seu Eu do Futuro, a sua versão ideal.

Alinhamento Cocriativo

O ponto mais importante de toda essa reflexão até aqui é que tudo o que você pensa, sente e faz pode ser reprogramado ao mudar o estado da sua Frequência Emocional, ou seja, seu estado emocional de humor e de consciência podem ser alterados deliberadamente.

Quando tudo está alinhado – consciência, campo mórfico, átomos, vibração –, você pode cocriar qualquer sonho. Ao se alinhar de dentro para fora, você pode transformar todos os seus sonhos em realidade e acessar, de modo extremamente rápido e fácil, a sua Melhor Versão de Futuro.

ELEVANDO O NÍVEL DE CONSCIÊNCIA

No capítulo anterior, apresentei a Roda das Emoções Humanas e agora, a partir dela, vou elevar seu nível de consciência para que saiba como deve agir, sentir e pensar, em alta frequência, movendo-se, efetivamente, dos estados emocionais de contração para os estados de expansão.

Com base nesse entendimento, no próximo capítulo vou apresentar e ensinar a aplicar a Fórmula da Emosentização Hertz®, técnica que vai potencializar sua capacidade cocriativa e prepará-lo, na FASE I, para a ativação completa do Método de Blindagem da Frequência Emocional 1.000 Hertz®.

ENTENDIMENTO GERAL

A primeira coisa para entender é que existem dezessete níveis de padrões emocionais, dezessete níveis correspondentes de padrões de consciência e, a partir de cada um desses níveis, originam-se todos os outros. Esses níveis padrões são a base e o princípio de tudo o que você conhece em termos de nível e de expansão de consciência.

Nível de consciência e nível de padrão emocional são coisas diferentes, mas estão totalmente interligados, uma vez que o nível de consciência em que uma pessoa se encontra reforça o padrão emocional dela e vice-versa.

Cada um desses dezessete níveis de padrão de consciência classificados na Escala Hawkins não apenas demonstra o nível de emoção que a pessoa está sentindo quando se encontra no estado de consciência correspondente, como revela também a visão que essa pessoa tem de si mesma, da vida e de Deus. Portanto, com a identificação do nível emocional, fica fácil medir e avaliar a Frequência Vibracional® em que a pessoa se encontra.

Por exemplo: digamos que minha filha Laurinha esteja em um nível de consciência X. Esse nível de consciência da Laurinha, portanto, reflete qual o estado emocional em que ela se encontra. Está acompanhando esse raciocínio?

COMO IDENTIFICAR?

O estado emocional da Laurinha também demonstra como ela enxerga sua própria vida e sua própria noção de Deus. Por meio destes dados: nível de consciência, tipo de emoção, visão de vida e visão de Deus, é possível identificar qual é o processo em que a Laurinha se encontra.

Todas as respostas desses dados apontam uma Frequência Vibracional®, da mesma forma que, mesmo sem ter acesso a nenhuma dessas informações, somente por saber qual é o número em Hertz da Frequência Vibracional® da Laurinha, seria possível ter conhecimento de tudo o que envolve essas questões.

A IDENTIFICAÇÃO DO SEU NÍVEL DE CONSCIÊNCIA PERMITE REVELAR:

- Sua visão de vida e vice-versa (como a vida trata você);
- Sua visão de vida, que por sua vez revela sua visão de Deus e vice-versa;
- Sua visão de Deus revela se o processo é de expansão ou contração, isto é, de **poder** ou **força** sobre o nível de consciência em que você se encontra e vice-versa, conforme você aprendeu até aqui a partir das explicações trazidas por mim com base nos estudos do dr. David Hawkins.

Cada um desses aspectos demonstra qual emoção está por trás dessa resposta, ou seja, se o seu nível de consciência é Y, a emoção por trás do modo como você internaliza as coisas é compatível a esse Y; revela esse Y; reforça e origina uma Frequência Vibracional® relacionada a esse Y.

QUAL É O NÍVEL DA MUDANÇA VIBRACIONAL?

O nível da mudança está situado na faixa vibracional da emoção da coragem. A partir desse nível de consciência e de frequência emocional estabelecido em 200 Hertz, tudo começa a fluir e você percebe o início do estado de expansão.

O nível da coragem está associado à emoção da afirmação, e é a frequência que representa a chave certa para muitas portas no Universo, pois, na coragem, a consciência evita os campos de contração e cria, em torno de si, campos de expansão energética.

Começa, então, o caminho de reconexão até a Fonte, na dimensão 1.000 Hertz, abrindo espaço para frequências superiores, para o afeto, para o amor e, principalmente, para o estado de alegria. Quando esse fluxo se abre, a alegria começa a resplandecer dentro de cada ser. Com coragem, todas as barreiras emocionais e energéticas são destruídas.

O nível da coragem está associado à emoção da afirmação, e é a frequência que representa a chave certa para muitas portas no Universo, pois, na coragem, a consciência evita os campos de contração e cria, em torno de si, campos de expansão energética.

Somente a partir desse nível de 200 Hertz você começa a entender que é responsável pela sua própria realidade e que os seus pensamentos, sentimentos e ações moldam todo esse Universo de partículas e ondas que constroem as suas experiências.

No nível da coragem, em vez de estar na contração, você começa a se abrir para entrar no estado de expansão, no qual estão os níveis mais sutis, harmônicos e pacíficos da vida humana; em que está presente a máxima expressão para cocriar ilimitadamente a realidade desejada.

ESTADO DE SUPERAÇÃO

Se você aprofundar e esmiuçar ainda mais o Mapa da Consciência e cada um dos seus estados, vai descobrir que, entre os estados de contração e expansão, existe ainda um terceiro: o estado de superação.

O estado de superação representa as emoções que não estão exatamente em contração, mas que ainda não se encontram completamente expandidas – como se estivessem na transição entre a contração e a superação, por isso é visto como um estado de transição.

MEDIÇÃO DOS ESTADOS DE CONTRAÇÃO E EXPANSÃO DO CAMPO QUÂNTICO

Estado de Contração = entre 20 Hertz e 100 Hertz.
Estado de Superação = entre 125 Hertz e 499 Hertz.
Estado de Expansão = entre 500 Hertz e 1.000 Hertz.

Apesar de compreender que existe esse estado de superação, oriento sempre que considere algo importante: na Escala da Consciência, tudo acima de 200 Hertz é apresentado como o início do estado de expansão e tudo abaixo de 200 Hertz se apresenta como um reflexo do estado de contração.

SENTIDO MAIOR

Dessa maneira, acima de 200 Hertz, já na frequência da coragem, você passa a compreender que tudo o que está acontecendo ao seu redor é fruto do modo como você **sente** as coisas. Por isso, a partir desse nível você consegue ver a vida com muito mais entusiasmo e leveza e consegue fazer decisões mais lucidamente, já que não tem mais medo.

Totalmente em oposição a quem está vibrando abaixo de 200 Hertz ou pior, próximo a 20 Hertz, que é o nível de consciência da **vergonha**, emoção mais baixa da tabela, representada pelo sentimento da **humilhação**. Quem vibra na **coragem** ou acima dela começa a acessar seu poder pessoal e compreender o sentido maior de seu Universo interior e da própria conexão expansiva do Universo, o que altera instantaneamente muitas crenças limitantes sobre a realidade material definida nos termos da física clássica.

Ao assumir o controle, no começo do **estado de expansão**, a consciência passa a compreender a conexão do Universo, os reflexos das emoções, do mundo invisível e do próprio poder para manifestar a realidade, abandonando também qualquer sintoma de medo, vitimização ou culpa, superando frequências baixas e de nulidade para vibrar na coragem, no empoderamento, na autossuficiência, no amor-próprio e na luz da criação. Esse é o sentido maior que se estabelece e passa a vigorar dentro de si a partir da coragem e da ativação do Campo Quântico de expansão.

CONSCIÊNCIA PLANETÁRIA

Outro aspecto importante, tratando-se da vibração de 200 Hertz, é que, em geral, a Frequência Vibracional® do planeta Terra gira em torno de 210 Hertz. Então, é interessante reconhecer que é nessa frequência que todo ser humano começa a vibrar para mudar de vida, até porque, como eu venho explicando até aqui, é a partir da **coragem** que toda pessoa inicia o processo de realmente modificar alguns aspectos da sua realidade íntima e externa.

MUDANÇA ESTRUTURAL

Isso também significa que, sem vibrar na coragem, ninguém começa a mudança do estado emocional, da reestruturação das redes neurais e da reprogramação mental e vibracional.

Em 200 Hertz ou a partir dessa Frequência Vibracional®, o **empoderamento** inevitavelmente passa a fazer parte da sua forma de ver a si mesmo, a vida e a Deus. E, acima de 200 Hertz, iniciam-se os estados de expansão em que tudo ficará mais fácil para você. Já abaixo de 200 Hertz, você encontrará os reflexos dos estados de contração e, pode acreditar, tudo parecerá absurdamente mais desafiador e intransponível.

Vamos entender um pouco mais sobre isso nas tabelas a seguir, que mostram as variações menores do que 200 Hertz e os estados de contração; a variação dos níveis acima de 200 Hertz, a partir da frequência da coragem, e os estados de expansão da consciência, bem como a escala do estado de superação.

COMPREENDENDO OS CINCO PIORES ESTADOS DE CONTRAÇÃO, AS EMOÇÕES E AS FREQUÊNCIAS COMPATÍVEIS			
Nível de Consciência	Estado	Emoção compatível	Frequência vibracional equivalente
Degrau de Consciência 5: Consciência de Medo	Muito contraído	Emoção de Ansiedade	Frequência de 100 Hertz
Degrau de Consciência 4: Consciência de Tristeza / Mágoa	Muito contraído	Emoção de Arrependimento	Frequência de 75 Hertz
Degrau de Consciência 3: Consciência de Apatia	Muito contraído	Emoção de Desespero / Abdicação	Frequência de 50 Hertz
Degrau de Consciência 2: Consciência de Culpa	Muito contraído	Emoção de Ofensa / Destruição	Frequência de 30 Hertz
Degrau de Consciência 1: Consciência de Vergonha / Miserabilidade	Muito contraído	Emoção de Humilhação	Frequência de 20 Hertz

Observando a tabela anterior, você consegue notar que subir na Escala de Consciência significa, consequentemente, elevar sua Frequência Vibracional® e, portanto, também melhorar suas emoções?

Percebe ainda como esses cinco Degraus de Consciência estão relacionados aos cinco piores e mais baixos níveis de Frequência Vibracional® (20 Hertz, 30 Hertz, 50 Hertz, 75 Hertz e 100 Hertz) e suas respectivas emoções (Humilhação, Ofensa/Destruição, Desespero/Abdicação, Arrependimento e Ansiedade)?

Agora, para ajudá-lo a compreender o que acontece quando você começa a subir nessa Escala da Consciência, quero apresentar os três próximos degraus que surgem depois do **medo** e antecedem a **coragem**.

Preste atenção à tabela a seguir:

COMPREENDENDO AS TRÊS EMOÇÕES DEPOIS DO MEDO E ANTES DA CORAGEM			
Nível de Consciência	Estado	Emoção Compatível	Frequência Vibracional® Equivalente
Degrau de Consciência 9: Consciência de Coragem	Superação / Iniciando o estado de Expansão	Emoção de Afirmação	Frequência de 200 Hertz
Degrau de Consciência 8: Consciência de Orgulho	Superação / Encerrando o estado de Contração	Emoção de Desprezo	Frequência de 175 Hertz
Degrau de Consciência 7: Consciência de Raiva	Superação / Encerrando o estado de Contração	Emoção de Ódio	Frequência de 150 Hertz
Degrau de Consciência 6: Consciência de Desejo	Superação / Encerrando o estado de Contração	Emoção de Súplica	Frequência de 125 Hertz
Degrau de Consciência 5: Consciência de Medo	**Muito contraído**	**Emoção de Ansiedade**	**Frequência de 100 Hertz**

Observando a tabela acima, você consegue reconhecer que entre o medo e a coragem ainda existem três frequências vibracionais (125 Hertz, 150 Hertz e 175 Hertz) que permanecem em estado de superação/contração?

Portanto, por mais que estejam acima do medo (100 Hertz), elas continuam sendo perigosas e dificultam o processo de cocriação da realidade, isto é, a materialização dos seus sonhos.

QUANDO TUDO COMEÇA A EXPANDIR...

Se tivéssemos de apontar uma frequência, emoção ou nível de consciência que atua como um divisor de realidade na vida das pessoas, essa consciência seria a da **coragem**, a partir da qual tudo fica mais leve, livre, fácil e expandido, pois nesse nível o campo começa a expandir, invariavelmente.

Anime-se: ninguém estaria lendo isso aqui se não estivesse começando, pelo menos, a vibrar nessa frequência de 200 Hertz!

Observe a próxima tabela:

COMPREENDENDO AS OITO EMOÇÕES A PARTIR DA CORAGEM			
Nível de Consciência	Estado	Emoção Compatível	Frequência Vibracional® Equivalente
Degrau de Consciência 17: Consciência de Iluminação	Expansão	Emoção Inexplicável	Frequência de 700 Hertz ou +
Degrau de Consciência 16: Consciência de Paz	Expansão	Emoção de Êxtase/ Felicidade	Frequência de 600 Hertz
Degrau de Consciência 15: Consciência de Alegria	Expansão	Emoção de Serenidade	Frequência de 540 Hertz
Degrau de Consciência 14: Consciência de Amor	Expansão	Emoção de Reverência	Frequência de 500 Hertz
Degrau de Consciência 13: Consciência de Razão	Expansão	Emoção de Compreensão	Frequência de 400 Hertz
Degrau de Consciência 12: Consciência de Aceitação	Superação / Iniciando o estado de Expansão	Emoção de Perdão	Frequência de 350 Hertz
Degrau de Consciência 11: Consciência de Disposição	Superação / Iniciando o estado de Expansão	Emoção de Otimismo	Frequência de 310 Hertz
Degrau de Consciência 10: Consciência de Neutralidade	Superação / Iniciando o estado de Expansão	Emoção de Confiança	Frequência de 250 Hertz
Degrau de Consciência 9: Consciência de Coragem	**Superação / Iniciando o estado de Expansão**	**Emoção de Afirmação**	**Frequência de 200 Hertz**

Como você pode observar, acima da Consciência da Coragem existem outros oito níveis, na seguinte sequência: Neutralidade, Disposição, Aceitação, Razão, Amor, Alegria, Paz e Iluminação. A partir da coragem, todos esses níveis já se apresentam em estado de expansão e de Frequência Vibracional® (emocional) superior a 200 Hertz.

Com certeza essa é a grande observação da Psicologia das Emoções, compreende? A partir da coragem, a frequência começa a expandir o campo e você começa a entrar no fluxo quântico do Universo.

QUAL É ESSE FLUXO?

Essencialmente na emoção do amor, da afetividade, da paz e da harmonia, tudo começa a se mexer e se mobilizar com coragem, e você ativa a energia cognitiva, emocional e física, altera a fisiologia, mobiliza as energias para o alto e reestrutura as redes neurais.

Todo esse movimento é repercutido dentro das células – na vibração molecular, no núcleo do DNA – com a criação de novas trilhas neurais e novas sinapses, modificando a frequência emocional do Campo Quântico e a onda de energia enviada ao Universo.

AUTOPERMISSÃO EXPANSIVA

Com coragem, desprendimento, amor, afeto, harmonia, paz e compaixão, sua frequência é elevada, e é acompanhada por uma nova atitude mental de empoderamento e por novos comportamentos correspondentes à consciência cocriadora, ou seja, com a autopermissão do amor, da felicidade e da realização plena de seus maiores sonhos, sua mente e seu espírito equalizam todo esse processo interno para fora do seu ser, em direção às pessoas, ao mundo e ao Universo.

Com toda essa mudança, você fica, por meio de sua consciência – que é a observadora da realidade –, correlacionado e em ressonância vibracional com novas oportunidades em todas as áreas e esferas da vida, mais leve, mais solto e apto a cocriar em dimensões superiores. Por isso, a coragem é um grande propulsor e o início verdadeiro do salto quântico que você deseja ter na vida.

ESCALA HAWKINS E A CONEXÃO COM O UNIVERSO

- A Escala Hawkins leva à reconexão vibracional e emocional com a Fonte Criadora (Universo, Deus, Vácuo Quântico ou Matriz Holográfica®);
- Revela a projeção do Mapa da Consciência a partir da orientação direta do Criador. Ou seja, da Consciência Maior do Universo, de Deus, o Criador de tudo o que é;

- A partir da percepção e compreensão das emoções, ensina a viver e a entrar no fluxo do Universo sem esforço, dificuldade ou bloqueio (energético, mental, espiritual ou emocional);
- Proporciona a mudança prática do estado de consciência por meio da mudança do nível de percepção emocional. Quanto mais elevadas as emoções (ex: amor, alegria, paz ou harmonia), maior a compreensão da realidade e da dinâmica da cocriação;
- Permite o acesso ao nível de poder de cocriação infinita por meio da expansão vibracional das emoções, sem qualquer prisão energética relacionada ao esforço atualmente compatível com o nível planetário;
- Ao compreender e aprender a utilizar a Escala Hawkins, entende-se a diferença prática entre o nível do esforço e o fluxo da dedicação. Sem tensão, estresse ou desconforto, a cocriação acontece de modo espontâneo e natural, nos níveis emocionais mais elevados da tabela;
- Por meio da cinesiologia aplicada, Hawkins descobriu que é possível "conversar" com a inteligência atemporal da consciência. Ou seja, o corpo (a fisiologia) opera como instrumento de investigação para compreender as emoções e o padrão vibratório de cada ser humano, momento, fato, circunstância ou ambiente;
- Com a aplicação do método, a inteligência corporal – que é a extensão da Consciência Superior (Absoluta) – apresenta a resposta requerida pelo praticante ou testador. O resultado é obtido com o enfraquecimento (resposta falsa) ou fortalecimento (resposta verdadeira) do tônus muscular;
- Por meio do estado (nível) de consciência, entende-se o modelo comportamental, as escolhas, as tomadas de decisões, a visão essencial da existência e a calibração vibracional do momento. Ou melhor, o nível emocional e energético que se pretende alcançar.

É possível encontrar o equilíbrio até o caminho da iluminação ao mudar o estado de esforço (calibração baixa) para o estado interno emocional de poder (calibração elevada) com o princípio da menor ação e da máxima eficiência.

RELACIONANDO A RODA DAS EMOÇÕES, ESCALA DE CONSCIÊNCIA E TÉCNICA HERTZ

A sua realidade corresponde à manifestação física daquilo que você vibra energeticamente e a potência do seu poder de cocriador para alterar a realidade, materializando seus desejos, é proporcional à sua capacidade de cultivar emoções de vibração elevada. Porém, primeiramente, você precisa identificar quais são as emoções de baixa vibração para, com a prática da Técnica Hertz, limpá-las e desprogramá-las, abrindo espaço para o novo e então, começar a afirmar e programar as novas emoções elevadas.

Para falar em emoções de baixa e alta vibração, é importante que você conheça a "escala das emoções de Hawkins", pois é nela que as emoções estão calibradas e escalonadas. Enquanto, as emoções de baixa vibração têm campo atrator baseado na força; as emoções de elevada vibração têm campo atrator baseado no poder, e é no poder que se encontra o seu potencial de cocriador da sua realidade.

Relembre a Escala de Hawkins.

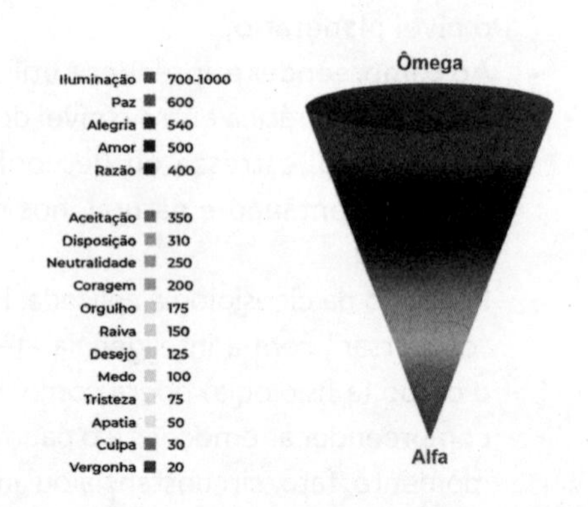

Eu sei que nem sempre é fácil identificar os sentimentos negativos: você sente o desconforto, sabe que tem alguma coisa errada, percebe que as coisas não fluem na sua vida e que, apesar da sua dedicação, você não consegue cocriar a realidade que deseja. Entretanto, se você é capaz de identificar qual é a emoção que especificamente está compromentendo seus resultados, automaticamente você também identifica a polaridade oposta, aí é só se empenhar na Técnica Hertz, fazendo os três ciclos para desprogramar, reprogramar e programar uma nova realidade.

Quanto mais específico você for neste processo de limpeza e reprogramação, melhores serão seus resultados.

AS DEZESSETE PROPRIEDADES DE ENERGIA

Vergonha (20 Hertz)

O primeiro nível da escala de consciência humana vibra abaixo de 20 Hertz. Hertz significa uma frequência no sistema da unidade, equivalente a Frequência Vibracional® do Universo, um fenômeno cujo período tem duração de segundos.

Esse é o menor estágio de vibração que o ser humano é capaz de emanar. Aqui, viver cometendo acidentes é muito comum.

O nível da vergonha é perigosamente próximo à morte, o homem que se encontra neste estágio não interage com os outros seres humanos, se fecha para as experiências e dificulta seu aprendizado. Em um nível mais sutil, este é um estágio em que se encontra em vibração de vergonha, uma vibração que impede tomada de decisões, experiências vividas e evolução pessoal, podendo o ser humano desejar ser invisível. É uma sensação nociva e destrutiva com a saúde emocional deste indivíduo, muitas vezes surgindo de maneira amena, se manifestando como timidez. Em casos mais extremos e de detalhes pessoais, alguns indivíduos preferem sumir ou até suicidar-se sentindo ódio da vida e de si mesmo.

A vibração da vergonha coloca o ser em posição de desacreditado, com desprezo por si mesmo, desejando algumas vezes sumir ou morrer, sentindo-se não merecedor de estar vivo.

Culpa (30 Hertz)

Aqui a pessoa já vibra em um nível mais alto que a vibração da vergonha, pois quem sente culpa tem alguma ação diante do que lhe acontece, já quem tem vergonha, não. Pessoas assim criam pouquíssimas ideias, fazem papel de vítima, culpam tudo e a todos por não conseguir ter sucesso em suas pretensões, nunca inovam e vivem do passado. A religião para essas pessoas alimenta o sentimento de que são pecadores e precisam seguir regras impostas, pois assim serão aceitas.

Quem sente esta vibração de culpa já se coloca em um nível um pouco mais acima da vergonha. Para sentir culpa é preciso agir, ter alguma ação. Em algumas ocasiões é uma vibração utilizada para manipular e punir, e podem sentir remorso e vibrar na culpa. Essas pessoas representam o passado com recordações ruins, por isso se prendem a ele. Pessoas vivendo neste nível de consciência têm uma relação com a religião e o pecado, geralmente sentem-se pecadoras e recriminam-se, projetando a culpa em si e no outro.

Apatia (50 Hertz)

É um nível um pouco crítico para quem vive. Há perda de esperança e preferem viver como vítimas e em isolamento. Não sentem confiança, tudo é sombrio, o futuro e o mundo não existem. Neste estado o desespero, a falta de esperança e amor-próprio são características de quem vibra em 50 Hertz. Pessoas vivendo neste estado de consciência são carentes de muitas formas, além da escassez de recursos, também sentem pouquíssimas ou nenhuma energia para usufruir de oportunidades que se apresentam. Vivem paralisadas e escolhem ir conforme o fluxo, sobrevivendo às circunstâncias.

Não existe vontade de viver, são apáticas e se veem como fardos. Enfrentam problemas sociais hoje como os sem teto, dependentes e usuários de droga ou idosos abandonados. Pode-se dizer que quem vive nesta vibração desistiu de viver e tem dificuldades inclusive para alimentar-se.

Dor/Sofrimento (75 Hertz)

Quem passou a sofrer não está mais apático, subiu na escala vibracional. Na frequência de dor e sofrimento as pessoas vivem em extrema tristeza, principalmente diante de perdas. Pessoas que sofrem com perdas estão nesta vibração, deixam-se ser controladas por emoções ruins. É um nível em que quem se encontra está sofrendo e se considera um fracasso.

Neste estágio, o ser já pode se sentir dando um passo a mais na escala de consciência humana, subindo. Nestes casos de sofrimento e dor o ser chora muito, e quando essa ação é gerada o indivíduo está subindo na escala vibracional, saindo da apatia e passando para a escala que vibra em 75 Hertz.

Medo (100 Hertz)

As pessoas com medo sentem-se inseguras diante de questões da vida e tudo se torna perigoso. Podem ter paranoias, ficam preocupadas e estressadas com facilidade. Muitas vezes necessitam de ajuda para superar e lidar com esses medos para sair dessas situações. Medos são crenças limitantes que geram falta de qualidade de vida.

O medo em si não pode ser tratado como uma emoção completamente ruim. Há medos que devem ser considerados naturais para o homem, ou ouso dizer, motivadores. O medo da velhice e da morte pode nos levar a aproveitar a vida e o instante, trazendo felicidade e ação para nossa jornada. Porém, o medo que causa imobilidade e paranoias acaba por aprisionar quem o sente.

Este medo inibe, impede e limita o crescimento pessoal e profissional de quem vive nesta vibração de 100 Hertz. Pode se transformar também em um nível alto, em que tudo o que pensa se resume em rejeição social, medo de viver e encarar a realidade. Há muitos tipos de medo que nos impedem e transformam a nossa verdadeira realidade em outra, o término de um relacionamento, por exemplo, pode levar a inveja ou a um nível de estresse enorme, fazendo o ser desenvolver descrença e limitação sobre a vida, o que antes ele não sentia.

Desejo (125 Hertz)

O nível de desejo é onde começa a circular um aumento maior de energia, posto que o desejo é um grande motivador para muitas áreas da vida. Ele nos move a esforçarmo-nos e seguirmos adiante para conquistarmos metas e objetivos. O desejo surge quando começamos a vibrar acima do medo, quando vencemos as nossas limitações e temores, passando a desejar e buscar algo importante para nós.

O risco de viver no desejo é deparar-se com as ambições, vivendo pelos vícios, desejos do ego, luxúria e consumismo. Pessoas que vivem nesta vibração nunca se sentem satisfeitas, querem sempre mais e estão dispostas a tomarem isso como primeiro lugar em suas decisões. Aqui há de se ter cuidado, pois o desejo pode se tornar mais importante que a sua própria vida, o transformando em pessoas viciadas, gananciosas e insaciáveis. Esta vibração está acima da apatia e da tristeza, porque, para que seja possível alcançar um objetivo, esta pessoa antes de tudo precisa querer, e quem vibra abaixo de 125 Hertz não deseja ter energia para querer algo.

Raiva (150 Hertz)

Este nível tem um significado curioso. O nível da raiva pode estimulá-lo a subir níveis mais elevados, como pode mantê-lo preso no ódio. Aqui o efeito é erosivo em todas as áreas da vida. É um sentimento de frustração, que pode ficar escondido em nosso interior ou ser exposto num momento de fúria, que também causa o sentimento de culpa, vergonha e mal-estar, pois, sempre após perder o controle, o indivíduo sente-se mal por não ter conseguido controlar os sentimentos.

A raiva se expressa na maioria das vezes como ressentimento e vingança, tornando-se volátil e perigosa.

Orgulho (175 Hertz)

Este é considerado o estado de consciência predominante na humanidade. É o estado que leva ao nacionalismo, racismo e guerras religiosas. Aqui também tem uma tendência às pessoas se sentirem mais positivas à medida que começam a atingir este estado de consciência. Mas, se essa emoção for usada de maneira incorreta, pode levar o ser a viver de maneira arrogante.

As pessoas neste estado de consciência vivem em negação, são orgulhosas e não gostam de renunciar a seus interesses.

Coragem (200 Hertz)

Este é o nível que inicia o entendimento ao despertar da consciência. Na pesquisa do dr. Hawkins, todos os indivíduos que vibravam na escala abaixo da coragem foram classificados por viver em níveis de consciência fracos. Mas, é neste nível que o ser distingue as influências negativas e positivas da vida, passando a olhar para fora de si de maneira compreensiva. O ego ainda existe, porém com menos força.

Aqui é identificado o poder, o ponto em que começa a ocorrer verdadeiramente à realização dos seus objetivos e uma ação é elaborada para atingir metas. Não há mais a utilização da força como seu instrumento de viver, mas da coragem de poder.

A coragem traz ao ser humano o entendimento aos enfrentamentos da vida, ensinando-lhe a lidar com eles. Leva o ser a querer experimentar coisas novas e significantes, saindo daquela posição de vítima e se abrindo ao novo de modo consciente.

Pessoas que vibram abaixo de 200 Hertz apenas drenam e sugam a energia sem retribuir. Somente a partir do nível da coragem que a mesma energia tomada é devolvida ao mundo de modo colaborativo para uma evolução comum.

Neutralidade (250 Hertz)

A neutralidade leva o ser para uma aceitação da vida, sua evolução pessoal. Permite ser flexível e não julgar, tendo um olhar mais realista para os problemas. Aqui se sente confiante internamente, vibrando na neutralidade consegue-se dizer: “Se eu não conseguir este trabalho, irei conseguir outro”. O bem-estar é uma sensação predominante deste individuo que vibra em 250 Hertz, são pessoas de fácil convivência, totalmente seguras, sem interesse em conflitos e competições. Há de se ter cuidado, pois a neutralidade também pode se tornar preguiça, as pessoas cuidam de suas necessidades, porém não se esforçam mais do que “acham que podem”.

Nível de sistemas em que nossas crenças são vistas com consciência, nos tornamos desapegados e mais felizes. Aconteça o que acontecer, você vai estar firme em sua posição, pois é livre para viver o que quiser.

Disposição (310 Hertz)

Este é um nível que proporciona a porta de entrada para níveis mais elevados. Desenvolve-se aqui autodisciplina e vontade, e pouco se reclama. Sua consciência se torna organizada e disciplinada, a vida entra no eixo ao ponto de trazer disposição para enfrentar as questões internas. A autoestima se eleva, criando uma força para se relacionar e compreender as necessidades do outro. São pessoas que representam uma fonte de poder para a sociedade.

Neste nível você utiliza a sua energia de modo mais eficaz, colocando em prática as ideias sem reclamar dos problemas. Nesta condição na escala de consciência humana o ser cocria e acredita muito em si.

Aceitação (350 Hertz)

O ser que vibra na aceitação já se encontra em níveis mais elevados de espírito. A capacidade de viver em harmonia com as forças da vida é sua característica principal, criando, assim, um estágio de aceitação da vida. Aqui há a compreensão de que “nada do que há lá fora” tem a capacidade de fazer uma pessoa feliz. A felicidade está dentro do ser. O amor é criado dentro de cada ser que vibra nesse nível da escala, considerando-o pacífico, pois não se interessa em determinar algo como certo ou errado. A vida de viver em negação transcende e desenvolve-se a disposição em autoconhecer-se e viver em conexão com a Fonte.

A pessoa vibrando neste nível dedica-se e é proativa, faz sua energia fluir. Trabalhos difíceis não causam desconforto ou desânimo. São competentes e utilizam suas habilidades para fazer algo bom. A aceitação faz o ser entender que tem um papel a mais no mundo e que viver para este propósito está relacionado a perdoar facilmente e vibrar no amor.

Razão/Contemplação (400 Hertz)

O nível do entendimento da Fonte. Aqui as pessoas vivem em completa sintonia com a verdade, têm corpo mente e espírito resguardados das desilusões da vida e dos níveis mais baixos. Aqui o ser vive em um estado de apreciação, aceitando a sua realidade e transformando-a em experiência. Não há guerra, nem sobrevivência ou luta, aqui se compreende a informação. O dr. David Hawkins associa esse nível ao da medicina e da ciência, a consciência dos mestres.

O mundo é visto como um todo conectado, não existe mais sofrimento por coisas externas, nem se vive mais na matrix. O que pode atrapalhar o ser em ultrapassar este nível é a razão, que acaba sendo a principal bloqueadora para alcançar níveis mais elevados.

Este é um nível de consciência de pessoas elevadas, como Einstein e Freud, ganhadores de prêmios que representam uma grande força à humanidade. É considerado que apenas 4% da população vive acima dessa escala razão e contemplação vibrando em escalas mais altas.

Amor (500 Hertz)

Neste nível obtemos o amor puro, incondicional e permanente. Amar é um estado de ser, amar não procede da mente, o amor emana do coração. Aqui a capacidade da cura e de levantar o outro pela pureza dos motivos são motivos relevantes para o ser que vibra nesta escala.

O aumento é positivo e centra-se na bondade da vida. Esse é o estado que você realiza seu verdadeiro propósito. Suas motivações nesse nível são puras e incorruptíveis pelos desejos do ego, você passa a ser guiado por uma força maior do que você e um sentimento de deixar-se livre é seu grande trunfo.

O amor é uma força que guia o ser. A intuição se torna extremamente forte e a compreensão com a Fonte se estabelece. Hawkins detalha em sua pesquisa que esse nível é alcançado apenas por uma em cada duzentas e cinquenta pessoas em seu tempo de vida.

Alegria (540 Hertz)

Neste estado há uma entrega a expansão da consciência. A pessoa age por meio de si e atinge um estado de felicidade penetrante, inabalável. O humor é o estado de consciência mais elevado que o ego consegue atingir, é um nível considerado avançado, de santos e professores da espiritualidade.

A vibração de alegria é totalmente guiada pela intuição e sincronicidade, você passa a se sentir incrível e radiante. O amor torna-se mais e mais incondicional e a alegria é experimentada com entusiasmo. As pessoas querem estar perto de seres vibrando nessa escala, é muito bom estar perto delas, são capazes de expandir a consciência do mundo.

Descobre-se que, quanto mais se ama, mais se pode amar. Tudo é visto como uma expressão de amor e divindade.

Paz (600 Hertz)

A consciência de Deus é apresentada. Quando esse estado é atingido, a distinção entre indivíduo e objeto desaparece. Tudo é um Todo que complementa o planeta. Tudo está ligado ao Todo por uma presença cujo poder é infinito. Aqui há total transcendência.

Obras de arte calibram nesse nível entre 600 e 700 Hertz, e tem a característica de transportar-nos temporariamente para níveis mais elevados de consciência. São pessoas universalmente reconhecidas como inspiradoras e atemporais. Neste estado estão mestres espirituais que trabalham para o aperfeiçoamento da humanidade.

Iluminação (700 Hertz)

Aqui o ser vive em união com o Todo. Temos o fim do individualismo, o fim do ego, o homem transcende de maneira inexplicável. É o nível mais alto da consciência humana, podendo ser confundido com divindade. Neste estado, o corpo é visto apenas como uma ferramenta de consciência por meio da intervenção da mente, o valor que prioriza é a comunicação.

A consciência se mostra presente em todas as suas ações, obtendo o pico da evolução da consciência do ser humano. Há extrema intuição e inspiração, calibrando às vezes até 1.000 Hertz na escala da consciência, um nível de pessoas como Jesus, Buda e Krishna.

Só o fato de pensar sobre pessoas desse nível pode fazer você aumentar o seu nível de consciência. É aqui que acontece o estado da "consciência elevada", o entendimento de que o mundo é verdadeiramente indescritível.

TABELA DE SENTIMENTOS E SEUS POLOS CONTRÁRIOS:

Nesta tabela, você pode identificar o nível de consciência em que está vibrando neste momento.

SENTIMENTO	POLO CONTRÁRIO
Disposição	Desorganização, preguiça, apatia, caos, desarrumação.
Aceitação	Desinteresse, repulsão, negação, declinação, descarte, enjeitamento, repúdio, desaceitação, repulsa, recusa, rejeição.
Razão	Alucinação, consequência, devaneio, cegueira, ofuscação.
Amor	Fobia, desafeição, antipatia, desafeto, desamor, animosidade, abominação, aversão, desprezo, horror, inimizade, negligência, desapreço, ódio, raiva, malquerença, hostilidade, repulsa.
Alegria	Desolamento, entristecimento, sofrimento, mortificação, mágoa, dor, desapontamento, pena, desconsolo, insatisfação, padecimento, amargor, frustração, desolação, mal-estar, luto, desânimo, desgosto, aflição, tristeza, contrariedade, decepção, descontentamento, desconsolação, afligimento, depressão, angústia, contristação, pesar, consternação, abatimento.
Paz	Intranquilidade, movimentação, agonia, conturbação, pico, ânsia, paixão, aflição, angústia, medo, pânico, agitação, alvoroço, desassossego.
Iluminação	Ignorância

Abaixo, vou presentear você com cinco Ferramentas Quânticas e um Exercício para limpeza de emoções correspondentes, além dos comandos da poderosa Técnica Hertz – Reprogramação da Frequência Vibracional®, para alterar sua realidade.

FERRAMENTAS E EXERCÍCIOS QUÂNTICOS PARA ELEVAR SUA FREQUÊNCIA E VIBRAÇÃO

Qual emoção você está vibrando agora?

Ferramenta 1: Mudança de Frequência Imediata

Proponho um exercício: Sugiro que você tire um tempo, dois minutos para respirar e vibrar em emoções altas. Eleve sua frequência. Se possível, tome um banho relaxante, deposite uma boa dose de amor em si mesmo, experimente vibrar em frequências altas de amor, luz, benção, iluminação, felicidade e paz. Sinta como é estar próximo de níveis mais altos, saindo das reclamações e vibrando em escalas de gratidão, amor e alegria. Permita se enxergar entusiasmado, feliz com o dia que se inicia ou que se encerra, olhe para sua vida e veja que todos os seus ideais podem ser alcançados, você só precisa acreditar e sentir que pode fazer acontecer à mudança da sua vida.

Pare de pensar "igual", aja, solte, imagine, cocrie. Sinta essa vibração por dois minutos e depois relaxe em seus pensamentos, onde estiver. Você só precisa parar e experimentar essa alta frequência.

Determine agora a mudança que você espera que aconteça na sua vida amanhã.

Ferramenta 2: Comando Quântico – Serve para o cancelamento de sentimentos ruins que você está vibrando trazendo mais desse mesmo sentimento que está emitindo

Toda vez que você sentir raiva, escassez, medo, mágoa, vingança, ódio ou qualquer sentimento ruim que por algum motivo tenha lhe feito vibrar em uma vibração baixa, você precisa pensar no quanto o Universo é um campo eletromagnético e decidir se adequar a vibração positiva que ele possui. Se o "outro" fez algo ruim a você, com certeza ele também irá receber mais do mesmo que enviou ao Universo, por isso, não cabe a você se responsabilizar pelo mal causado, e sim limpar e cultivar bons sentimentos para que você possa vibrar no perdão, na gratidão e na felicidade. Lembre-se de que o maior interessado em ser feliz é você, então identifique quais são os sentimentos que lhe atrapalham e cancele-os utilizando este seguinte comando:

"Código, Divina alma, EU SOU. Sentimento de mágoa (raiva, medo, escassez, ódio, vergonha, culpa, etc.) está Cancelado, Cancelado, Cancelado."

Utilize este comando em voz alta, com entonação forte, emitindo realmente um comando para o seu cérebro. Falar com convicção e certeza eleva sua vibração e faz a sua mente se reprogramar, mudando o padrão inicial de pensamento que ela estava sentindo. A sua mente obedece às suas ordens, é você quem determina como ela deve trabalhar e agir.

"Código, Divina alma, eu decreto neste momento a abundância, a riqueza em minha vida. Código, Divina Alma, EU SOU. Eu Sou próspero, Eu Sou rico, Eu Sou feliz, Eu Sou alegre, Eu Sou amor."

Desta maneira você cancelou a polaridade negativa e polarizou os sentimentos de alta vibração positiva. Estes comandos são altamente valiosos e tem o poder de mudar a trajetória da sua vida em cinco minutos e principalmente a sua realidade futura a longo prazo.

"Evolua o seu espírito e a sua consciência porque eles são eternos. E a única coisa que eu tenho certeza nesta vida é que você está aqui para ser feliz."

Ferramenta 3: Controle sua mente e livre-se de maus pensamentos

Feche seus olhos e inspire profundamente por alguns segundos. Ao sentir-se mais calmo e com a respiração mais tranquila, diga em voz alta as seguintes palavras para que sua mente associe o sentido do significado de felicidade.

"Ao acordar conscientemente eu crio. Eu crio o meu dia do jeito que eu desejo que seja, dou-me como espaço e a minha mente examina as coisas que eu posso fazer até que eu chegue ao ponto que me interessa – o ponto de intenção da criação do meu dia. Eu estou no comando."

Este exercício se intensifica a cada dia de aplicação, este é um dos exercícios mais utilizados por mim, Elainne. Ele já trouxe resultados incríveis de cocriação em minha vida, e quanto mais eu faço, mais uma rede neural se constrói em minha mente, me fazendo aceitar que tudo que eu desejo é possível, me oferecendo o poder correto e suporte que incentiva a repetição contínua todos os dias.

Com o passar do tempo, qualquer comando torna-se um padrão e a partir disso à mudança na vida se torna real. Novas mudanças neurais são ativadas com a repetição e deste modo nos abrimos para a possibilidade suprema de decifrar as emoções criadas ao longo de nossa vida, tornando constante a nossa evolução como cocriadores.

"Eu me torno consciente! Planejo e sinto que estou desenhando o meu destino". "Eu estou no controle" – "Eu estou no comando".

Ferramenta 4: A gratidão transforma

Una suas mãos próximo ao queixo e à boca, feche os olhos e faça cinco respirações profundas, bem devagar. Silencie os pensamentos e pense em todos os motivos que você tem para ser grato em sua vida.

Observe a si mesmo, sinta as coisas que lhe fazem sentir a gratidão, o seu alimento de hoje, o canto dos pássaros que pode servir de calmante para sua mente, o brilho do sol, o seu corpo perfeito, suas células, seu organismo que funciona de maneira correta, perceba, compreenda, sinta a gratidão, sinta a sua emoção e vibração ao pensar nas coisas que lhe fazem feliz, nas coisas que você deseja conquistar, nos seus motivos para mudar e melhorar como ser humano. Agradeça quem você já é hoje, como se comporta, e entenda que se você deseja sentir o efeito da gratidão, você já precisa se amar e respeitar exatamente como é. Desta forma você muda e vivencia a plenitude da vida. Você é especial e importante para outras pessoas, permita-se acreditar na força da gratidão, seja feliz por ser grato.

"Nós temos que mudar o que desejamos e concentrar nossa energia na consciência de quem somos. Não devemos criar pensamentos a ponto de perdermos a noção do tempo, a ponto de perdermos a nossa noção de identidade. No momento em que estamos envolvidos a viver nesta experiência precisamos nos concentrar na ideia de quem somos e o que estamos sendo."

E nós somos de fato, a única coisa real que existe.

"Você é um cocriador, você é o cocriador do seu futuro."

Ferramenta 5: Comando quântico que limpa e cancela crenças de autossabotagem

A autossabotagem está associada às nossas crenças e opiniões adquiridas em nosso crescimento durante a infância. Quando não conseguimos arriscar algo novo ou nos sabotamos sempre que uma grande oportunidade aparece, por medo, desespero, ou até o sentimento de "cautela", muitas vezes estamos deixando estas crenças agirem e dominarem nossa possibilidade de fazer acontecer e de dar certo.

É normal que todos nós tenhamos as nossas crenças, mas não é normal deixarmos elas nos dominarem, nos mantendo paralisados sempre que pensamos em obter algo novo ou ao menos pensar que somos merecedores de algo que nos traga felicidade. Para eliminar qualquer pensamento de autossabotagem e limitação de criar a sua realidade, execute quantas vezes achar preciso o aumento de frequência e vibração do seu corpo físico para sua mente quântica.

Feche os olhos e sinta fortemente a sua frequência se modificando ao falar e fazer o seguinte exercício:

"Presença, Divina Alma, este sentimento que sinto agora de ________________ está Cancelado, Cancelado, Cancelado."

Ao pensar sobre algo que lhe faça ter qualquer sentimento de limitação ou bloqueio, feche os olhos e faça um movimento sinestésico em frente ao seu corpo (movimento de cortar) decretando a frase acima. Falar em voz alta faz amplificar a sua frequência. O decreto do comando e o movimento da sinestesia emitem a sensação de certeza para o Universo de que 'tal pensamento' já não lhe pertencerá mais.

Você faz o movimento de corte e decreta quantas vezes sentir necessidade. Feche os olhos e sinta.

Em todos os pensamentos ruins que lhe bloqueiam de acreditar que a felicidade lhe pertence e que os seus sonhos deverão ser realizados, fale alto:

"Presença, Divina Alma, que a felicidade e o amor me encontrem. Que assim seja."

Neste exemplo, temos as seguintes frases para os momentos que você pensar ou sentir que não é capaz:

"Eu posso, eu consigo, eu mereço ser feliz."
"Qualquer sentimento ruim que esteja me impedindo de crescer e criar está Cancelado, Cancelado, Cancelado."

Exercício: Não existe certo ou errado - Desprogramando a mente inconsciente

Qualquer emoção ou sentimento que você tem inconscientemente gera uma energia que influencia na frequência que você está emitindo. A sua mente inconsciente não sabe discernir as palavras ou pensamentos que você tem como bons ou ruins. Ela apenas aceita qualquer mensagem que é codificada por meio da emoção sentida no momento da "prece".

Portanto, se você está enviando uma emoção de rejeição à sua mente inconsciente, sem dúvida essa emoção se juntará a outras que somatizarão uma frequência de rejeição e abandono, multiplicando os sentimentos que você sente em relação ao que vive. Isso significa que, ao longo da vida você irá sentir rejeição do colega, amigo, sobrinho, primo, vizinho, e resistência às possibilidades que poderiam surgir, novas ações e acontecimentos, e muito provavelmente não terá grandes realizações, pois sempre vai ter codificado como emoção as rejeições que reuniu ao decorrer da vida. Isso faz a mente programar uma rede neural perigosa, porque você somatiza e aumenta a frequência emitida, dando mais força para essa emoção comandar e impactar a sua mente, trazendo mais dos acontecimentos que você tem vibrado.

Lembre-se sempre que qualquer programação pode ser modificada em sua mente. Não há essa de que você já se acostumou, ou que nasceu assim, que é hereditário, ou genético. Eu afirmo a você, não há nenhuma programação mental que não possa ser modificada. São apenas crenças e hábitos que adquirimos no decorrer da vida, e tudo pode ser reprogramado, limpado e programado novamente. Para limpar e programar uma nova realidade é preciso identificar as emoções que estão sendo contrárias, que estão atrapalhando as suas experiências de se tornarem reais.

A Técnica Hertz ensina como fazer o passo a passo da limpeza e reprogramação das emoções. Ela é um entrelaçamento quântico das mais poderosas experiências de reprogramação da mente. Seguindo adiante temos as instruções para a utilização da técnica, mas se preferir você também pode acompanhar em minhas plataformas digitais os vídeos explicativos de fácil acesso.

COMANDOS DA TÉCNICA HERTZ

"Fonte Criadora, Criador de tudo que é, Divino Criador limpe em mim..."

- **Desprogramação**: "Fonte Criadora, Criador de tudo que é, Divino Criador limpe em mim o sentimento de abandono que sinto. Está Cancelado, Cancelado, Cancelado."
- **Reprogramação**: "Fonte Criadora, Criador de tudo que é, Divino Criador eu sou segurança, eu sou amor."
- **Programação**: "Presença Divino pai, filho, espírito, eu sou grato, sou grato pela confiança, pela segurança, pelo amor que sinto. Obrigado por já ser."

Para a compreensão da técnica, faça a desprogramação de todos os pensamentos de bloqueios que lhe impedem de vivenciar a vida que você gostaria de viver. Identifique quais são os medos (emoções) que estão prejudicando você e faça a desprogramação dos comandos utilizando essa a Técnica Hertz. Se o seu anseio é ter riqueza, faça uma lista das emoções que lhe bloqueiam e entenda porque você ainda não atingiu este estado. Perceba que, para alcançar o outro lado da ponte que você quer chegar, precisa compreender o lado que você ainda está. Portanto, se sente escassez, angústia ou medo por ter que pagar muitas contas, faça a limpeza destes pensamentos e comece a se imaginar efetuando todos os pagamentos, usufruindo de tudo que chegará até você, das oportunidades que gostaria de receber. Sinta o desbloqueio destes medos indo embora e pratique a técnica com os comandos ensinados acima.

Ao finalizar a desprogramação por meio da Técnica Hertz, permaneça em ponto zero (ausência total de pensamentos), tente expulsar e treinar sua mente para que ela silencie os pensamentos que surgirem. Este é um momento em que você talvez consiga permanecer por poucos segundos ou quase nenhum, mas durante os dias utilizando a técnica, você perceberá mudanças nesse processo. Se um pensamento passar por sua mente e tentar lhe controlar, continue a respirar e expulse-o. Faça isso seguidamente até sentir seu limite. Respeite e entenda sua mente, está tudo certo entre vocês.

A técnica é íntima, deve haver uma entrega e o desprendimento para as emoções de bloqueio, desapegue destes sentimentos que são hábitos que o impedem de viver e escolha sentir apenas a sinestesia da polaridade da gratidão, do amor, do receber. Decrete o que agora foi cancelado em sua vida, os sentimentos que não farão mais parte do seu convívio e assuma o comando neste processo. Acesse os níveis mais íntimos de sua vida, se necessário chore, está tudo bem, agora você está fortalecido e removeu sentimentos de bloqueios.

Repita: *"Eu sou grato, presença, Divino pai, filho, espírito, eu sou grato(a) por ter abundância, saúde, paz e amor em minha vida. Está Feito, Está Feito, Está Feito."*

No próximo capítulo, vou apresentar o conceito original de coerência cardíaca, que está na FASE I do Método de Blindagem Emocional 1.000 Hertz®, bem como a maneira pela qual coração e cérebro se comunicam. Vou explicar a importância dessa comunicação para sua saúde e para potencializar seu poder cocriador da realidade. Também vou mostrar a relação entre suas emoções e seu sistema nervoso autônomo.

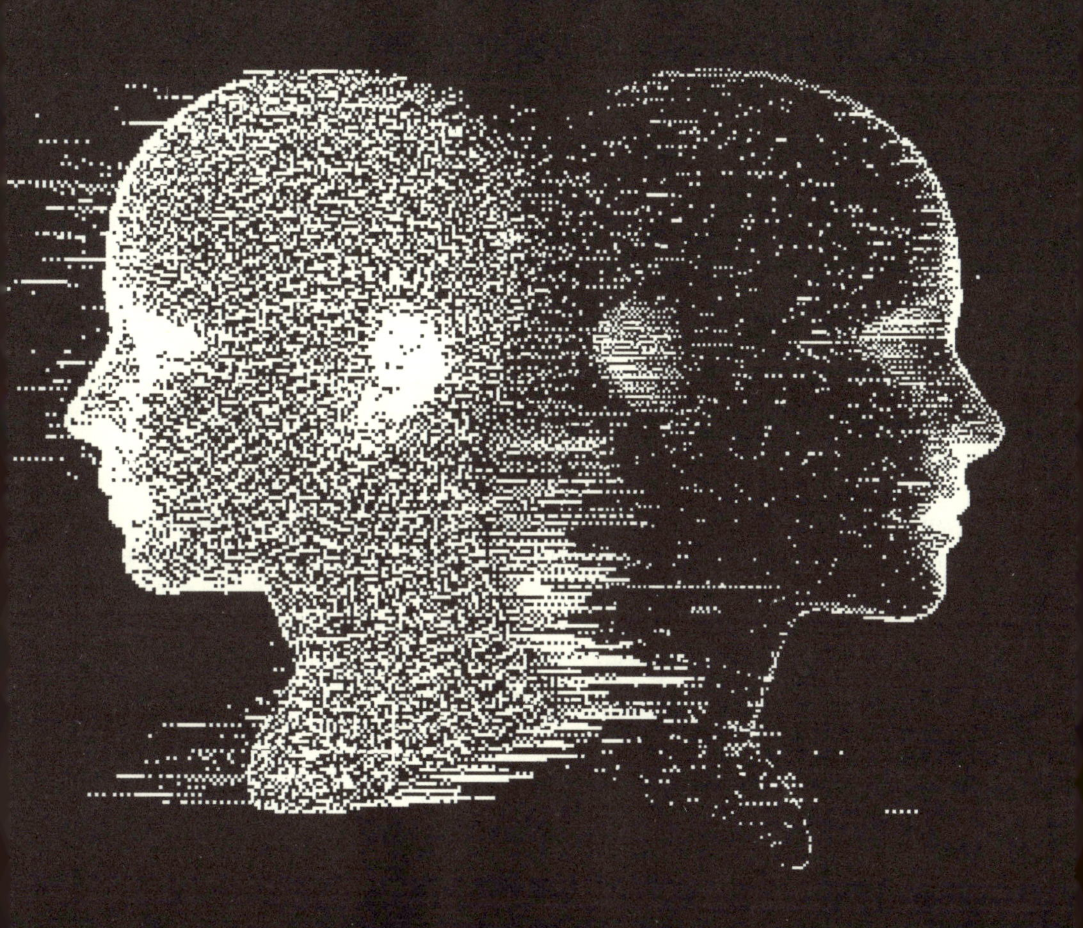

CAPÍTULO 6
FASE I - MÉTODO DE BLINDAGEM EMOCIONAL 1.000 HERTZ® COERÊNCIA CARDÍACA

COMO ACESSAR A INTELIGÊNCIA DO CORAÇÃO, PONTE PARA O ALINHAMENTO VIBRACIONAL, POR MEIO DA COERÊNCIA HARMÔNICA

Neste capítulo vamos nos dedicar ao coração! Afinal, eu não poderia escrever um livro sobre emoções sem mergulhar profundamente nos mistérios desse órgão. Na verdade, o funcionamento do coração, sua relação com as emoções e com a realidade que manifestamos não são mais mistérios, pois tudo isso foi explicado e comprovado cientificamente por meio das pesquisas do Instituto HeartMath e, em especial, pelos estudos do dr. Joe Dispenza, um dos principais parceiros da instituição.

Você verá como as pesquisas do HeartMath, na qual eu sou formada, comprovam que a Fórmula da Emosentização® – que será ativada no capítulo seguinte, na Fase II do Método de Blindagem Emocional 1.000 Hertz® – é de fato capaz de alterar nossa biologia para, assim, alterar também nossas vidas, produzindo efeitos na matéria.

Outro assunto fundamental que veremos é a energética relacional, temática pela qual compreendemos como estamos todos interconectados uns aos outros e, por isso, tanto influenciamos como somos influenciados constantemente, quer tenhamos consciência ou não. Também vamos analisar juntos o conceito de variabilidade da frequência cardíaca e suas implicações em nossa saúde física e mental. Vamos aprender como entrar no Campo Quântico por meio da coerência harmônica e de que forma fazer isso.

No final do capítulo, você encontrará a técnica de coerência cardíaca por meio da qual acessará a sabedoria do seu coração para potencializar seu poder de Holo Cocriador® de tudo. Essa é a ação prática da Fase I do Método de Blindagem 1.000 Hertz®.

O CORAÇÃO É SÁBIO

Após quase trinta anos de estudos e pesquisas, a conclusão fundamental do Instituto HeartMath, pelo qual tenho formação como Mentora certificada HeartMath Institute® EUA e Treinadora certificada HeartMath Institute® EUA, é que nosso coração é muito inteligente e sábio. Apesar de culturalmente termos a compreensão de que o coração sente e o cérebro pensa, a verdade é que eles estão profundamente conectados, comunicam-se constantemente e operam juntos para nos ajudar a regular os campos emocional e comportamental em nossas respostas intuitivas e automáticas. Em outras palavras, o coração pode ajudar o cérebro a trabalhar melhor!

Nosso coração é muito mais do que uma "máquina extraordinária", como descreveu René Descartes em sua visão mecanicista do homem e do Universo. O coração é muito mais do que uma fantástica bomba muscular que faz nosso sangue circular e nos mantém vivos, ele é, na verdade, uma incrível fonte geradora de campos eletromagnéticos que permite nossa conexão com a Matriz Holográfica®.

Quando o coração está em equilíbrio, em coerência harmônica, é uma grande fonte de inteligência e sabedoria que nos orienta a tomar decisões e compreender a nós mesmos e aos outros, possibilitando a conexão com níveis de consciência mais elevados por meio do amor, da gratidão, da compaixão e da alegria, entre outras emoções de alta vibração.

Apesar de culturalmente termos a compreensão de que o coração sente e o cérebro pensa, a verdade é que eles estão profundamente conectados.

A frequência cardíaca, que até pouco tempo era considerada pela medicina convencional meramente como um pulso eletromecânico, na verdade representa uma linguagem muito inteligente por meio da qual o coração envia sinais para se comunicar com o cérebro e com todo o nosso corpo e ser, de maneira que o que se passa com o nosso coração pode afetar todas as coisas que fazemos e, por sua vez, todas as coisas que sentimos podem afetar nossa saúde tanto física quanto mental.

COERÊNCIA CARDÍACA

A coerência cardíaca corresponde à capacidade do coração de bater de maneira rítmica e ordenada independentemente das condições do ambiente externo, o que o torna "inteligente".

A coerência, entendida em seu aspecto fisiológico, corresponde à habilidade de autorregulação, de maneira que, quanto mais coerentes e equilibrados na mente, no corpo e no espírito, mais facilmente alcançamos estados emocionais, comportamentais e físicos regulados. Em outras palavras, a coerência é o estado primordial no qual o coração, a mente e as emoções operam harmoniosamente em conjunto e equilíbrio.

O coração, como ponte entre os centros inferiores e superiores, é capaz de transmutar a energia e as emoções egoístas de sobrevivência típicas dos três primeiros centros em estados de altruísmo, generosidade e compaixão, o que possibilita tomar decisões e fazer escolhas pensando não somente no seu próprio bem, mas no bem de todos.[9,10]

---

9 RIBEIRO, G. As razões do coração – coerência cardíaca. **Psicologias do Brasil**, 16 dez. 2015. Disponível em: https://www.psicologiasdobrasil.com.br/as-razoes-do-coracao-coerencia-cardiaca/. Acesso em: 26 jul. 2021.

10 MOURA, R. R. de; MENDES, T. Contribuições da técnica coerência cardíaca: um estudo de revisão. **Revista Científica da Escola Estadual de Saúde Pública de Goiás "Cândido Santiago"**, Goiânia, v. 2, n. 3, 2016. Disponível em: https://www.revista.esap.go.gov.br/index.php/resap/article/view/39/54. Acesso em: 26 jul. 2021.

O coração é a grande conexão com o cérebro, entre emoção e pensamento para tomada de decisões e escolhas mais positivas. Ele possui três centros de comunicação bioenergética e pulsação integrados. São eles:

1. O coração é o centro físico do sistema circulatório, com cerca de 75 trilhões de células nervosas. Para efeito comparativo, o cérebro tem 86 bilhões de neurônios;
2. O coração é o centro eletromagnético do corpo humano. Ele emana 5 mil vezes mais eletromagnetismo do que o cérebro. Também tem seis vezes mais eletricidade;
3. O coração é ainda o centro neural do corpo, pois 60 a 65% de suas células são neurais, da mesma forma que os neurônios do cérebro.

Por isso, o coração é considerado inteligente, pensante, sensitivo, intuitivo e vibrátil. Por meio dele, é possível gerar vibração de alta frequência e promover a comunicação entre emoção e razão.

Além disso, manter o contato direto com as ondas frequenciais do Universo, em fase com a Matriz Holográfica®, no processo avançado de cocriação da realidade, de reprogramação emocional e neurológica.

Podemos chamar esse processo natural de coerência harmônica. Segundo indicam estudos, em estado de coerência, a totalidade do coração dissipa quaisquer sentimentos relacionados à carência ou escassez, levando a um estado criativo a partir do qual a "magia" começa a acontecer, pois você não fica mais subordinado aos estímulos da realidade externa para satisfazer suas necessidades e, dessa forma, quando deseja algo, é capaz de criar novas experiências a partir de si mesmo, simplesmente vivenciando seu futuro como se ele já estivesse acontecendo.

Em estado de coerência, a totalidade do coração dissipa quaisquer sentimentos relacionados à carência ou escassez, levando a um estado criativo a partir do qual a "magia" começa a acontecer, pois você não fica mais subordinado aos estímulos da realidade externa para satisfazer suas necessidades.

Quando o coração está em coerência, nos sentimos bem, relaxados, seguros e podemos acessar nossa criatividade e intuição. Entretanto, quando o coração está em incoerência, batendo de maneira desordenada, nós nos sentimos ansiosos, inseguros, tensos e sem foco, num estado de alerta constante, sempre à espera do pior.

A incoerência cardíaca é causada pelo estresse crônico decorrente da liberação contínua da química adrenal, o que faz com que a manutenção da homeostase deixe de ser algo natural e se torne um grande esforço do corpo, o qual, muitas vezes, é malsucedido, e a partir daí começam a aparecer os sintomas. Infelizmente, muita gente não se dá conta de que vive em estado de estresse crônico até acontecer algum evento impactante, como um infarto.

CORAÇÃO: UMA PONTE PARA A MATRIZ HOLOGRÁFICA®

O coração pulsa na altura do nosso quarto centro de energia. Ele é o ponto médio entre os centros de energia inferiores e superiores. Por isso, é considerado como uma ponte ou um portal a partir do qual é possível acessar os níveis de energia e consciência mais elevados. É no coração que nossa divindade começa, e é a partir dele que conseguimos nos conectar com o Campo Quântico.

Isso porque o coração está bem no centro. Ele parece ser um divisor entre os centros inferiores e superiores, mas, na verdade, é o unificador de todos os centros e de todas as polaridades. Por isso, quando seu coração está em coerência, você se sente mais inteiro, pleno e satisfeito, não só no seu mundo interior, mas com tudo e todos a sua volta.

PRINCIPAIS BENEFÍCIOS DA COERÊNCIA CARDÍACA

Além de interferir diretamente ao agir como catalisadora do seu potencial de cocriador da realidade, a coerência cardíaca promove benefícios para sua saúde em geral, pois quando o ritmo cardíaco é harmonioso, a consequência natural é uma redução do estresse em todos os sistemas do corpo e um aumento da energia vital, o que proporciona um estado de ampla prosperidade mental, emocional e física.

Veja alguns dos principais benefícios da coerência cardíaca para a sua saúde:

- Redução da pressão arterial;
- Melhoria no sistema nervoso;
- Equilíbrio hormonal;
- Melhor desempenho das funções cerebrais;
- Aumento da imunidade;
- Diminuição do estresse;
- Aumento da clareza mental;
- Melhoria na tomada de decisões;
- Facilidade no acesso à intuição e à criatividade;
- Promoção de uma expressão genética mais saudável;
- Equilíbrio de todos os órgãos e sistemas do corpo.

EFEITOS DA COERÊNCIA CARDÍACA NO SISTEMA NERVOSO AUTÔNOMO

Nosso sistema nervoso autônomo (SNA) subdivide-se em dois sistemas complementares:

- **Sistema Nervoso Simpático:** responsável por todas as atividades excitatórias, como aceleração da respiração, alteração do ritmo cardíaco,

dilatação da pupila e transpiração, entre muitas outras funções fisiológicas de natureza adaptativa que são relacionadas à sobrevivência, ou seja, à preparação do corpo para lutar ou fugir;
- **Sistema Nervoso Parassimpático:** responsável pela função de relaxamento, conservação de energia e pelas atividades inibitórias, todas opostas às descritas acima no sentido de silenciar as funções de alta energia do sistema nervoso simpático e fazer com que o corpo relaxe após as excitações fisiológicas, sempre com o objetivo de conservar energia.

Em uma metáfora, se o seu sistema nervoso autônomo fosse um carro, o sistema nervoso simpático seria o acelerador e o sistema nervoso parassimpático seria o freio. E, da mesma forma que na condução de um carro é necessária uma perfeita harmonia entre pisar no freio e pisar no acelerador, para o funcionamento saudável do seu corpo também é indispensável que haja harmonia entre as atividades dos dois ramos do SNA.

Nosso coração é conectado com os dois ramos do SNA, o que significa que toda alternância de atividades dos sistemas simpático e parassimpático afeta o ritmo cardíaco. Em outras palavras, todas as emoções que sentimos, boas ou más, afetam o nosso ritmo cardíaco.

Os dois ramos do SNA se revezam continuadamente fazendo a comunicação entre o coração e o cérebro, transmitindo as mensagens adequadas para o funcionamento harmonioso do corpo (homeostase). Quando o coração bate de maneira ordenada, ou seja, quando está em estado de coerência, ele leva o SNA à coerência, garantindo um equilíbrio harmonioso e coerente no funcionamento dos sistemas nervosos simpático e parassimpático, o que, por sua vez, melhora as funções cerebrais.

Repousar a atenção no centro do peito e cultivar emoções elevadas ativa o SNA (que, entre outras funções vitais autônomas, comanda a frequência cardíaca, lembra?) e faz com que o coração atinja e mantenha uma frequência cardíaca coerente.

Emoções negativas que induzem a estados de estresse prolongados fazem com que o coração bata de maneira incoerente e desorganizada. O cultivo de emoções elevadas a longo prazo, em contrapartida, faz com que o corpo libere mais de mil substâncias químicas diferentes, capazes de promover a harmonia e o equilíbrio.

RESILIÊNCIA

Para a manutenção da homeostase e para aumentar nossa habilidade de administrar o estresse, é fundamental desenvolver a **resiliência**, que é basicamente a capacidade adaptativa de se manter íntegro, apesar das adversidades.

O Instituto HeartMath define resiliência como "a capacidade de se preparar para recuperar-se e se adaptar a estresse, adversidade, trauma ou dificuldade".[11]

O domínio da resiliência se fundamenta na flexibilidade dos quatro aspectos do ser: físico, emocional, mental e espiritual:

- Flexibilidade física: resistência e força;
- Flexibilidade emocional: perspectiva positiva e autorregulação;
- Flexibilidade mental: atenção, foco e incorporação de múltiplos pontos de vista;
- Flexibilidade espiritual: comprometimento com os próprios valores e tolerância com os valores dos outros.

DOMÍNIOS DA RESILIÊNCIA

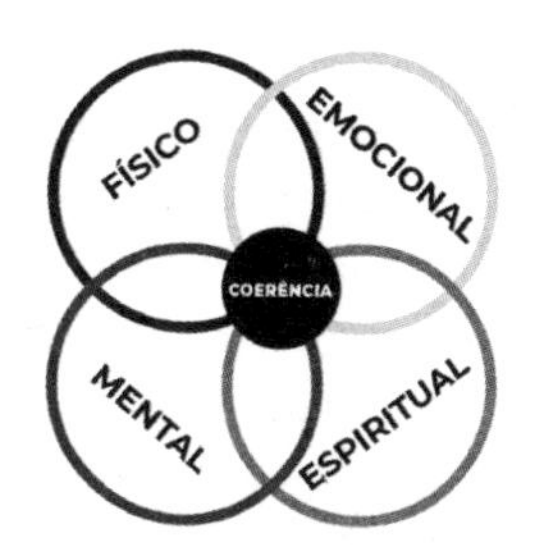

VARIABILIDADE DA FREQUÊNCIA CARDÍACA (VFC)

Um outro aspecto importante que merece nossa atenção é a variabilidade da frequência cardíaca (VFC), que, tecnicamente falando, é a medida do tempo entre dois batimentos cardíacos consecutivos. A VFC reflete a flexibilidade do coração e do sistema nervoso, o equilíbrio da vida mental e emocional, além de prever futuros problemas de saúde. Por meio do estudo da VFC, é possível compreender a relação intrincada existente entre cérebro, coração e emoções.

Existe uma relação entre estados emocionais e a VFC, no sentido de que emoções elevadas fazem com que a VFC apresente um padrão de coerência cardíaca que se reflete na sincronização dos dois ramos do SNA e também na sincronização da atividade cerebral que ocorre nas estruturas mais elevadas do cérebro.

Quando existe incoerência cardíaca, a VFC é aleatória e desordenada, mas, quando há coerência, ela é rítmica, ordenada e segue um padrão previsível.

Observe a figura a seguir que ilustra a medição da VFC de um indivíduo: veja que à esquerda não existe um padrão, as acelerações e as desacelerações dos batimentos cardíacos são aleatórias, pois a pessoa se encontra em estado de incoerência. Entretanto, na medida em que ela entra em coerência cardíaca, a VFC adquire um padrão regular, ordenado, rítmico e até bonito.

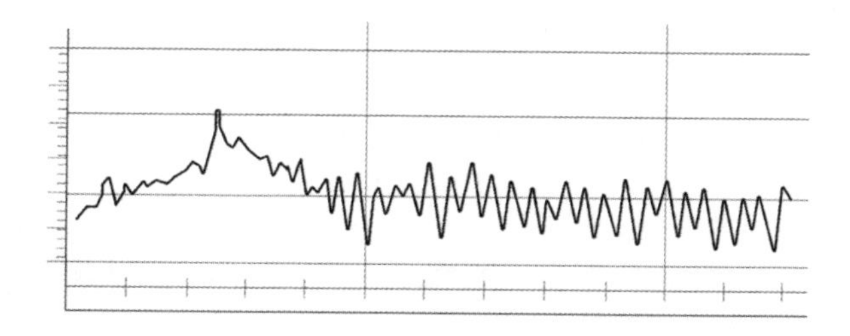

11 DISPENZA, J. **Como se tornar sobrenatural:** pessoas comuns realizando o extraordinário. Porto Alegre: Citadel, 2020.

Padrões menos coerentes são associados ao estresse e a estados emocionais negativos, como frustração, raiva ou ansiedade, enquanto padrões mais coerentes são associados ao relaxamento e a estados emocionais positivos como prazer, amor, compaixão, gratidão e apreciação.

Alcançar um padrão ordenado e coerente de VFC é precisamente nosso objetivo quando usamos alguma técnica de coerência cardíaca, pois é ele que vai promover o equilíbrio do sistema nervoso autônomo, reduzindo a atividade do sistema nervoso simpático e ativando as funções regeneradoras do sistema nervoso parassimpático.

Quando a VFC está abaixo da média, o indivíduo indica baixa capacidade de autorregulação, que pode se expressar em doenças ou disfunções físicas ou mentais. A baixa VFC também está relacionada a um baixo desempenho cortical pré-frontal, ou seja, com as funções executivas do cérebro que envolvem, por exemplo, as habilidades de inibir memórias indesejadas e escolhas de pensamentos.

Pessoas com transtorno de estresse pós-traumático em geral têm baixa VFC e, por isso, têm mais dificuldades para inibir memórias e pensamentos indesejados. Consequentemente, ficam revivendo com frequência a experiência traumática que tiveram no passado.

A baixa VFC também é associada com a desregulação emocional que se manifesta, por exemplo, por meio de problemas para controlar a raiva, a agressividade ou outras emoções de impacto negativo. Ansiedade e depressão crônicas também são comumente associadas com baixa variabilidade da frequência cardíaca.

E o mais curioso: a baixa VFC é considerada como um indicativo de traumas na primeira infância. Nesse sentido, a análise clínica da VFC pode, inclusive, ser utilizada para identificar se uma pessoa está em risco de adquirir dificuldades futuras na vida.

Em resumo e de uma maneira geral, podemos falar que a baixa VFC é um forte indicativo de problemas de saúde físicos e/ou mentais e também está associada a presença de dores crônicas e níveis mais altos de inflamações, o que consiste numa desregulação do sistema imunológico. A baixa VFC também consiste num valor preditivo melhor do que qualquer outro fator de risco conhecido para infarto do miocárdio.

Geralmente os níveis de VFC se apresentam alterados antes mesmo das pessoas apresentarem os primeiros sintomas de doenças, por isso, é uma boa ferramenta para detectar sinais de desequilíbrio no sistema nervoso autônomo e, em geral, para avaliação e prognóstico em saúde.

Em contrapartida, como a VFC afeta as redes cerebrais, pessoas com maior variabilidade tendem a ter um melhor bem-estar emocional e saúde física do que aqueles com uma menor.

Uma coisa interessante é que, quando se pratica, por exemplo, técnicas de construção de coerência regularmente, a VFC aumenta, criando amplitudes maiores que fortalecem a conectividade funcional das redes neurais associadas com a autorregulação emocional.

COERÊNCIA CARDÍACA E RESPIRAÇÃO

A respiração está intimamente relacionada com o ritmo dos batimentos cardíacos e com a aceleração ou desaceleração da frequência cardíaca, conforme a intensidade e a velocidade com a qual inspiramos e exalamos. Nossos batimentos cardíacos tanto podem acelerar e desacelerar de uma forma muito organizada e previsível quanto de uma forma desordenada e aleatória, conforme você pode ver nas imagens a seguir:

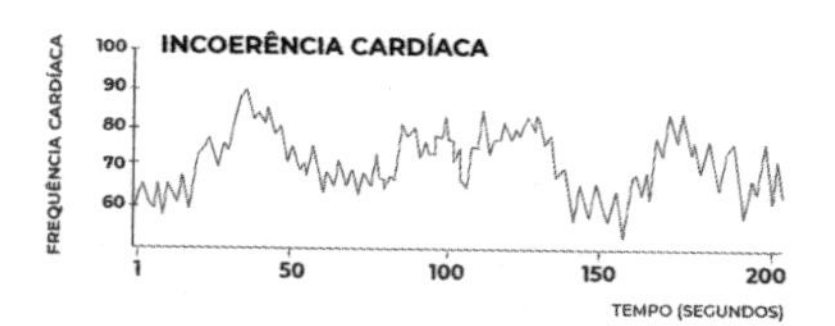

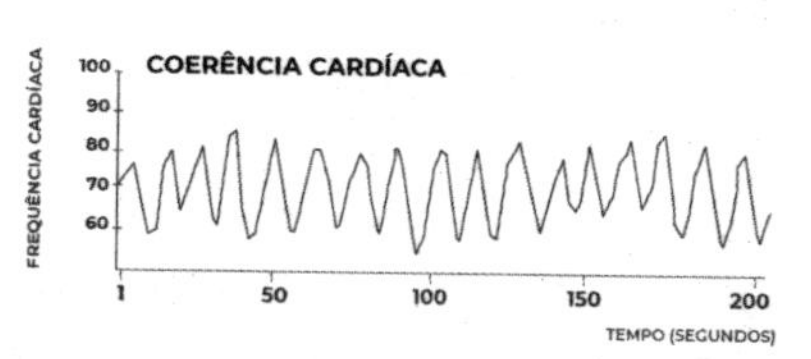

Na imagem da esquerda, você pode observar um padrão de VFC desorganizado, sem previsibilidade, praticamente aleatório e caótico, é exemplo do que chamamos de incoerência cardíaca. Como, você já sabe, tudo está interconectado, por isso, a incoerência cardíaca está relacionada com padrões de resultados desorganizados e incoerentes na vida em geral.

A incoerência cardíaca está relacionada a emoções negativas e limitantes, por isso, tem um impacto negativo no desempenho das funções cerebrais e na performance do indivíduo como um todo, em todos os pilares de sua vida.

Já na imagem à direita, você observa um padrão organizado e coerente de VFC, o qual é associado a emoções positivas e favorece o desempenho das funções cerebrais, o que promove uma ótima performance.

Assim, enquanto emoções negativas como medo, raiva e tristeza tornam os batimentos cardíacos desorganizados e inconsistentes, quando cultivamos e sentimos emoções positivas como compaixão, amor, gentileza, alegria e gratidão, o nosso padrão de batimento cardíaco fica mais coerente, mais rítmico e previsível na maneira em que ele acelera e desacelera.

Quando você respira de maneira consciente e lenta, dedicando pelo menos cinco segundos para inspirar e cinco segundos para exalar, a sua frequência cardíaca se torna mais coerente e rítmica, com acelerações e desacelerações mais previsíveis.

A partir da coerência cardíaca, cria-se uma espécie de onda no seu eletrocardiograma e na sua frequência cerebral, que faz com que os outros sistemas do seu corpo se sincronizem, incluindo a respiração e a pressão sanguínea. Em última instância, a coerência cardíaca promove o equilíbrio

> **Em última instância, a coerência cardíaca promove o equilíbrio das atividades no sistema nervoso central, acalmando o cérebro e fazendo com que ele trabalhe de modo mais eficiente.**

das atividades no sistema nervoso central, acalmando o cérebro e fazendo com que ele trabalhe de modo mais eficiente.

Toda a coerência que reverbera nos outros sistemas e no corpo como um todo, ativa as funções curadoras e regeneradoras do sistema nervoso autônomo e, de maneira geral, está associada com a melhora da função cognitiva, saúde emocional, regulação emocional, habilidade de autorregulação comportamental e aumento da sensação de bem-estar.

GLÂNDULA TIMO

Mais um efeito superinteressante da coerência cardíaca é a ativação da glândula timo, localizada atrás do osso externo. Essa glândula é responsável pelos hormônios do crescimento e pela produção de células-tronco. Por isso, ela trabalha intensamente durante a infância e a adolescência do indivíduo, mas na maturidade começa a atrofiar.

Entretanto, quando o centro cardíaco é ativado, a glândula timo é estimulada por meio da operação do sistema nervoso parassimpático. Claro que você, enquanto adulto, não vai crescer em estatura com essa ativação, mas receberá os benefícios do aumento na capacidade de regeneração celular, melhoria na imunidade, resiliência, saúde e vitalidade de uma forma geral.

O CAMPO MAGNÉTICO DO CORAÇÃO

Quando deliberadamente escolhemos não permitir que as circunstâncias externas determinem quais emoções sentimos e, em vez disso, escolhemos cultivar emoções elevadas a partir de nossas experiências internas, a frequência elevada e coerente dessas emoções é transmitida do coração para o cérebro, o qual libera no corpo as substâncias químicas correspondentes a esses sentimentos e emoções que vivenciamos internamente e, assim, a energia do nosso estado de ser se eleva.

Cultivando emoções elevadas, em vez de sugar a energia do nosso campo eletromagnético, nós o nutrimos para que se expanda ainda mais, e isso se reflete no corpo físico por meio de uma nova bioquímica, mais equilibrada e saudável.

O coração, como ponto médio entre os centros inferiores e superiores do corpo, quando em estado de coerência, atua como um expansor de energia, de modo que, quando colocamos nossa atenção no coração e nas emoções elevadas, a energia decorrente da batida coerente cria um campo mensurável em torno do coração, o qual se funde ao campo eletromagnético do corpo para expandi-lo em uma operação de soma vetorial. Ele é um poderoso recurso, talvez o mais extraordinário e prático dentro do Método da Blindagem Emocional 1.000 Hertz®.

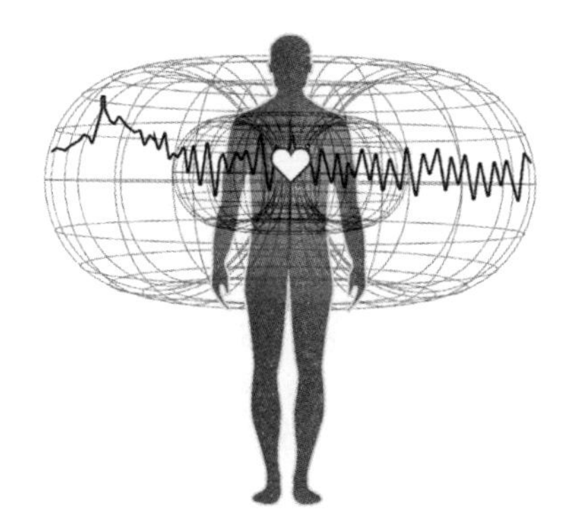

A amplitude da energia produzida a partir do campo magnético do coração eleva o nível de energia do cérebro e faz com que as ondas cerebrais acompanhem a frequência do ritmo cardíaco, de maneira que cérebro e coração entrem em sincronia. Quando isso acontece, a mente analítica silencia, a intuição aumenta, e as funções do sistema nervoso autônomo restauradoras do corpo são ativadas.

Em outras palavras, quando direcionamos nossa atenção para o coração e para as emoções elevadas, a frequência cardíaca faz a função de um amplificador de energia que promove a sincronização do coração com o cérebro, o que afeta todos os órgãos físicos e expande o campo eletromagnético que rodeia o corpo.

NEUROCARDIOLOGIA

Em algum momento da sua vida você já teve a impressão de que seu coração "tem ideias próprias" que às vezes até contrariam as partes racionais da sua cabeça? A verdade é que isso faz total sentido, uma vez que seu coração pode conter até 40 mil neurônios e possui um sistema nervoso que funciona independentemente do cérebro.

O sistema nervoso do coração é tecnicamente chamado de sistema nervoso intrínseco cardíaco, mas é carinhosamente apelidado de "coração--cérebro". Essa descoberta foi tão impactante que os cientistas até criaram um novo ramo da ciência só para estudar o coração-cérebro: a Neurocardiologia.

De acordo com a Neurocardiologia, o coração e o cérebro são conectados por vias ascendentes e descendentes, ou seja, uma via de mão dupla, sendo que 90% dessas vias ou fibras nervosas sobem do coração para o cérebro, enviando sinais que interagem e modificam os centros superiores emocionais e cognitivos do cérebro. O coração manda muito mais mensagens para o cérebro do que o contrário.

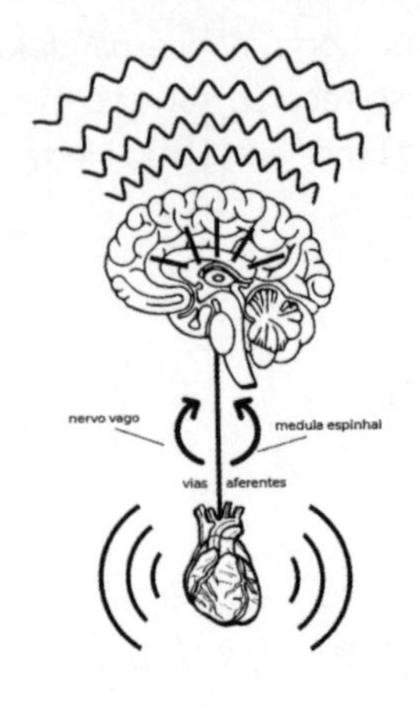

Os sinais transmitidos pelo coração sobem para o cérebro por meio do nervo vago e chegam ao tálamo, aos lobos frontais e à amígdala, cujas células sincronizam-se com a frequência cardíaca.

Em resumo, o coração influencia os centros de sobrevivência do cérebro. E isso quer dizer que quanto mais foco e atenção no coração e na coerência cardíaca, menos você tende a reagir às situações de estresse; e ao contrário, quanto menos foco, atenção e energia no coração, maior a tendência a viver no estresse.

Essa conexão entre o coração e o cérebro comprova que o coração e o SNA trabalham juntos, o que permite que o órgão processe emoções de maneira autônoma, respondendo diretamente ao ambiente. As emoções transmitidas para o cérebro podem ou não provocar a coerência na frequência das ondas cerebrais e a criação de novas redes neurais a partir das quais pode germinar um novo futuro. Em outras palavras, as emoções e sentimentos gerados no coração influenciam a maneira como pensamos e processamos a informação no cérebro.

Os padrões dos sinais neurais do coração afetam especialmente as áreas do cérebro que envolvem a percepção, a experiência emocional e a autorregulação, de maneira que podemos, deliberadamente, controlar certas funções cerebrais, incluindo nossa resposta emocional ao estresse.

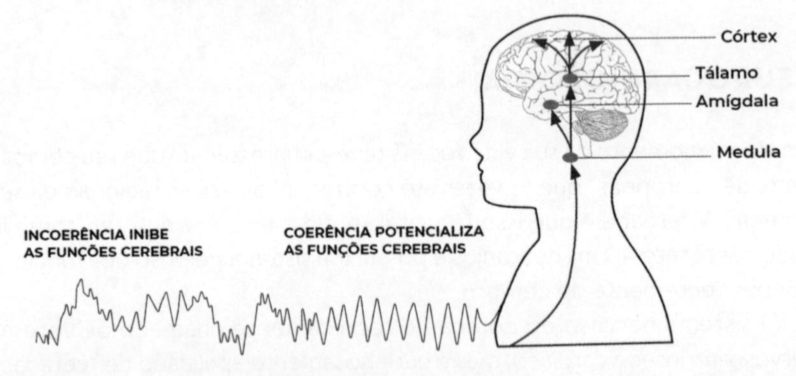

Conforme você pode observar na imagem anterior, o seu ritmo cardíaco afeta diretamente sua performance física e mental, uma vez que todas as áreas do cérebro são afetadas, desde a tomada de decisão, tempo de reação, consciência social até a regulação emocional.

Quando você treina seu coração para que entre em um padrão de batimentos coerente, ele é capaz de enviar mensagens ao cérebro por meio do sistema nervoso parassimpático, o que permite que ele se acalme em uma determinada situação de estresse.

COERÊNCIA CARDÍACA E MUDANÇAS NOS PADRÕES NEURAIS

A coerência cardíaca é capaz de modificar os padrões neurais de modo que seja possível uma pessoa reverter seu estado atual de enfermidade, disfunção ou desequilíbrio físico ou mental.

No dia a dia, repetimos certos pensamentos, emoções e comportamentos que criam padrões neurais para respostas automáticas e inconscientes. Independentemente de esses padrões serem saudáveis, positivos, ou não, tudo aquilo que pensamos, sentimos e fazemos repetidamente se torna fixo na nossa arquitetura neurológica como um padrão familiar e confortável, o qual é acionado de maneira automática, sem análise consciente.

Todos nós temos situações de ansiedade no dia a dia e, de fato, somos naturalmente preparados para lidar com o estresse de curto prazo. O problema é quando desenvolvemos os padrões automáticos de resposta ao estresse, porque a consequência é uma ativação constante do sistema nervoso simpático, o que, em longo prazo, esgota a capacidade autorregulatória, consome a energia vital, reduz a resiliência e compromete a saúde da mente, do corpo e do espírito.

O problema maior é que a maioria das pessoas não tem consciência de que está em estado de ansiedade crônico, isto é, que está vivendo sob a química do estresse liberada pelas reações automáticas, de maneira que o estresse se torna algo normal e a pessoa se acostuma e até se sente confortável com seu estado de ser habitual.

Nosso cérebro tende a funcionar conforme os "programas instalados", quer dizer, conforme os padrões neurais, e como o cérebro está constantemente monitorando as informações dos ambientes internos e externos para manter o padrão – seja ele bom ou ruim –, a tendência é voltar ao padrão predominante e mantê-lo "rodando".

O interessante é que, quando a pessoa eventualmente pensa, sente ou faz algo fora do padrão, ela se sente desconfortável, de modo que uma pessoa que é acostumada com crises de ansiedade diárias e constantes acaba sentindo falta dos estímulos responsáveis por sobrecarregar seu corpo com os hormônios do estresse.

Como o "sistema operacional" do cérebro sempre procura manter o padrão mais familiar e mais confortável possível, quando você começa a se trabalhar para conscientemente alterar os padrões automáticos do estresse e instalar novos padrões de coerência e resiliência, as mudanças positivas, em um primeiro momento, podem ser desconfortáveis e estranhas.

A grande questão é que, para realizar efetivamente essas mudanças na sua programação, são necessários estímulos não só na mente, mas também no corpo, razão pela qual técnicas de reprogramação mental baseadas em pensamentos e afirmações positivas, isoladamente, não geram resultados, pelo contrário, geram ainda mais estresse decorrente da frustração.

Por isso, para que a reprogramação de novos padrões seja eficaz, é preciso ir além do pensamento, além da mente, e usar técnicas que envolvam experiências corporais, físicas, capazes de ativar e sustentar um padrão de coerência cardíaca.

Ao ativar e sustentar um padrão de coerência cardíaca, você treina seu sistema nervoso autônomo para um novo estado de normalidade, até que o próprio sistema realmente comece a reconhecer o estado mais resiliente e eficiente em termos de energia como familiar, de modo que se torne o seu novo ponto geral de partida.

Assim, é possível "reiniciar o sistema" para a desinstalação de antigos programas e a inserção de novos por meio do aprendizado e da prática de habilidades que promovam a capacidade autorregulatória e que sustentem a coerência.

COERÊNCIA CORAÇÃO-MENTE-CORPO

Quando cultivamos, em nossa imaginação, os pensamentos a respeito do novo futuro que desejamos e nutrimos nossos corações com as emoções elevadas correspondentes a esses pensamentos, acontece algo como se o coração abrisse as portas para o SNA, permitindo que sua programação possa entrar em sintonia com os pensamentos sobre o novo futuro.

Os sentimentos produzem o estímulo emocional (energia) capaz de programar o SNA. Ou seja, apenas pensamentos, por mais lindos, criativos e positivos que sejam, não têm energia suficiente para sinalizar o corpo e acessar o SNA. Os sentimentos é que fazem a conexão entre cérebro e corpo e possibilitam a personificação do estado de ser desejado.

SER PARA TER

Para que a reprogramação de novos padrões seja eficaz, é preciso ir além do pensamento, além da mente, e usar técnicas que envolvam experiências corporais, físicas, capazes de ativar e sustentar um padrão de coerência cardíaca.

Veja como a máxima "ser para ter" se aplica e se explica aqui: quando você escolhe parar de esperar que algo muito bom aconteça na sua realidade externa e inverte as coisas, já sentindo-se muito bem antes que algo realmente aconteça, você logo se torna quem deseja ser, independentemente das circunstâncias do seu ambiente externo, e assim emite uma assinatura eletromagnética nova para o Campo Quântico, que irá responder a ela.

Quando você estabelece uma intenção clara por meio de um pensamento e, simultaneamente, abre o centro do coração, treinando sentir as emoções associadas à experiência que você deseja manifestar antes que ela aconteça, você cria uma coerência coração--mente capaz de alterar a energia e a química do seu corpo, que passa a acreditar que as emoções decorrentes da experiência imaginária são, na verdade, reais e decorrentes de uma experiência no ambiente externo.

AUTORREGULAÇÃO EMOCIONAL

A habilidade de autorregular as emoções é muito eficaz não só para a gestão da ansiedade em situações pontuais como também é interessante a longo prazo, por meio da redefinição de padrões neurológicos para uma base mais saudável.

As habilidades de autorregulação são fundamentais para a saúde, bem--estar e longevidade. Conforme pesquisas e estudos sobre Inteligência Emocional, pessoas que dominam essa habilidade tendem a viver mais tempo e com mais felicidade.

A autorregulação consiste na habilidade de controlar comportamentos automáticos e reativos e passar a agir conforme seus interesses a longo prazo de maneira condizente com seus valores mais profundos. Focando nas emoções, a autorregulação emocional corresponde, em palavras simples, à habilidade de se acalmar quando sentir tristeza, raiva, medo, frustração ou outros sentimentos limitantes, isto é, saber se levantar quando cair.

Desenvolver a autorregulação de maneira efetiva para a transmutação da ansiedade e do estresse consiste precisamente em desenvolver a capacidade de **resiliência**, que significa, como eu já apresentei, ser capaz de se preparar, recuperar-se e se adaptar frente ao estresse, aos desafios ou às adversidades. Conforme você constrói sua capacidade de resiliência, está construindo e sustentando suas reservas de energia.

A maneira e a intensidade das nossas respostas emocionais a uma situação estressante e ansiosa determinam a quantidade de energia que será drenada, por isso, investir na capacidade autorregulatória é o caminho para a resiliência e para a conservação da energia vital.

ENERGIA RELACIONAL

Nossos batimentos cardíacos, quando coerentes, produzem um campo eletromagnético que pode impactar outras pessoas de uma forma muito positiva. Na verdade, cientes disso ou não, nossas emoções e atitudes afetam as outras pessoas, positiva ou negativamente, o tempo todo.

O campo magnético do coração cria uma onda que emana para fora do nosso corpo e se estende em um raio de 2 a 5 metros. Quando estamos centrados e sincronizados, criamos um campo mais coerente e somos menos afetados pelos outros, e é por isso que somos capazes de sentir as vibrações de um certo lugar ou de certas pessoas; da mesma maneira, quando não estamos sincronizados e centrados, nós podemos afetar os outros negativamente, bem como sermos afetados com a energia alheia.

Quando estamos em um estado incoerente, sentindo frustração, raiva, estresse ou ansiedade, nosso padrão de batimento cardíaco se torna incoerente e o campo eletromagnético gerado transmite uma informação incoerente. Assim, outras pessoas podem sintonizar nesse padrão que vai interferir negativamente em seus estados de ser, fazendo com que sintam algum tipo de mal-estar.

Em contrapartida, se estamos emanando emoções de amor em um estado muito coerente do ponto de vista da frequência cardíaca, a onda eletromagnética que é gerada pelo nosso padrão de batimentos cardíacos é mais coerente e pode afetar outras pessoas de maneira positiva.

Você certamente já deve ter passado por situações assim, tanto positivas quanto negativas. Se você procurar na sua memória, deve encontrar alguma situação em que estava em um ambiente tranquilo e, de repente, chegou uma pessoa vibrando reclamação, sofrimento, raiva, vitimização ou outra emoção negativa qualquer, e você começou a sentir algum tipo de mal-estar por causa disso.

Você também deve ter aí nos arquivos da sua memória situações opostas, em que você estava neutro ou talvez até meio "baixo-astral" e foi contagiado pela alegria ou entusiasmo de outra pessoa, de maneira que seu estado de ser se alterou positivamente. Pois bem, agora você tem uma explicação científica para esses fenômenos "esquisitos".

O que acontece é que nossos pensamentos e emoções afetam não só o nosso próprio nível de coerência e o padrão da nossa frequência cardíaca como também afetam energeticamente as outras pessoas, pois, de acordo com as pesquisas do Instituto HeartMath, quando uma pessoa está na coerência, seu coração emana um sinal eletromagnético mais coerente para o ambiente, o qual pode ser detectado pelo sistema nervoso das outras pessoas e dos animais.

Isso quer dizer que o fato de você praticar consistentemente alguma técnica que promova a coerência cardíaca, além de curar e melhorar a si mesmo, pode ajudar os outros a se tornarem mais coerentes e contribuir para um mundo melhor. O contrário, infelizmente, também é verdade: se estiver em incoerência, você vai espalhar uma onda contagiosa de incoerência. A coerência depende do pensamento e do sentimento em primeiro estágio de ativação.

SENTIMENTO E EMOÇÃO

Sentimentos e emoções em harmonia geram uma clara intenção, a emoção começa a dar ao corpo uma amostra da experiência futura antes de ser feita. Bingo! Ao focar no resultado futuro e tornar o pensamento interior mais real do que o ambiente exterior durante o processo, o cérebro não vai saber a diferença entre os dois. Então, o seu corpo, assim como a mente inconsciente, vai começar a experimentar o novo evento futuro no momento presente. Você vai avisar seus novos genes, de novas formas, para se preparar para este evento futuro imaginado. Se você continuar a praticar mentalmente, um número de vezes suficiente, esta nova série de escolhas, comportamentos e experiências que deseja reproduzir no mesmo novo nível de mente, seu cérebro vai começar a mudar fisicamente – instalando novos circuitos neurológicos para pensar a partir desse novo nível de mente – para parecer como se a experiência já tivesse acontecido. Você estará produzindo variações epigenéticas que levam a verdadeiras mudanças estruturais e funcionais no corpo pelo pensamento. Seu cérebro e corpo não estarão mais vivendo no mesmo passado; eles estarão vivendo no novo futuro que você criou em sua mente, isso é possível por meio da técnica Holofractometria Coerência Harmônica.

Para transformar um potencial em uma realidade no Campo Quântico, é preciso combinar uma intenção clara com uma emoção elevada. Você precisa tocar no sentimento que espera ter quando manifestar a sua intenção e sentir a emoção antes da experiência. A emoção (que leva maior energia) é a carga magnética que você está enviando para o Campo Quântico e precisa estar em harmonia. Quando você combina a carga elétrica (sua intenção) com a carga magnética (emoção elevada) e a carga eletromagnética (emoção de fluxo), cria uma assinatura eletromagnética que é igual ao seu estado de ser.

Os pensamentos que intencionamos enviam um sinal elétrico para o campo. Os sentimentos magnetizam e atraem os eventos de volta para nós (magneticamente). Já o corpo, por meio da energia física, é responsável pelo fluxo eletromagnético (elétrico e magnético). A forma como pensamos, emosentizamos e agimos produz um estado de Holo Cocriação®, o que gera uma assinatura eletromagnética (código de barras energético) que influencia cada átomo do nosso mundo. Isto me levou a entender a pergunta que predominou dentro de mim insistentemente por anos: o que estou transmitido para o Campo Quântico por meio do que vibro (consciente ou inconsciente) diariamente?

Emoções como gratidão, empatia, afeto, compaixão e apreço abrem o seu coração e aumentam a energia do seu corpo para o salto de realidade. A gratidão é responsável por aumentar o seu nível de energia. Ensina o seu corpo emocionalmente que o evento pelo qual você está grato já aconteceu. O que costumamos fazer é agradecer após algo ter acontecido. Mas, se você acessar a emoção da gratidão antes de o evento se realizar (#vivacomosefosserealidade), o seu corpo, da mesma forma que a mente inconsciente, passa a acreditar que o evento futuro já aconteceu, ou está acontecendo no momento presente.

As emoções de sobrevivência são, principalmente, dos hormônios do estresse, que tendem a apoiar estados mais egoístas e limitados (vitimização, ansiedade, culpa, medo etc.). Quando você vibra em emoções elevadas, mais criativas, aumenta sua energia para um centro hormonal diferente, isto quer dizer os chakras superiores. O coração é um deles, além de desbloquear, é ativado (começa a se abrir) para que você se sinta mais amoroso e altruísta. É aqui que o seu corpo e coração começam a responder a nova mente. Quando temos uma emoção de apreciação, afeto ou gratidão, somada a uma intenção clara, o evento começa a tomar forma (sonho/desejo/intenção). Você está ensinando quimicamente seu corpo e coração a saber o que a sua mente quer. Até então eles estavam bloqueados pelas emoções de baixa vibração.

Como potencializar isso? A Reprogramação Hertz® para Coerência Mental Holográfica®, criada por mim para o Método Ourives Quantum Hertz® de Holo Cocriação®, é uma das mais poderosas ferramentas, pois ensina como respirar, vibrar, emosentizar® e ensaiar mental e holograficamente um destino potencial escolhido. Nosso diferencial aqui é unir estudos sobre Coerência Harmônica do coração com Meta Cocriação® – Salto Duplo Quântico, que ensinei no livro *DNA da Cocriação* e no meu treinamento Meta Cocriação®.

Quanto mais conhecimentos, sensações e experiências você ativar em seu cérebro, em sua vibração, corpo e células, sobre a nova realidade que deseja, mais recursos terá para criar a imagem holográfica mental ideal do seu sonho. Por isso, quanto maior for a sua intenção e certeza de que já é real, mais convicção terá de como vai ser sua vida. Bingo! É esse sentimento que materializa seus desejos. Agora você está colocando uma intenção por trás da sua atenção e foco. Não esqueça, cérebro e corpo não sabem a diferença entre ter uma experiência real ou apenas pensar na experiência – neuroquimicamente é a mesma coisa.

Ao manter seu foco neste futuro sem desacreditar, você muda os circuitos neurais conectados ao seu passado, ao seu velho eu (eu antigo), ou seja, desliga os antigos genes e acende novos circuitos neurais que reiniciam os sinais corretos para ativar novos genes. Graças a neuroplasticidade, os circuitos do seu cérebro começam a se reorganizar para refletir sobre o que você está vivendo holograficamente, pois cérebro, coração e corpo não são um registro do passado; eles são um mapa para o futuro – um futuro que você cocriou em um projeto arquitetônico perfeito, em sua mente.

Quero reforçar o poder do campo do coração no processo de cocriação. Só existe uma forma de funcionar: sintonizando emoções elevadas. Quando você decide Holo Cocriar® um futuro no Campo Quântico, mas permanece em vibração de vítima ou como alguém que está sofrendo, ansioso, em desespero, sua energia não pode magnetizar e sintonizar um novo futuro para você, porque isso é o passado. Você precisa manter uma intenção clara e entrar em Coerência Harmônica para que sua mente esteja no futuro, cocriando e imaginando o que deseja. Quando você vibra em sentimentos e emoções de vitimização, seu corpo ainda acredita que permanece nas mesmas experiências do passado. Qualquer energia vibracional mais baixa que esteja em conexão com sua assinatura eletromagnética, cocria mais emoções limitadas de baixo nível de consciência.

Portanto, se você quer realizar algo ilimitado, precisa se sentir ilimitado. Se quer amor, sinta amor; se quer riqueza, sinta riqueza; se quer liberdade, sinta-se livre; se quer realmente curar-se, aumente sua energia para a totalidade. Quanto mais elevada for a emoção que você sente, maior será a energia que transmite e mais influência terá sobre o mundo material. Quanto maior for a sua energia, mais curta será a quantidade de tempo que leva para que a Holo Cocriação® materialize em sua vida.

Existem infinitas possibilidades no Campo Quântico, como frequências eletromagnéticas, a intenção clara por meio de emoções elevadas e ações alinhadas. Quando houver uma combinação vibracional entre a sua energia e a energia desse potencial, alinhada com a energia cósmica, voltada para o bem maior da humanidade, você emite uma nova assinatura vibracional para o campo! Bingo! É uma bomba atômica, uma explosão cósmica em que Holo Cocriações® incríveis acontecem. Quanto mais tempo você estiver consciente dessa energia, mais estará conectado à experiência de cocriação. Por isso, minhas técnicas possuem um período pré-estabelecido, e neste processo você relaxa e permite que a mente cósmica (Deus) – a consciência do campo unificado – organize os eventos perfeitos para você, de acordo com seus desejos. Essa é a definição de se soltar. Bingo!

Não se trata de atrair e sim cocriar, ou melhor, sintonizar, gerar isso! Você quer saúde, riqueza, amor, liberdade, abundância, ou qualquer outro sonho, então torne-se isso. É Ser para Ter! Essa é a chave que desbloqueia os cadeados da Holo Cocriação®, portanto, o segredo é não entrar em Incoerência Harmônica.

Incoerência é a desarmonia ou desalinhamento, um exemplo é quando você termina sua meditação e sente abundância e riqueza, mas, quando abre os olhos, é enganado pelos seus sentidos, pois percebe que não está na abundância e volta a vibrar na falta, pobreza, escassez e separação, acreditando que ainda não aconteceu. Esses sentimentos desconectam a energia do seu futuro e lhe trazem de volta a energia familiar, ressonante com seu passado de escassez. Isso significa que você voltou a ser mesma pessoa de sempre, criando a mesma frequência do seu passado e a mesma combinação vibracional que é conhecida pelo seu corpo e todas as suas células. Bingo! Por isso, repito, você deve se tornar abundância, um estado de merecimento, apreciação, gratidão, liberdade, empoderamento. Se você for capaz de manter esta frequência 1.000 Hertz, um estado de SER 1.000 Hertz, em que tudo já é real, o sentimento e a frequência do soltar, vai conseguir se conectar ao seu potencial futuro, sua Holo Cocriação®. Esse estado chamo de Holo Cocriação 1.000 Hertz®, o único em que seu corpo acredita que já aconteceu. Já é Real. Bingo!

Einstein disse: "Um problema jamais pode ser resolvido a partir do mesmo nível de consciência que o criou." Isso significa que é preciso alcançar um nível maior de consciência, porque as emoções são energia em movimento. Se todos os dias os seus sentimentos e emoções negativas receberem a mesma energia que você usa para reagir e resolver seus problemas, essa energia produz um sinal no Campo Quântico que vai cocriar mais do mesmo. Se esse sinal que você está Holo Cocriando® for de um cérebro e um coração incoerentes, então está produzindo uma frequência energética que carrega pensamentos incoerentes ou sem sintonia com os sonhos incríveis que deseja viver. Essa é a famosa entropia psíquica (carga elétrica e magnética negativa) – o que significa baixo poder, pois vibram na força, no esforço e, assim, têm menos efeito sobre suas cocriações, logo um sinal mais fraco.

TÉCNICA DA COERÊNCIA RÁPIDA

Então, vamos à Técnica da Coerência Rápida. Trata-se de uma reorientação emocional que pode ser usada no "calor do momento", ou seja, em situações em que sente emoções negativas como frustração, raiva, medo, preocupação ou ansiedade.

O objetivo é passar rapidamente de um estado emocional negativo, esgotador e limitante para um estado emocional positivo, renovador e regenerativo.

Essa técnica rápida e simples é capaz de promover a autoconsciência ao possibilitar que você identifique e tome consciência quando estiver sentindo uma emoção negativa, para que possa transmutá-la em uma positiva imediatamente, no "calor do momento".

Você pode fazê-la também logo depois de uma situação de muito estresse, para não deixar que a drenagem de energia continue e não permitir que o seu sistema nervoso autônomo seja sobrecarregado.

Claro, você também pode usar a técnica quando não estiver no "calor do momento", com o objetivo de treinar e praticar, por exemplo: logo ao acordar, na sua pausa para o almoço, antes de dormir ou em qualquer outro momento que preferir. Aplicando a técnica por alguns períodos curtos durante o seu dia, o dreno de energia vital pode ser interrompido.

A sugestão é que, nas primeiras vezes, você ritualize a técnica, posicionando-se confortavelmente com as pernas descruzadas e os olhos fechados. Depois que "pegar o jeito", você poderá fazer como e onde preferir, inclusive no meio de uma aula ou reunião, no trânsito, na academia ou em qualquer outro local ou situação, sem que ninguém perceba.

Não há regras com relação ao tempo, você pode seguir sua intuição e manter esse estado pelo tempo que desejar, mas, como se trata de uma técnica rápida, alguns minutos já são suficientes.

Conforme as pesquisas do Instituto HeartMath, realizar essa técnica durante cinco minutos e duas vezes por dia já é suficiente para produzir efeitos positivos como:

- Aumento da resiliência;
- Melhorias na habilidade de manter a compostura durante desafios;
- Melhoria na harmonia familiar e social;
- Redução da fadiga e da exaustão;
- Ativação dos processos regenerativos naturais do corpo;

- Melhoria na coordenação e no tempo de reação;
- Melhoria na habilidade de pensar claramente para encontrar soluções;
- Aumento da habilidade de aprender;
- Aumento da inteligência intuitiva.

Então, vamos ao que interessa: o passo a passo para a Técnica da Coerência Rápida:

TÉCNICA DA COERÊNCIA RÁPIDA

Passo 1: Respiração focada no coração:

- Foque sua atenção na área do seu coração;
- Imagine que a sua respiração está entrando e saindo do seu coração;
- Respire profundamente e um pouco mais devagar do que o normal;
- Encontre um ritmo fácil e que seja confortável para você;
- Mantenha a respiração assim por trinta segundos ou mais.

Passo 2: Ativação de emoções positivas:
Mantendo a respiração focada no coração, faça uma tentativa sincera de cultivar um sentimento positivo e regenerativo como apreciação, gratidão, alegria, compaixão ou amor. Dica: tente reviver um sentimento que você tem por alguém que ama, como um parente, um amigo ou um animal de estimação. Vale também focar na lembrança de um lugar especial, uma realização etc.

Passo 3: Ativação das redes neurais a partir do decreto quântico da Técnica Hertz - Reprogramação Hertz® para Coerência Mental Holográfica®.
Quando estiver sincronizado. Use o comando: Consciência Presença Divina de Luz. Consciência que está em minha Alma. Eu Sou o poder agora! Eu Sou abundância e plenitude agora! É isso! É isso! É isso! Isto é real. Isto é real. Isto é real!

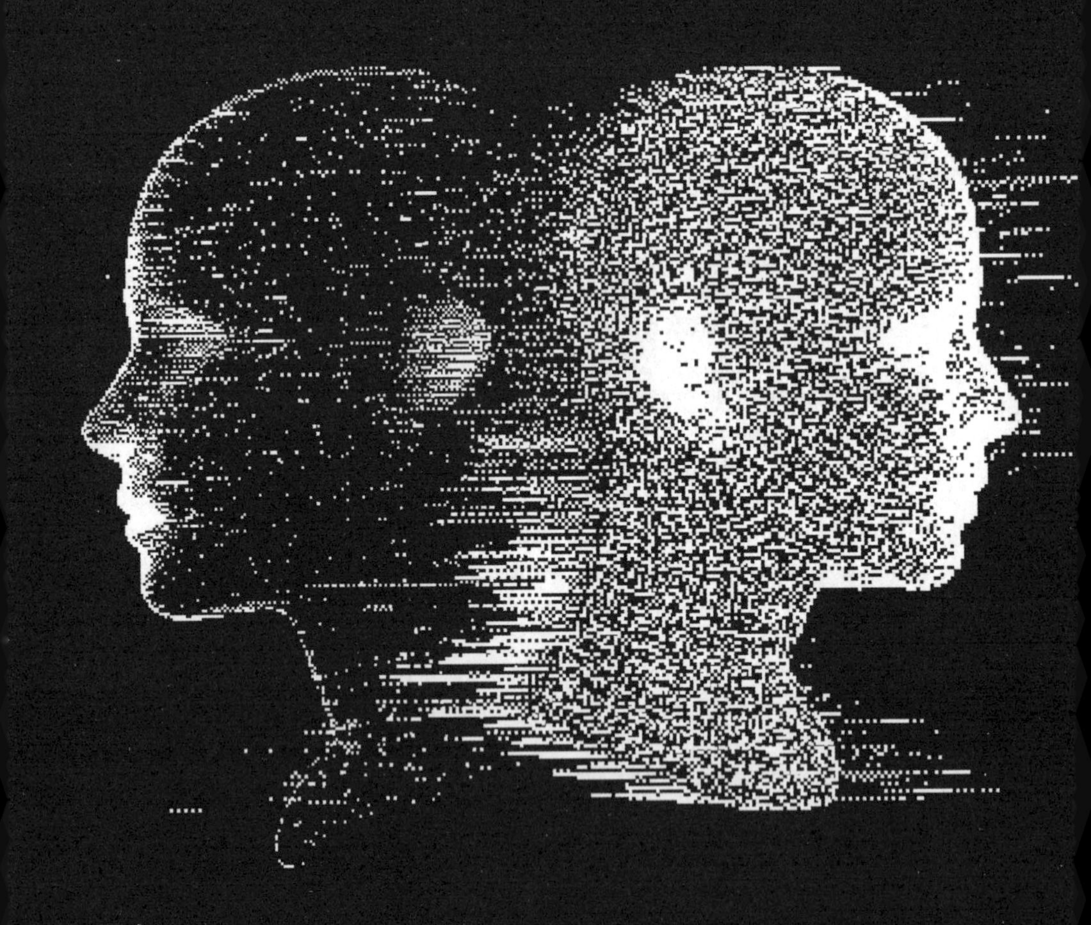

CAPÍTULO 7
FASE II - MÉTODO DE BLINDAGEM DA FREQUÊNCIA EMOCIONAL 1.000 HERTZ®

ATIVANDO A FÓRMULA DA EMOSENTIZAÇÃO HERTZ® PARA COLAPSAR NA VELOCIDADE 1.000 HERTZ

A partir do que você aprendeu até aqui sobre a influência decisiva das emoções no processo de cocriação da realidade e de expansão do Campo Quântico à dimensão 1.000 Hertz, eu vou apresentar agora os detalhes da Fórmula Emosentização Hertz®. Essa ação representa a Fase II do Método de Blindagem 1.000 Hertz®, que trago com exclusividade neste livro.

Ao final do capítulo, vou passar ainda uma prática exclusiva para você cocriar aceleradamente por meio da Emosentização® com a aplicação das Holoaformações Quânticas®, diretamente no Unoholograma® – holograma universal dos sonhos – do seu maior sonho. Vou explicar, conceitualmente, esses termos no decorrer da prática.

FREQUÊNCIA ACELERADA

A técnica Emosentização Hertz® vai acelerar a sua frequência emocional na faixa de 1.000 Hertz e ajudá-lo, naturalmente, a blindar-se de qualquer oscilação emocional ou estado de contração energética, evitando, assim, o decaimento atômico de partículas e o descolapso dos seus maiores sonhos no Universo.

A Emosentização® é um código criado por mim com base na Assinatura Vibracional®, ou código de barras energético, e que consiste numa fusão de vários fundamentos da Física Quântica em movimento para você criar uma nova Frequência Vibracional® no Universo.

Com esse recurso, você conseguirá acelerar a sua frequência e elevar a vibração do seu campo em instantes, além de aprender a organizar as emoções ou o fluxo emocional ao seu favor, no compasso e no ritmo necessários para cocriar em alta velocidade no Universo.

ELEMENTOS INTEGRADOS

Na Emosentização®, você deve integrar cinco elementos específicos da cocriação e colocar em movimento no Universo a energia e a vibração da emoção gerada por seu desejo como se tudo já fosse realidade. Por isso, o processo ou fenômeno coincide com a fórmula que define a sua Assinatura Vibracional® no Universo.

FENÔMENOS CORRELACIONADOS

Em sentido amplo, Emosentizar® significa a integração perfeita do sentimento e do pensamento, das imagens em sua mente, das suas ações e do poder da sua consciência, para colocar toda essa emoção em movimento acelerado para criar o holograma de seu sonho no Universo. O resultado da união vibracional de tudo isso forma o seu código de barras, por meio do qual você cocria no Universo.

Esse processo também corresponde ao alinhamento vibracional dos três Eus Quânticos (Mente Inconsciente, Mente Consciente e Mente Cósmica – que é Deus, o Universo ou a Matriz Holográfica®).

MAS QUANDO VOCÊ EMOSENTIZA®?

Você Emosentiza® quando cria a emoção necessária para acionar o seu poder de cocriação. Isso significa estar em coerência harmônica, a emoção sobre determinado evento precisa estar em movimento e apenas a sua consciência pode definir esse padrão.

Na prática, Emosentizar® significa, basicamente, colocar a sua emoção em movimento fazendo com que ela entre em fase com o movimento do Universo. Como tudo é dinâmico, para as coisas se materializarem, é isso que você precisa fazer internamente: estar em movimento, agir e fazer com que as suas emoções vibrem em alta frequência para provocar o Colapso de função de onda direto na Matriz Holográfica®, no Campo Quântico dos sonhos no Universo, acima de 1.000 Hertz de potência.

COLOQUE MAIS EMOÇÃO NO SENTIMENTO!

Na aplicação da Fórmula da Emosentização Hertz®, você precisa dar mais emoção ao seu sentimento, ou seja, dar consistência vibracional ao que pulsa dentro de você, na sua mente e no seu coração. Essa ação vai determinar a Frequência Vibracional® correspondente ao sentimento que você emite ao Universo.

Somente assim é possível provocar o colapso da função de onda, que é o choque vibracional pelo qual a onda de energia do seu sentimento e a Onda Primordial do Universo coincidem, entrando em fase.

Para o colapso existir e para você cocriar o holograma da realidade que deseja, essas duas ondas – a sua e a do Universo – precisam estar em uma mesma sintonia vibracional, pois só quando na mesma frequência elas se fundem, em um processo denominado interferência construtiva, e geram a composição energética para transformar o Campo Quântico e modificar porções da matriz em seu desejo concreto.

CRIE E MULTIPLIQUE A EMOÇÃO

Em resumo, você precisa criar uma emoção para transformar a energia em matéria e densificar a frequência em partícula no nosso plano, ou seja, direcionar a emoção e o sentimento para criar e estabelecer a frequência e a vibração para o Colapso de função de onda no processo de cocriação quântica da realidade. Essa é a essência do conceito Emosentizar®.

Você pode colocar tudo isso em prática para alcançar resultados incríveis ao lançar energia à sua emoção, já em movimento, a partir de um sentimento transcendental elevado que age em congruência e passa a dominar a própria existência.

SOMA EMOCIONAL

Esse sentimento elevado pode ser a alegria, o amor incondicional, o afeto, a compaixão ou o desejo ardente. O ponto é colocar mais e mais emoção na esfera do que sente, agregando a certeza e a convicção da cocriação de seu maior sonho. Por isso, some todas essas emoções e faça a fusão dessas frequências elevadas para Emosentizar® e cocriar na voltagem de 1.000 Hertz.

Faça isso visualizando as imagens holográficas ao intencionar e pensar intensa e plenamente certo de que seu sonho já é real, pois ele já existe no Campo Quântico e se manifesta dentro de você por meio do seu sentimento, em sua mente, seu coração e na vibração de suas células.

A emoção multiplicada inserida no núcleo dos sentimentos elevados representa o efeito da Emosentização Hertz®, que elevará, em instantes, todo seu Campo Quântico e relacional à frequências superiores às da dimensão de 1.000 Hertz.

Por isso, Emosentizar® converge com o poder da sua nova Assinatura Vibracional® e de seus poderosos elementos vibracionais.

A seguir, vou explicar um pouco sobre a fórmula, cada um dos elementos da Emosentização Hertz® e o que eles representam em sua existência.

A FÓRMULA

PS + S + PL + I + E² × FV =
ASSINATURA ELETROMAGNÉTICA® NO UNIVERSO

Em que:

- **Ps** corresponde a pensamentos;
- **S** corresponde a sentimentos;
- **Pl** corresponde a palavras;

- **I** corresponde a imagens;
- **E** corresponde a emoção;
- **Fv** corresponde a Frequência Vibracional®.

Cada letra da fórmula da Assinatura Energética ou Vibracional representa um atributo ou qualidade da sua consciência quântica.

Entretanto, o poder para você estabelecer um novo código de barras energético não está, exatamente, em cada uma das letras, mas em seu sentido, significado e na junção de todos os elementos, os quais têm o poder de elevar a sua Frequência Vibracional® até a dimensão de 1.000 Hertz e acionar o poder da Emosentização®.

Vamos aos detalhes de cada letra da fórmula:

Ps - Pensamento

Os pensamentos transportam a energia essencial da vida e estimulam a produção de neurotransmissores no cérebro para você elevar a própria vibração e atingir a frequência de 1.000 Hertz da cocriação na ação de Emosentizar Hertz®.

Assim, o seu pensamento pode magnetizar a vida dos seus sonhos! Desde que seja livre, leve e solto, ele pode ajudar a acessar o manancial de riquezas que existe dentro de você para cocriar nas dimensões superiores a vida mais bela, fantástica e proveitosa de toda a sua existência terrena.

Portanto, ative, use e mantenha pensamentos positivos e produtivos dentro de você, pensamentos que sejam condizentes com a cocriação que você tanto sonha!

S - Sentimentos

Os seus sentimentos definem a Frequência Vibracional® emitida pelo seu código de barras energético no Universo, pois eles estão relacionados com a força eletromagnética do seu coração ou do chakra cardíaco, que é, como já mencionei, sessenta vezes maior e 5 mil vezes mais forte do que o campo do cérebro.

Com a ajuda dos sentimentos, você consegue também acessar a Fonte da Criação ou Vácuo Quântico, uma vez que eles o colocam em profunda conexão com o Criador por meio de uma relação profunda com seu inconsciente e com o Universo.

Basicamente, o sentimento é o idioma da Matriz Holográfica® e o código para você interagir com Deus para projetar, quanticamente, qualquer cocriação que vislumbre no Universo, sem restrições, na frequência de 1.000 Hertz.

Pl - Palavras

Uma coisa muito importante que você deve compreender é que as palavras são quânticas e plasmam a sua respectiva energia no entorno do seu campo vibracional.

Por isso, cuide para emitir palavras com sentidos e frequências de amor, alegria, entusiasmo, fé, paz, harmonia e luz (emoções de 500, 600, 700, 900 e 1.000 Hertz) para receber, por ressonância vibracional, as melhores oportunidades do Universo e de Deus.

Isso é essencial, pois as mais recentes pesquisas mostram que as palavras utilizadas a partir de afirmações positivas têm poder para alterar a vibração interna de cada ser, ou seja, têm poder para modificar a estrutura vibracional dos átomos, células, moléculas e até do DNA humano.[12]

O poder das palavras foi comprovado por cientistas russos quando, ao modularem frequências laser na média da voz humana, observaram efeitos práticos na vibração registrada no núcleo dos átomos.[13] A experiência comprovou também o poder transformador das orações, mantras, decretos, afirmações ou palavras direcionadas a si mesmo, a outras pessoas e a um contexto coletivo.

Como tudo o que existe, as palavras possuem um campo eletromagnético e, por isso, também influenciam outros campos, bem como podem ajudar a expandir o nível de vibração da sua nova Assinatura Vibracional® no Universo até a frequência de 1.000 Hertz por total ressonância e entrelaçamento vibrátil.

I - Imagens

O Universo não distingue imaginação de realidade física, muito menos o seu cérebro, pois o que importa é a sua vibração. Por isso, o uso das imagens, por meio das visualizações e do poder da sua imaginação, tem a capacidade de criar a energia necessária e a frequência elevada, na vibração de 1.000 Hertz, para colapsar a função de onda e cocriar seus desejos. Isso tudo, naturalmente, vai repercutir na expansão do poder da sua nova Assinatura Vibracional®, junto com a Emosentização® no Universo.

Vale ainda destacar que você deve manter a coerência entre suas imagens, palavras, afirmações e comportamentos, ou seja, os sentimentos, emoções, pensamentos, palavras e atitudes devem estar coerentes com os seus próprios desejos.

Ao alinhar esses fatores, com a ajuda da sua capacidade imaginativa por meio de imagens mantidas na mente, com total frequência elevada de luz e certeza da cocriação, você produz dentro de si a vibração necessária para cocriar a realidade que tanto deseja num espaço curto de tempo.

É exatamente isso que você precisa praticar a partir de agora para projetar uma nova assinatura energética no Universo, condizente com a vibração de cada um de seus sonhos, envolvida, especialmente, com a Emosentização® de 1.000 Hertz.

---

12 CIENTISTAS afirmam que o DNA pode ser reprogramado por nossas próprias palavras. **Pensar Contemporâneo**, 7 mar. 2020. Disponível em: https://www.pensarcontemporaneo.com/cientistas-afirmam-que-o-dna-pode-ser-reprogramado/. Acesso em: 26 jul. 2021.

13 *Ibidem.*

> **Você deve manter a coerência entre suas imagens, palavras, afirmações e comportamentos, ou seja, os sentimentos, emoções, pensamentos, palavras e atitudes devem estar coerentes com os seus próprios desejos**

E - Emoção

A segunda parte da fórmula da assinatura energética tem relação com a famosa equação de Einstein ($E = mc^2$), pois é possível fazer um paralelo e partilhar a essência dos pensamentos para a compreensão do Universo e para a cocriação da realidade, por isso, é possível adaptar a fórmula de Einstein para a proposta da Matriz Holográfica® e para a cocriação universal de 1.000 Hertz.

Para efeito comparativo, a fórmula para uma nova Assinatura Vibracional® – no caso a parte da energia (E^2) –, corresponde à Emoção ao quadrado, ou seja, a uma emoção elevada, potencializada e impulsionada em ação e em pleno movimento no Universo, o que tem total coerência com a cocriação e com a Emosentização®, porque se associa também com o poder dos sentimentos e com a força eletromagnética emitida pelo campo do coração.

Portanto, a emoção elevada é, reconhecidamente, um fator determinante para você manifestar a vibração necessária para criar e produzir o holograma dos seus sonhos direto no Vácuo Quântico ou na Matriz da Realidade Holográfica®, na própria Mente de Deus, compatível com a dimensão de 1.000 Hertz.

Perceba que há uma simbiose perfeita nesse processo emocional, com a fusão de seus sentimentos elevados e pensamentos potentes e harmônicos, porque, ao adicionar a força vibracional das palavras, você eleva ao quadrado a frequência de todas as suas emoções, restabelecendo a conexão direta entre o seu inconsciente e o Universo para formar o protótipo e o holograma perfeito de seu desejo no campo amorfo das infinitas possibilidades.

Esse processo intensifica sentimentos vibrantes como alegria, amor, afeto e gratidão, elevando sua frequência acima de 500, 600, 700, até 1.000 Hertz, movimento que acelera e multiplica o colapso do seu sonho ao potencializar o efeito positivo da sua emoção em torno do campo.

FV - Frequência Vibracional®

Veja que a fórmula para uma nova assinatura energética culmina no estabelecimento da Frequência Vibracional® e na ação de Emosentizar Hertz®, de maneira que a frequência é o resultado desses elementos – energia e emoção – acelerados, da sua Emosentização®, bem como dos seus pensamentos, sentimentos, imagens, palavras e comportamentos no Universo. Para isso funcionar você precisa estar em Coerência Harmônica, como aprendeu no capítulo anterior, agora vamos juntar a este poder outros elementos.

Por isso, além do resultado, para Holo Cocriar® e potencializar ainda mais a força eletromagnética do seu campo ou definir qual a sua assinatura energética, você deve multiplicar todos esses elementos pela sua Frequência Vibracional®, pois tudo se traduz em frequência, que é a velocidade dos átomos responsáveis por formarem o seu campo e a maneira como você se manifesta no Universo de modo que, quanto mais veloz e consciente for a realidade vibracional, maior a possibilidade e a probabilidade de colapsar os próprios desejos.

Além disso, você pode acelerar ainda mais a sua frequência e ampliar seu nível de consciência ao buscar o profundo conhecimento de si, identificando e tomando consciência a respeito das suas principais emoções, sentimentos, pensamentos, crenças e, se for preciso, promover uma autêntica limpeza para liberar espaço no seu inconsciente e manifestar uma nova frequência – a própria frequência original da criação holográfica em simbiose com a energia essencial do Universo, que é expansiva, alegre, afetuosa e harmônica, totalmente grata ao Criador –, a partir de uma vibração de alto nível, na faixa da iluminação em 1.000 Hertz.

Podemos, assim, manifestar qualquer realidade por meio da potência da nossa Frequência Vibracional® e da qualidade da Assinatura Vibracional® que imprimimos no Universo. Todos os desejos de Holo Cocriação® dependem disso e tudo resulta nas emoções aceleradas por meio do poder da Emosentização Hertz®.

Com certeza, isso vai definir a sua Assinatura Vibracional® e todos os resultados da sua vida, sobretudo porque todas as cocriações dependem do alinhamento vibracional das suas emoções, pensamentos e atitudes.

APLIQUE AS HOLOAFORMAÇÕES QUÂNTICAS® PARA ATIVAR A EMOSENTIZAÇÃO® 1.000 HERTZ®

Para acelerar o processo de Emosentização Hertz®, vou deixar aqui uma sugestão para aplicação de *Aformações*. São perguntas exclusivas, feitas por cada um, com o objetivo de convencer a mente inconsciente sobre o movimento da cocriação da realidade desejada.

Portanto, as Aformações são perguntas que fazemos a nós mesmos para estimular o cérebro a encontrar respostas verdadeiras sobre o que desejamos materializar na vida.

Originalmente, o conceito de Aformações foi desenvolvido pelo escritor Noah St. John, mas eu desenvolvi, em ressonância e paralelamente, as Holoaformações Quânticas®, voltadas exclusivamente para cocriação de sonhos, com um teor mais profundo e integrativo, focado no processo de Holo Cocriação® emocional acelerada.

E de que forma usamos as Holoaformações Quânticas®?

No meu caso, apliquei essas perguntas poderosas para convencer minha consciência do que eu buscava internamente e, com isso, obriguei meu cérebro a criar uma nova linha de raciocínio (pensamento), com um sentimento acelerado (Emosentização®) nessa captura inconsciente.

Hoje, tenho plena convicção de que essa ação reforçou a certeza e potencializou a minha emoção interior (frequência emocional) sobre a cocriação que eu sonhava, isto é, de que tudo o que sempre quis já existia e era real em algum plano. Certamente, isso expandiu a minha consciência, modificou o meu *mindset* e elevou o padrão vibratório do meu Campo Quântico e relacional no mesmo instante.

PRÁTICA PARA EMOSENTIZAR® A COCRIAÇÃO 1.000 HERTZ NO UNOHOLOGRAMA® DOS SONHOS

A seguir, do mesmo jeito que apliquei em mim, vou mostrar como você pode usar as Holoaformações Quânticas® dentro do Unoholograma® com ativação da Fórmula da Holo Cocriação® para Alteração e mudança imediata de emoções, vibrando na frequência 1.000 Hertz.

Vamos à Prática!

Visualize a Matriz Holográfica®, o Unoholograma® do seu sonho.

Ela pode ter a forma de uma esfera, da Flor da Vida, da própria Geometria Sagrada do Universo.

A cena do seu maior sonho está em pleno movimento nessa Matriz.

Seja um carro, uma casa, um relacionamento, a saúde perfeita, o amor ou o reconhecimento profissional que tanto busca.

Tudo está inserido naquele quadrante em movimento holográfico.

Ao observar a cena, pergunte-se: o que está sentindo com esse sonho e com essa realidade cocriada por você?

Comece a respirar aplicando os passos da técnica do capítulo anterior.

Entre em Coerência Harmônica e repita o decreto quântico no terceiro passo.

Sinta a emoção da cena, da realização do seu sonho.

Emosentize o seu sonho, trazendo a consciência do que você quer, o que está sentindo e o que precisa fazer para tornar tudo isso realidade.

Coloque mais e mais emoção dentro do Unoholograma®.

Sinta mais e mais felicidade, alegria, entusiasmo, amor, realização e plenitude.

Todas as suas sensações são integradas à cena, ao seu outro Eu Ideal e ao seu desejo de cocriação, acelerando, mais e mais, o seu sentimento de fé e de certeza na realidade cocriada.

Ao sentir e perceber todas as sensações positivas do seu sonho, tire uma foto mental da cena e faça a pergunta para Universo a partir do seu Unoholograma®.

Ative a Fórmula da Emosentização® para codificar uma Nova Assinatura Vibracional no Universo.

PS + S + PL + I + E² x FV =
ASSINATURA ELETROMAGNÉTICA® NO UNIVERSO

- **Ps = Pensamentos.** Qual o meu pensamento com relação a este desejo?
- **S = Sentimentos.** O que eu estou sentindo?
- **Pl = Palavras.** Quais palavras ancoram o meu sonho realizado. Ex.: Eu sou rico. Eu sou amor. Eu sou seguro...
- **I = Imagens.** Qual a imagem eu estou vendo? Foto mental do meu sonho realizado, como se fosse realidade agora!
- **E = Emoção.** Qual emoção quero sentir quando este sonho estiver realizado? Vá até seu futuro, imagine o seu sonho realizado e sinta o que sentiria se fosse realidade agora. Traga esta emoção para o momento presente e viva como se fosse realidade. Como se já tivesse acontecido, some esta emoção com gratidão e agradeça pelo sonho realizado, você está emosentizando o seu sonho, aumente e multiplique esta emoção.
- **Fv = Frequência Vibracional®.** Coloque tudo isso em ação. Imagine um filme em movimento. Repita todos os passos o mais rápido que puder. No final pergunte para si mesmo: o que eu estou sentindo? Passe para o corpo esta sensação. Crie uma imagem mental do sonho realizado, coloque em um porta-retrato e empurre para dentro do coração, como se estivesse comunicando ao seu corpo, células, genes, átomos, moléculas que já é real! Agora vamos potencializar o já ocorrido, emitindo um sinal para o Campo Quântico sintonizar os potenciais futuros que correspondam a esta vibração.

Agora, Acione Estas Holoaformações Quânticas®:

Por que é tão fácil realizar os meus sonhos?

O que eu posso fazer para conquistar o que desejo de maneira mais rápida?

Quais atitudes, comportamentos ou limpezas preciso saber e fazer para Holo Cocriar® o que desejo mais rápido?

Por que sou tão merecedora de tudo isso?

Por que eu mereço viver o meu sonho realizado?

Por que eu posso ser, fazer, ter e conquistar tudo o que desejo?

Por que eu mereço cocriar na velocidade da luz, na dimensão de 1.000 Hertz, com muito brilho, intensidade, verdade e convicção na minha cocriação?

Qual é a razão para eu conseguir cocriar de maneira associada com amor, harmonia, afeto, alegria e gratidão, na frequência da Luz do Criador, direto na

Matriz Holográfica®, a partir da cena criada por mim, no Unoholograma® que representa o maior sonho da minha vida?

As Holoaformações Quânticas® vão apresentar as soluções imediatas que você busca para programar a nova realidade desejada ao intensificar, cada vez mais, a emoção do momento, ou seja, a sua Emosentização Hertz®.

Para isso, coloque mais energia, mais brilho, mais desejo, mais fé, mais intenção positiva na cena e neste momento mágico de cocriação em 1.000 Hertz.

Ao mesmo tempo, decrete o PODER do EU SOU.

Eu Sou o Poder. Eu Sou rico. Eu Sou amor. Eu Sou amado. Eu Sou digno. Eu Sou honrado. Eu Sou merecimento. Agora!

Repita intensamente e quantas vezes achar necessário, para provocar o Colapso de onda e a sua verdadeira transformação com a iminência de todas as respostas que busca para a cocriação de seu maior sonho, que está totalmente à sua disposição:

"EU SOU COCRIADOR 1.000 HERTZ."

"EU SOU PODER DE COCRIAÇÃO NO UNOHOLOGRAMA® DOS MEUS SONHOS."

"EU SOU AMOR, FÉ, ALEGRIA, ESPERANÇA, GRATIDÃO E HARMONIA EM CADA AÇÃO, PARA COCRIAR MEU MAIOR SONHO NA DIMENSÃO DE 1.000 HERTZ DA MANIFESTAÇÃO DA REALIDADE."

Após o decreto e a intensidade emocional acelerada, ao ativar o Poder do Eu Sou durante sua Emosentização Hertz® na faixa de 1.000 Hertz, fixe novamente a imagem do seu Unoholograma® e tire mais uma foto mental.

Arraste a foto para o lado esquerdo do cérebro, intensificando ainda mais sua Emosentização® e o desejo de cocriação em 1.000 Hertz para provocar o Colapso de onda.

Em seguida, integre os dois hemisférios da sua mente com o Universo.

Mente Consciente (racional/pensamento) e Mente Inconsciente (emocional/sentimentos) passam a se alinhar com o Unoholograma®, o espaço quântico criado ou cocriado por você dentro da Matriz Holográfica®. Aqui você se alinha com a Fonte entrando em unidade e unicidade com Universo (Deus/Vácuo Quântico)

Ou seja, passa a se alinhar na Mente de Deus, provocando, assim, o alinhamento vibracional dos seus três Eus Quânticos® em estado de Emosentização Hertz® do Método autoral criado por mim, Ourives Quantum Hertz® Frequência da Potência 1.000 Hertz, o que provoca o colapso imediato da realidade desejada por você.

Para finalizar e acelerar seus resultados, repita o processo da foto mental.

Entre no Unoholograma® e coloque-se dentro da imagem. Tire uma foto dessa imagem mental, arraste para lado esquerdo do cérebro. Coloque a foto em um porta-retrato. Dê um nome a esta cocriação. Empurre para dentro do seu coração e sinta todo seu corpo recebendo a informação da Holo Cocriação® materializada! Já é real. Agradeça pela Cocriação, como se já estivesse materializada. Use o Código Quântico do Colapso da Holo Cocriação® 1.000 Hertz. Consciência, Presença Divina de Luz, a mente de Deus está em minha mente e isso significa todos os meus sonhos realizados agora! Eu sou o Eu Sou. Eu Sou o poder! Eu Sou merecimento! Eu Sou digno! Eu Sou tudo! Já é real! Agora!

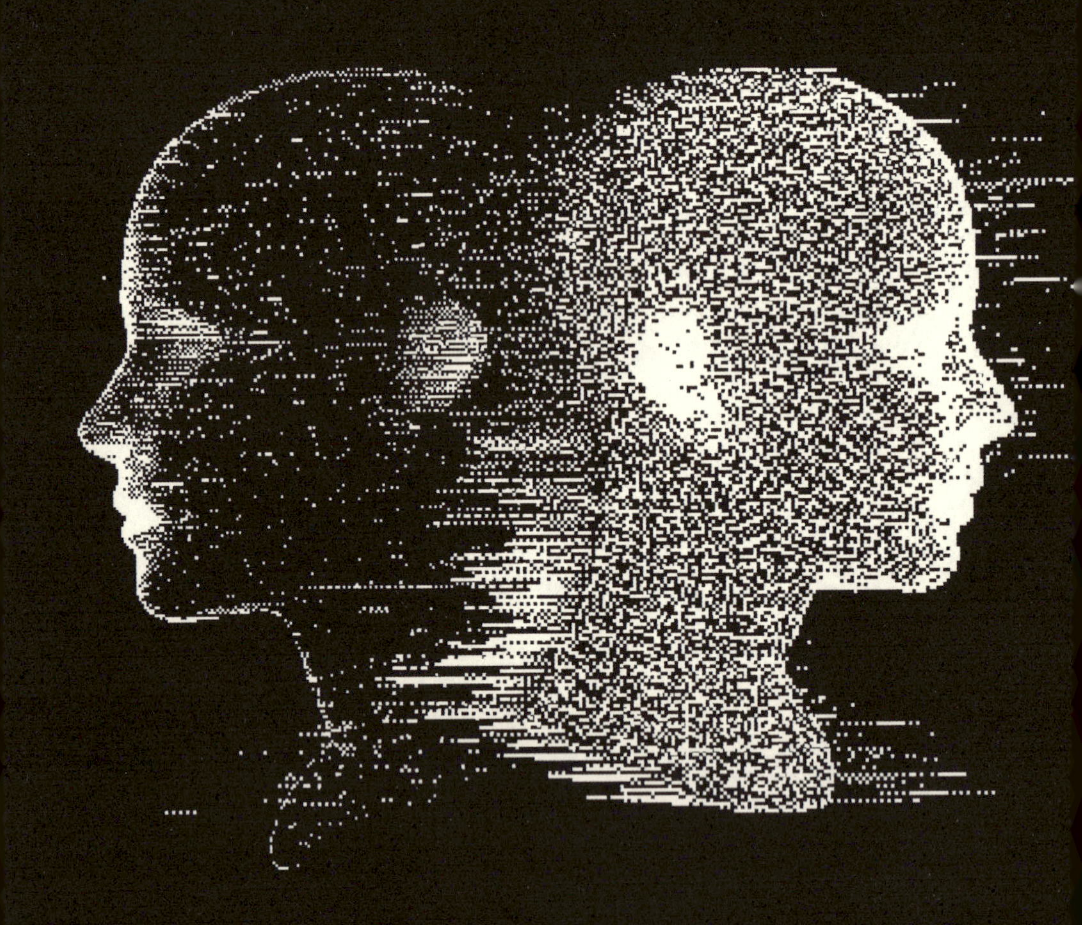

CAPÍTULO 8
FASE III - CAMPO VIBRACIONAL DE DEFESA 1.000 HERTZ®

Você vai aprender a recalcular a rota, ou ainda a aplicar um potencializador imediato caso, em algum nível dentro de você e suas células, possa estar vibrando em emoções mais densas, profundas e de difícil solução. Como ensinei, tudo é modificável, tudo é alterável, tudo tem solução. Então vamos para o protocolo de emergências quânticas. Bingo! Vamos proteger suas emoções, blindar a frequência, ativar suas emoções de alta energia e elevar a potência vibracional do seu Campo Quântico de Holo Cocriações®, até a frequência de 1.000 Hertz.

Os primeiros resultados serão observados já nas vinte e quatro horas seguintes à aplicação do método, quando o fluxo do seu Campo Quântico começa a se abrir para novas possibilidades e suas emoções iniciam a harmonização energética.

A prática do **Método de Blindagem** só é possível graças ao conhecimento que você recebeu sobre as emoções humanas e em decorrência das várias práticas executadas nos capítulos anteriores, que o colocaram diretamente no campo de expansão do Universo e da cocriação da realidade.

Esse método é fundamentado na Blindagem para ativar o Campo Vibracional de Defesa 1.000 Hertz®. Antes da execução em si, descreverei detalhes do método, o qual deverá ser aplicado por sete dias seguidos.

Você pode escolher o melhor horário, desde que esteja disposto e se organize emocional, física e geograficamente (escolha um local apropriado) para esse exercício de alta expansão.

Você receberá um protocolo para ativar o método com instruções específicas antes de fazer a técnica principal de blindagem das emoções e de ativação do campo de defesa de 1.000 Hertz.

Você também aprenderá o que significa Estado Harmônico Vibracional® 1.000 Hertz, como mobilizar as energias em volta de todo o corpo e do campo eletromagnético, além de todo o procedimento prático da blindagem para ativar o Campo Vibracional de Defesa 1.000 Hertz®.

Com essa ação, você vai calibrar seus níveis de consciência e elevar a frequência das suas emoções, além de montar um verdadeiro muro de proteção na mais alta escala de energia do Universo.

Tudo isso vai colocar você em fase com a dinâmica da Holo Cocriação® da realidade e com o Campo Quântico das infinitas possibilidades do Universo, propiciando, em tempo recorde, a manifestação de qualquer sonho para além da dimensão do tempo e do espaço, em estado de onda (energia) frequencial, totalmente protegido de influências e vibrações emocionais de baixa vibração, isto é, sem medo, culpa, apatia, tristeza, raiva ou qualquer perturbação mental, emocional e energética, acessando apenas as frequências de luz.

Elixir Frequência Blindada® - Desintoxicar sua mente, emoções e corpo

- Desintoxicar as emoções tóxicas;
- Desintoxicar e blindar o Campo Quântico;
- Desintoxicar e ativar emoções de alta vibração;
- Desintoxicar, ativar, blindar e proteger seu Campo Quântico.

DESINTOXICAÇÃO DO CAMPO ENERGÉTICO DE DEFESA

Toda pessoa tem um campo eletromagnético ou energético, também conhecido como aura, psicosfera, campo de energia pessoal, holosfera, Campo Quântico, campo relacional, campo bioenergético ou energossoma.

Análises com equipamentos de ressonância mostram que esse campo ou aura energética ocupa, em média, 40 centímetros ao redor de uma pessoa, planta, animal ou qualquer outro elemento da natureza.

Outro detalhe interessante é que o campo eletromagnético é flexível, tem frequência e pode se estender ilimitadamente, dependendo da intenção do desejo, emoção e força mental da própria consciência ou personalidade. A vibração desse campo e sua capacidade autoimune de proteção energética depende do empenho, dedicação, desempenho e disciplina de cada pessoa na prática consciente do exercício proposto.

Essa proteção ou blindagem energética inibe a presença de frequências inferiores, compatíveis com toda ordem de problema, inclusive contratempos na área de saúde, no campo financeiro, profissional ou mesmo afetivo. Blindado de emoções e frequências baixas, você também se protege de muitos problemas no dia a dia.

DEZ BENEFÍCIOS ENERGÉTICOS

A prática constante da Holo Cocriação® – Blindagem 1.000 Hertz® promove, ao menos, **dez benefícios existenciais** a quem praticar a técnica por sete dias ou com regularidade:

1. Homeostase: limpeza e assepsia de pensamentos, sentimentos e da energia tóxica impregnada na atmosfera do campo eletromagnético;
2. Manutenção do estado permanente de harmonia e, consequentemente, do padrão energético elevado e em ressonância com o fluxo do Universo;
3. Expansão do potencial energético e da Frequência Vibracional® emitida pelo praticante;
4. Expansão da Consciência e alcance energético superior, atingindo níveis mais elevados de energia e de frequência, de modo constante e ilimitado. Ex.: 200 Hertz, 350 Hertz, 500 Hertz ou superior a isso;

5. Contato multidimensional com esferas e consciências superiores: seres ascensos, duplo quântico e Eu Holográfico® do Futuro;
6. Imersão energética na não localidade, campo das infinitas possibilidades com acesso a futuros alternativos e infinitos potenciais de escolha;
7. Expansão contínua do poder de cocriação da realidade de modo espontâneo e natural ao liberar a consciência de crenças, sabotadores, energias de baixo calibre vibracional, lixo emocional e tóxico impregnado no campo relacional, células, moléculas, DNA e no padrão neuroassociativo;
8. Proteção contra assediadores extrafísicos e contra consequentes defasagens energéticas, ou seja, decaimento atômico e vibracional do campo de ressonância eletromagnético;
9. Ao limpar o campo e blindar qualquer possibilidade de invasão extrafísica ou de interferência vibrátil e emocional, ocorre a sintonia com padrões de pensamento e de emoções elevadas de puro amor, harmonia, paz e sabedoria universal. Dessa forma, a personalidade consegue entrar, definitivamente, no fluxo de energia do Universo e, assim, liberar todos os processos cármicos dessa vida e de outras também;
10. Holo Cocriação® Instantânea, ao alcançar o nível de Blindagem 1.000 Hertz®, elevando a vibração, afastando energias invasoras e intrusivas em um estado de harmonia e de plenitude, a pessoa também consegue entrar no fluxo natural da prosperidade, abundância e riqueza do próprio Universo, afetando e impactando produtivamente toda a sua existência, sua vida pessoal, profissional, familiar, afetiva e financeira, uma vez que tudo entra em congruência e em perfeito alinhamento vibracional na vida. Colapso de função de onda garantido!

CUIDADOS ESSENCIAIS ANTES DA BLINDAGEM ENERGÉTICA 1.000 HERTZ®

- A blindagem pode ser feita diariamente (por sete dias seguidos nesta primeira depuração intensiva) e em qualquer horário, pois o seu Estado Harmônico Vibracional® 1.000 Hertz, precisa ser mantido constantemente;
- Não adianta limpar o campo vibracional e manter emoções sujas e pensamentos contaminados, por isso, caso opte por fazer a prática por sete dias seguidos, procure elevar seus pensamentos e o teor emocional dentro de si;
- Como? Mantenha pensamentos de amor, sentimentos de paz, priorize seu padrão emocional e tente não se afetar negativamente por eventos externos. Isso não significa falta de empatia ou compaixão, mas autocontrole emocional, energético e de pensamentos, uma vez que, para

a limpeza e a blindagem serem, de fato, efetivas, você deverá manter a harmonia dentro de si e fazer uma boa gestão de suas emoções;

- A gestão das emoções, dos pensamentos e dos comportamentos também é um exercício cotidiano, pode ser reforçado com práticas meditativas diárias de um minuto por meio de visualizações holográficas para cocriação e com a ativação do Estado de Ponto Zero, com a percepção interior de gratidão, alegria, disposição e senso de solidariedade universal.

QUAL TÉCNICA VOCÊ VAI APLICAR PARA ATIVAR A BLINDAGEM 1.000 HERTZ®?

Estado Harmônico Vibracional® - 1.000 Hertz

Essa técnica consiste em vibrar e movimentar a frequência com a imagem do seu sonho pelo corpo e em volta do campo eletromagnético, quântico ou relacional. O objetivo é movimentar com a mente consciente esta frequência, por meio do sentimento e da imagem dos sonhos, com movimentos dentro e fora do corpo, como se a imagem do sonho (exemplo do porta-retrato) viajasse pela corrente sanguínea, células etc., movimentando a eletricidade, o campo magnético e comunicando ao seu corpo, avisando suas células, que já é real, o sonho foi realizado. Isso vai elevar sua vibração como um todo em instantes. Após percorrer todo o corpo, a imagem do sonho realizado sai pelo topo da cabeça, sobe em torno do campo eletromagnético buscando a energia cósmica do Universo e volta pela sola dos pés, passando por todos os chakras até chegar ao coração.

Lembrando que esta é a Fase III do Método e as etapas anteriores precisam ter sido experienciadas, pois é o processo que faz parte da Blindagem Energética 1.000 Hertz®, que além de limpar as vibrações emocionais do Campo Quântico, remover toda a toxidade energética do inconsciente, das células, das moléculas e do DNA, elevar a frequência de modo acelerado e ilimitado, a ativação também cria uma camada intensa de vibração eletromagnética, ou seja, um escudo protetor que chamamos de Blindagem, uma camada de alta carga energética que impede qualquer ruptura, fissura ou intromissão consciencial ou energética.

Como isso é percebido?

Por meio de sinais ou sinaléticas por todo o corpo no momento da absorção e exteriorização das bioenergias, bem como pela ativação dos nadis, ou meridianos de cada chakra elementar, e ao provocar a integração elétrica e magnética de todo o Campo Quântico de energia, em fase e em conexão com a frequência de origem da própria Criação, acima de 1.000 Hertz de potência.

Na ativação plena, você perceberá um estado elevado de consciência, o rompimento espontâneo de velhos padrões e paradigmas ultrapassados, pensamentos e emoções bloqueadoras, além da sensação de perfeita integração energética com o Cosmos e com toda a existência.

Você perceberá ainda que seu campo se transforma imediatamente em uma fortaleza, sua saúde é revigorada instantaneamente, suas células passam a vibrar com muita intensidade e seu DNA emocional passa a vibrar em pura luz e na frequência de origem. Além disso, sua vontade de vencer, de superar as adversidades e de cocriar seus sonhos de riqueza, prosperidade, saúde, amor e relacionamentos produtivos se torna inabalável.

Seis Fases da Mobilização Harmônica Vibracional Bioenergética Pessoal

1. **Foto Mental da Holo Cocriação® Realizada:** Tire uma foto mental da imagem que representa o sonho realizado, movimente para lado esquerdo do cérebro e congele a imagem. Coloque em um porta-retrato mental e dê um nome (legenda) com uma frase positiva, no momento presente;
2. **Mobilização Vibracional:** Movimente esta imagem por todo o seu corpo. Circule este sentimento / sensação, por todo o corpo como forma de informar sua Holo Cocriação® a todo o seu sistema corpo-coração-mente. Desbloqueie a passagem com suas emoções de alta frequência (poder/expansão). Sinta e libere os fluxos e os centros de energias de uma só vez;
3. **Absorção Energética:** Comece a movimentar esta energia e informação que porta a imagem do seu sonho realizado fora de você, ao redor do seu campo eletromagnético. Sintonizando, captando, acessando, gerando mais energias iguais. Holo Cocriando e atraindo energias semelhantes ao seu desejo, assim como as bioenergias do Universo Cósmico;
4. **Emosentização® – Estado de Vibração Harmônica:** Ative a Emosentização® por meio das três energias da Holo Cocriação®: Pensamento, sentimento e ação. O que você quer? O que está sentindo? O que precisa fazer para Holo Cocriar®? Repita estas três perguntas criando imagens aceleradas até aumentar sua vibração. Esta vibração máxima das energias de clareza e intenção entrarão em fase com o Universo e com as frequências superiores. É necessário entrar em coerência harmônica para manter sua Frequência Vibracional® na consciência da harmonia. Entrar em ponto zero (ausência total de pensamentos) vai prepará-lo para soltar o seu sonho no Universo;
5. **Expansão Energética Cósmica:** Solte seu sonho no Universo com a certeza de que já é real. Ao liberar, expanda Universo a fora, como uma grande explosão atômica, a frequência que porta o seu sonho realizado. Esta expansão de energias do seu corpo, coração e mente agora está no Universo cósmico das infinitas formas e possibilidades de materialização;

6. **Blindagem 1.000 Hertz:** Crie um arco (escudo) ao seu redor e da Holo Cocriação®. Imagine uma chuva de partículas de luz branca (fótons / energia taquiônica / cósmica) caindo lentamente em cima de você. Neste momento, use o comando de Blindagem 1.000 Hertz. Consciência Divina de Luz, minha vibração equilibra em 1.000 Hertz. Eu Sou blindado, eu Sou protegido, eu Sou o poder. Agora! Isto é real. Isto é real. Isto é real. Eu sou o Eu sou!

VAMOS AO PROCEDIMENTO PRÁTICO!

Blindagem Para Ativar o Campo Vibracional de Defesa 1.000 Hertz®

Ativação da Blindagem 1.000 Hertz®

www.dnareveladodasemocoes.com.br

Neste QR Code disponibilizei uma Blindagem guiada por mim. Além de um presente para você usar durante sete dias, enquanto dorme. As frequências que criei para Terapia do Sono são reprogramações do inconsciente. Frequência Áudio Hertz® para Blindagem do Inconsciente – Sua Frequência Blindada em 1.000 Hertz®.

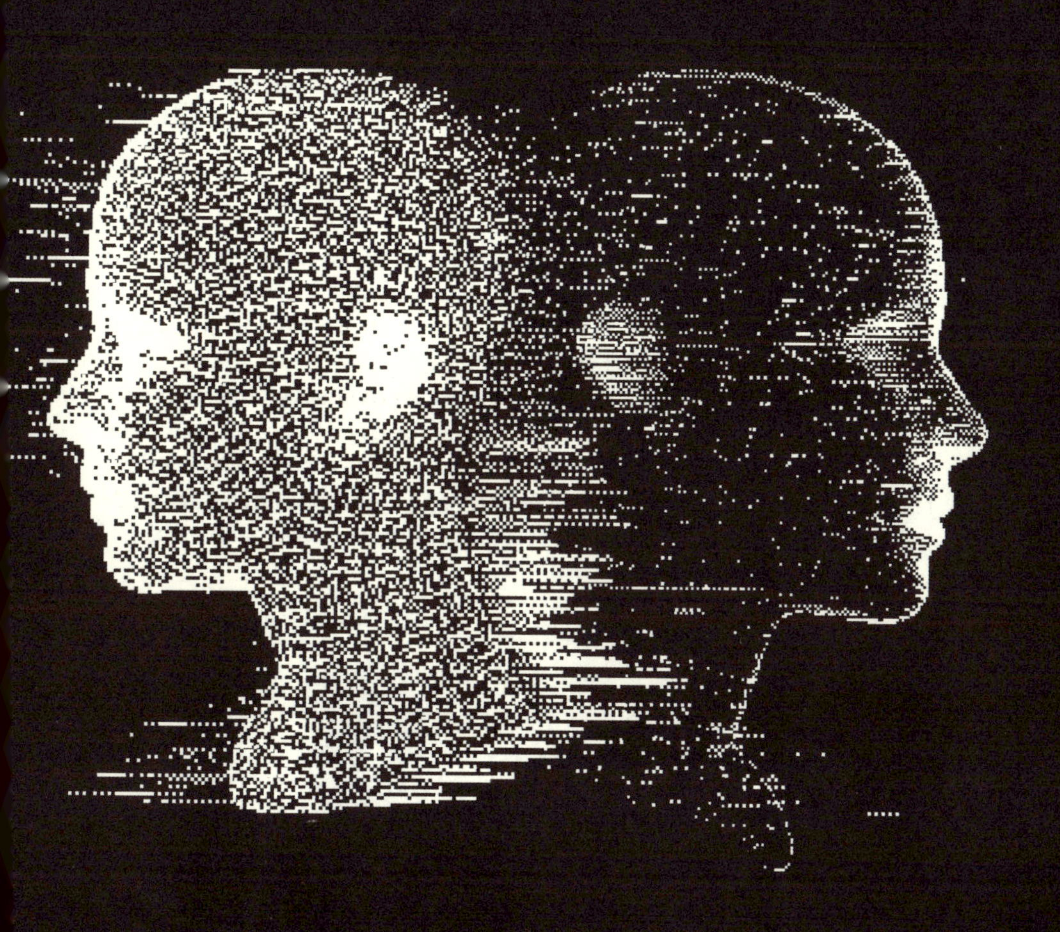

CAPÍTULO 9
HOLO COCRIAÇÃO®
1.000 HERTZ PARA SEMPRE – SUA VIDA EM ALTA FREQUÊNCIA

Agora que você já aprendeu como mudar, alterar, potencializar as emoções e Holo Cocriar® a vida dos sonhos, vamos aprender como manter sua frequência alta, para cocriar instantaneamente tudo o que deseja todos os dias.

Você precisa manter harmonia com todas as coisas do céu e da terra, isto quer dizer sem oscilar. Bingo! Só existe um segredo: Consciência! Consciência vem do conhecimento, por isso é preciso entender o que está por trás de tudo o que aprendemos até aqui. Consciência e conhecimento significam poder. Para isso, vamos começar com os principais conceitos da Holo Cocriação® e da Física Quântica no dia a dia.

Átomo

Sabe aquela ilustração do átomo e seus elementos que você conheceu na escola há vinte anos ou mais? Aquela toda organizada, com a representação dos prótons e nêutrons no núcleo, com os elétrons girando em órbitas elípticas perfeitas? Ela está desatualizada!

Com os avanços da Física Quântica, hoje sabemos que o átomo realmente possui prótons e nêutrons em seu núcleo, mas que os elétrons não estão bem definidos e nem se movimentam de maneira elíptica e ordenada. Na nova representação do átomo, a ilustração é uma "nuvem" ou "névoa" formada pelos elétrons, que orbitam como possibilidade, podendo estar lá ou não.

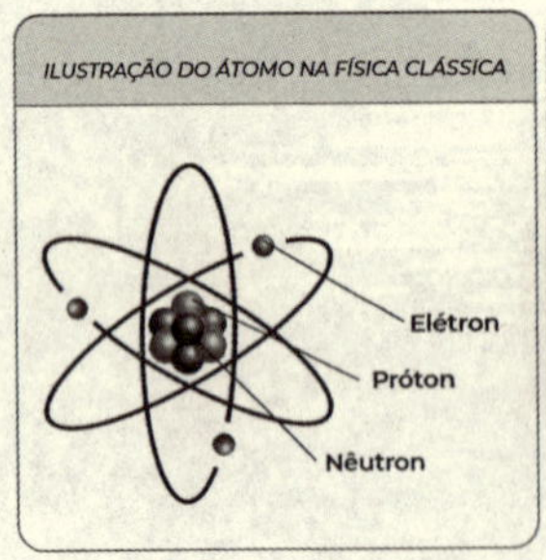

Toda essa enorme nuvem subatômica, na qual elétrons se alternam em onda e partícula, é formada por energia. Como a energia é invisível, considera-se que todo o espaço ao redor do núcleo do átomo é vazio, mas, na verdade, trata-se de um campo eletromagnético cheio de pura energia.

O ÁTOMO É UM "VAZIO" CHEIO DE ENERGIA

Até o início do século XX, sem a tecnologia necessária para observar o átomo e seu núcleo, os cientistas pensavam que, na qualidade de menor unidade da matéria, ele era sólido e concreto. Entretanto, com os novos equipamentos tecnológicos, os cientistas descobriram que o átomo não é sólido e que, na verdade, a grande nuvem na qual os elétrons orbitam é um espaço "vazio".

Assim mesmo, entre aspas, pois tecnicamente ele não está desocupado. O termo vazio quer dizer somente no quesito matéria, pois está completamente cheio de energia. Desse modo, essa grande nuvem em que os elétrons orbitam consiste em um campo energético, ou seja, um campo eletromagnético.

Em uma escala comparativa, esse campo que forma a estrutura de cada átomo do Universo é tão imenso que, em relação aos elétrons que nele orbitam, parece ter 99,999999999% de espaço vazio (energia).

Portanto, o espaço que parece livre não está de fato vazio, mas composto de uma frequência energética. Por ser composto de energia, é capaz de criar um campo de informação que, apesar de invisível, conecta os átomos entre si para dar forma a tudo que existe.

Partindo do particular para o geral, os cientistas criaram uma relação:

- Se todos os átomos são 99,999999999% energia invisível;
- Se tudo que existe no Universo é formado por átomos;
- Então, a maior parte do Universo é formada pelo invisível.

E concluíram que:

- A matéria, tal como nós a conhecemos, é um elemento infinitesimalmente minúsculo em relação à infinitesimal grandeza do espaço ocupado pela energia.

Você já parou para pensar nisso? A realidade física, tal como a percebemos e conhecemos, corresponde apenas a 0,000000001% de tudo que existe! Fascinante, não é?

Atração e Repulsão

Os campos eletromagnéticos dos átomos possuem propriedades de atração e repulsão, as quais permitem a união de dois ou mais átomos para formar uma molécula. As moléculas, por sua vez, também possuem um campo com as mesmas propriedades e se unem para formar uma célula. Esse processo se repete passando pelos tecidos, órgãos e sistemas até formar todo o nosso corpo físico.

O campo eletromagnético do nosso corpo mantém todos os nossos átomos entrelaçados e compartilhando a mesma informação, o que possibilita nos reconhecer como indivíduo.

Campo Eletromagnético

É o campo invisível de energia que emite e recebe frequência e informação. Nos seres humanos, o campo eletromagnético é formado pelas descargas elétricas dos pensamentos combinadas com o magnetismo dos sentimentos. O campo eletromagnético determina a Frequência Vibracional® da pessoa e é responsável pela manifestação de sua realidade.

Campo Quântico ou Matriz Holográfica®

Campo invisível de energia, informação, inteligência e consciência universal. É o domínio das infinitas possibilidades com existência não local. O Campo Quântico também é conhecido por inúmeras outras denominações como: campo unificado, matriz divina, campo das infinitas possibilidades, realidade pentadimensional, domínio da não localidade, campo energético, domínio do desconhecido, vácuo quântico, ponto zero, campo do absoluto, totalidade infinita, mente infinita, consciência infinita, inteligência infinita, fonte criadora, Matriz Holográfica® etc.

Colapso da Função de Onda

Fenômeno em que a onda passa a se manifestar como partícula, em decorrência do olhar do observador da realidade. Na Holo Cocriação®, significa a manifestação dos sonhos e metas. Usamos, inclusive, a expressão "colapsei tal coisa" para nos referirmos às nossas cocriações.

Observador da Realidade

Na Física Clássica, objetivamente, tudo no Universo é partícula (matéria) ou onda (energia), mas no mundo subatômico da Física Quântica, uma partícula é formada pela partícula propriamente dita e pela onda ao mesmo tempo, e é o olhar de um observador (uma consciência) que vai determinar se ela se manifestará como partícula ou onda.

Observando o comportamento dos elétrons, pesquisadores como Gregg Braden e Rupert Sheldrake perceberam que eles existem simultaneamente em um número infinito de possibilidades e probabilidades no Campo Quântico do Universo. Somente se tornam matéria quando um observador direciona sua atenção, momento em que eles se aglutinam para se tornar partícula. Sem essa atenção, a partícula volta ao estado de onda de energia, sem forma precisa ou material.

Portanto, partindo da Física Quântica e do princípio da cocriação da realidade, para a realidade material existir e o elétron (átomo) tomar forma de partícula, é preciso a atenção do olhar do observador da realidade, ou seja, da consciência.

Cocriação ou Holo Cocriação® da Realidade

A Holo Cocriação® é o fenômeno que acontece quando a realidade é criada por meio da fusão das ondas de energia e de frequência emocional entre você – que é o observador da realidade – e o Criador (Deus, o Universo, o Vácuo

Quântico), ou seja, é quando a onda de energia e de frequência emitida por você entra em fase e se une a onda de energia de mesma sintonia do Universo.

Essas ondas se entrelaçam quanticamente, fundem-se, e formam o holograma quântico e material da realidade. É isso que significa cocriar ou Holo Cocriar® – a criação compartilhada e colaborativa com Deus, o Criador de tudo o que é.

Efeito Zenão

O Efeito Zenão, também conhecido, por Efeito Zeno, Zeno Quântico ou por Paradoxo de Turing, consiste numa característica da Física Quântica: um sistema não se altera enquanto for bem observado.

Ou seja, quando há excesso de intenção e atenção do observador por meio do campo emocional ou onda emocional emitida ao desejo observado, o campo se anula e a Matriz Quântica o repele por meio de efeitos reversos e toda a cocriação é descolapsada.

Isso significa, basicamente, que o excesso de ansiedade, medo, preocupação e outros sentimentos de baixas frequências emitidos após o anúncio do desejo pela consciência anulam a materialização atômica de qualquer desejo.

Emaranhamento ou Entrelaçamento Quântico

Emaranhamento ou entrelaçamento quântico é o fenômeno expressado pela relação existente entre duas partículas por meio da qual, apesar de separadas por grandes distâncias, a interferência feita em uma delas influencia o comportamento da outra de maneira simultânea e instantânea.

Energia

Substância que compõe tudo o que existe no Universo. Tal qual a temperatura é medida pelas polaridades frio e calor, a energia é medida entre as polaridades espírito e matéria, sendo esta a expressão mais lenta e condensada de energia em razão de sua densidade.

A energia significa a ação da frequência emocional e do pensamento da consciência no sistema quântico, ou seja, qualquer impressão de ação e de movimento da consciência que gera energia, frequência e vibração a qualquer realidade. Sem movimento e em velocidades de ação reduzida, pouca ou quase nenhuma frequência (energia) é produzida.

Quando há excesso de intenção e atenção do observador, por meio do campo emocional ou onda emocional emitida ao desejo observado, o campo se anula e a Matriz Quântica o repele por meio de efeitos reversos e toda a cocriação é descolapsada.

Experimento da Dupla Fenda

A dupla fenda é um experimento realizado pelo físico britânico Thomas Young (1773–1829) que comprovou que as partículas subatômicas, em estado de onda, se expressam e se comportam como partícula propriamente dita apenas quando observadas pela consciência humana. Quando não são observadas, tudo se torna apenas um estado de onda quântica, o que confirma a teoria das infinitas possibilidades, pois, a partir do olhar do observador da realidade, tudo pode virar matéria e só depende da atenção da consciência ao próprio desejo ou sonho.

Física Clássica

Física Clássica, também chamada de Física Tradicional ou Física Newtoniana, é a ciência que estuda os fenômenos do mundo natural a partir de tudo aquilo que for maior que um átomo.

Física Quântica

A Física Quântica é o ramo mais jovem da Física Clássica que tem por objeto de estudo o comportamento e a atividade das partículas subatômicas, ou seja, dos átomos, da energia e das frequências, do mundo considerado invisível e imperceptível aos olhos humanos.

Frequência Vibracional®

A Frequência Vibracional® é a frequência emitida por um campo eletromagnético com a informação a respeito de seu estado de ser. Nos seres humanos, a Frequência Vibracional® emitida corresponde à soma vetorial das frequências de seus pensamentos, sentimentos e comportamentos. Na Holo Cocriação®, é chamada de Assinatura Energética ou "código de barras" por ser aquilo que permite ao Universo nos identificar, interpretar e responder na mesma frequência por afinidade e ressonância vibracional.

Interferência Construtiva

Segundo a Física Quântica, esse fenômeno ocorre quando dois ou mais campos eletromagnéticos individuais entram em ressonância pela sincronização das amplitudes das suas ondas individuais coerentes. Assim, as ondas se fundem em uma onda maior, com um campo eletromagnético coerente, expandido e potencializado pelo somatório do poder dos campos individuais que ressoam harmonicamente.

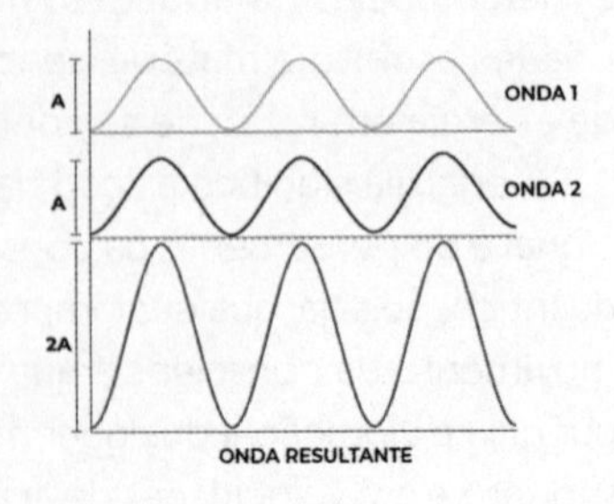

Não-Localidade

Não-localidade se refere a tudo aquilo que não ocupa uma posição no espaço e no tempo e, por isso, não pertence à realidade material tridimensional. Ou seja, tudo que é não-local existe em outra dimensão como onda ou energia e, por isso, é capaz de se movimentar em velocidades superiores à velocidade da luz.

Princípio da Incerteza de Heisenberg

Princípio elaborado pelo físico alemão Werner Heisenberg (1901-1976), expressa que é impossível determinar simultaneamente a posição, o tempo e a velocidade de um elétron (átomo). Enquanto a Física Clássica consegue prever com precisão absoluta o comportamento dos corpos que estuda, a Física Quântica consegue apenas prever as possibilidades e probabilidades de um elétron estarem em uma determinada órbita em um determinado momento.

Salto Quântico

O salto quântico é o fenômeno da Física Quântica em que um elétron salta de uma órbita para outra mediante uma mudança de frequência. Na Holo Cocriação®, usamos a expressão salto quântico para fazer referência a uma mudança repentina de consciência e de estado de ser que se reflete na realidade material.

Superposição Quântica

Todas as realidades possíveis, todas as possibilidades de manifestação física, todo passado, presente e futuro, o estado de onda do Novo Eu ou do Eu Holográfico existem, simultaneamente, no momento presente, enquanto onda no Campo Quântico, de maneira não local.

Infinitas Possibilidades

Em razão da imprevisibilidade do elétron, da comprovação da Matriz Holográfica®, do espaço não local e do poder de colapso sob o olhar do observador da realidade, tudo indica que existe um campo de infinitas possibilidades no Universo.

A produção de fenômenos físicos nesse campo depende, então, do olhar do observador da realidade, do poder emocional e energético da consciência na manifestação de qualquer holograma quântico e da materialização de eventos.

Esse campo é formado apenas por energia e consciência. Por isso, tudo nele pode existir e coexistir simultaneamente. Ele não é afetado nem pelo tempo nem pelo espaço. Entretanto, pode ser alterado em qualquer dimensão e, por isso, a consciência (observador da realidade) pode manifestar qualquer uma das infinitas possibilidades que essa onda primordial dispõe e permite.

Teorema de Bell

Teorema elaborado pelo físico irlandês John Bell (1928-1990), segundo o qual existe uma comunicação não-local entre partículas que ocorre mais depressa do que a velocidade da luz. O Teorema de Bell fundamenta o fenômeno do emaranhamento quântico.

Princípio da Simetria

Conforme o Princípio da Simetria, a mente humana opera da mesma forma que as partículas subatômicas, então, tudo aquilo que é válido para as partículas subatômicas, também é válido para a mente humana.

Em outras palavras, as leis que regem a microrrealidade da Física Quântica também regem as macrorrealidade em que vivemos, ou seja, as leis que regem a fenomenologia da Física Quântica servem para você resolver seus problemas e materializar seus desejos.

Na prática, a Física Quântica é uma ciência do indeterminismo e, por isso, é chamada de "Física das possibilidades" ou das "infinitas possibilidades". Diferente da Física Clássica, cujas leis podem prever o futuro com base nas informações do presente, na Física Quântica o futuro é imprevisível, pois o comportamento das partículas não pode ser antecipado.

Assim, não se pode determinar como uma partícula quântica se comportará no futuro com base no seu estado presente. Pelo Princípio da Simetria, o presente não determina como será o futuro, pois o futuro não é construído com as possibilidades do presente, de maneira que as coisas ruins de hoje não são responsáveis por construir um amanhã ruim.

Em outras palavras, mesmo que o seu presente não esteja nada bom, o futuro pode ser maravilhoso, pois tudo pode ser alterado pelo olhar do observador e pelo desejo da consciência, de modo consciente ou inconsciente. Por isso, a realidade quântica sempre possibilita uma esperança, uma expectativa por um futuro melhor. Só porque hoje você não tem dinheiro, por exemplo, não significa que amanhã não terá.

O que nos dá o poder de manter a vibração, em minha visão, é o conhecimento. Saber como tudo funciona, como nós operamos, como a realidade é criada, nos dá o poder de decidir o que queremos ser e fazer.

Vou deixar uma ferramenta quântica para você que no meu Método chamo de Aferição de Sonhos.

A VISUALIZAÇÃO HOLOGRÁFICA® - TURBO 6 POTÊNCIA 1.000 HERTZ®

Não basta apenas ter a fotografia mental! Essa ferramenta, também conhecida como Holo Cocriação de Ferramentas Taqui-Hertz®, é aceleradora de partículas (sonhos). Ela ajuda a mostrar que o modo como você visualiza holograficamente essa foto mental fará toda a diferença na manifestação do seu desejo e para manter seu foco na certeza de que já é real.

Por essa razão, quero apresentar a você A Visualização Holográfica® – Turbo 6 Potência 1.000 Hertz®.

Visualização Turbo 01 - Você visualiza o que quer de maneira específica, assistindo a si mesmo dentro da cena, como em um filme. É você assistindo ao seu próprio filme, cuja cena representa a realização do que deseja;

Visualização Turbo 02 - Você deve aumentar a visualização de tamanho. Aumente sua imagem, aumente o local, aumente tudo o que envolve essa visualização;

Visualização Turbo 03 - Coloque cores e som nessa imagem. Não pode estar preto e branco, precisa estar colorido e ter sonorização. Qual é o som da manifestação do seu sonho?

Visualização Turbo 04 - Você deve entrar nessa imagem! É como se você estivesse assistindo o filme da manifestação do seu desejo e, de repente, entrasse na cena, como se entrasse dentro do seu próprio corpo. Agora, você não está mais se vendo de fora, você está do lado de dentro, vivenciado a manifestação do seu sonho!

Visualização Turbo 05 - Sinta muita emoção! Emoção de alegria! Emoção de sucesso! Emoção de conquista! Emoção de vitória! Emoção de muita gratidão, porque finalmente está experimentando a melhor sensação do mundo, a sensação de ter realizado o seu sonho!

Visualização Turbo 06 - No ápice, entre em Ponto Zero (ausência total de pensamentos)! Sabe o que isso significa?

O seu desejo está definido;
O seu desejo é ardente;
O seu desejo é constante;
O seu desejo é inabalável;
O seu desejo é grato!

Neste momento em que a sua Holo Cocriação® está convicta dentro de você e que você, enquanto cocriador, está ativado nos seus 5Ds (Decidido, Determinado, Disposto, Declarado e Disciplinado), a fotografia mental mais importante do mundo, sua Holo Cocriação® está clara e não há nenhuma dúvida de que a sua visualização é Turbo 06. Agora é o momento mais importante!

Você está completamente ativado, isso significa que a sua Frequência Vibracional® está tão alta e sintonizada ao seu desejo que este é o momento **PERFEITO** para você entrar em campo de Ponto Zero! Repita: Eu Sou o Poder, pois a mente de Deus está em minha mente e isso significa o melhor de mim hoje, do que tudo que fui até hoje. Eu sou merecedor, eu estou pronto. Eu mereço, eu decido, eu declaro. Eu Sou o poder agora! Já é real, já é real, já é real!

No ápice dessa visualização, silencie os seus pensamentos, apague tudo! Nem que seja por um ou três segundos. Apague a visualização! Se for difícil não pensar em nada, deixe tudo em preto ou branco. Isso é o Ponto Zero, esse é o ponto de Deus, em que todos os seus sonhos se materializam! Projete novamente a imagem, 10 vezes maior, gigante, do tamanho de um prédio de vinte andares. Está Feito!

Repita o comando de ativação sempre que desejar.
Repita: Eu Sou o poder, pois a mente de Deus está em minha mente e isso significa o melhor de mim hoje, do que tudo que fui até hoje. Eu sou merecedor, eu estou pronto. Eu mereço, eu decido, eu declaro. Eu Sou o poder, agora! Já é real, já é real, já é real!

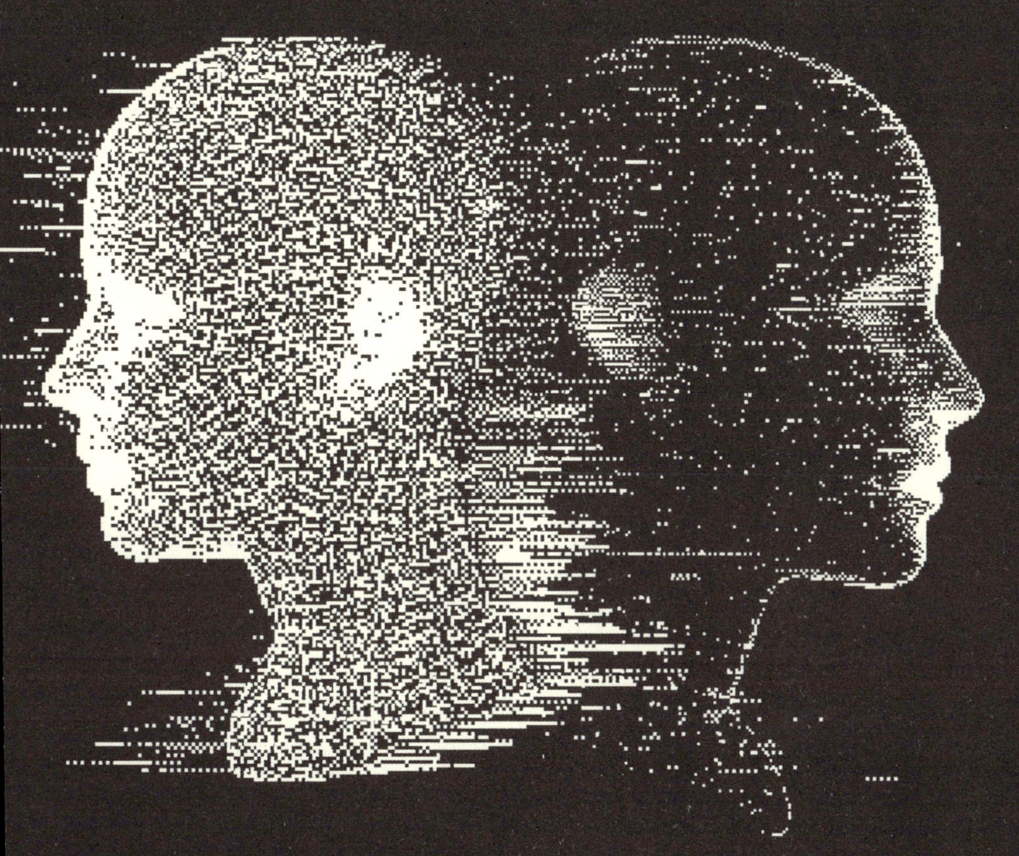

CAPÍTULO 10
DNA REVELADO DAS EMOÇÕES® - ATIVAÇÃO DAS DOZE EMOÇÕES DE ALTA FREQUÊNCIA PARA COCRIAÇÃO DE SONHOS NA RODA DA COCRIAÇÃO

PRÁTICA DE EXPANSÃO VIBRACIONAL PARA COCRIAÇÃO INFINITA

Agora que você aprendeu a manter sua frequência elevada, vamos ativar as Doze Emoções Milionárias, as frequências de Alta Vibração. Nessa ferramenta de Holo Cocriação®, a Reprogramação Vibracional para Ativação das Doze Emoções Milionárias, você vai criar ressonância para ativar a coerência cardíaca por meio do cultivo de emoções elevadas para a cocriação de objetivos, sonhos e metas. Todo esse conhecimento abrange a teoria e a prática de ativação acelerada do Algoritmo do Universo® para Cocriação. Vamos lá?

EMOÇÃO 1: GRATIDÃO

A **gratidão** é o espelho de suas realizações afetivas, financeiras, pessoais e profissionais. Na Roda da Cocriação®, sem gratidão, você não dá o *start*, não consegue fazer o círculo girar no sentido horário, no fluxo quântico do Universo para a cocriação de seus sonhos.

A gratidão tem uma frequência superior a 900 Hertz e, por isso, está na mesma sintonia do Universo e da Matriz Holográfica®, da fonte de cocriação universal de sonhos, objetivos e metas. Dessa forma, tudo o que você fizer a partir de hoje, deverá ser focado e levar em consideração o seu novo senso de gratidão.

Assim, agradeça pelo hoje, pelo ontem e pelo amanhã, pelo amor que recebe e dá, por sua casa, pela comida que tem na mesa, por seu emprego, salário, dinheiro que recebe, ganha ou que já está programando para receber. Agradeça por todas as coisas da vida, aprendizados, erros, acertos, experiências positivas e negativas.

Agradeça até mesmo por eventuais desventuras financeiras, pois se o dinheiro se foi é porque você precisa voltar para o círculo da gratidão e retomar a autoconsciência de que é preciso ser grato, agradecer, saber receber, doar, ganhar e até mesmo perder.

A gratidão ativa a Roda da Cocriação® e movimenta a frequência emocional, acelerando seu potencial para a cocriação de seus sonhos. Além disso, vai ajudá-lo a reverter a polaridade do Campo Quântico para efeitos positivos e a entrar em ressonância com o fluxo natural do campo das infinitas possibilidades.

Você precisa se centrar na gratidão e entender que foi você mesmo quem gerou as circunstâncias que está vivendo, sejam elas positivas ou negativas. Saiba que é o responsável por todos os eventos da sua vida e que precisará centrar mais uma vez na sua capacidade cognitiva para mudar a percepção da realidade, se assim for necessário.

Então, apenas agradeça e volte a esse fluxo quântico ideal. Será essa a emoção que o impulsionará na Roda da Cocriação® para ativar o fluxo e liberar a energia essencial que você necessita no momento presente para cocriar tudo o que deseja, atraindo infinitas oportunidades em sua existência.

O amor é a melhor escolha para acelerar a Roda da Cocriação®!

EMOÇÃO 2: AMOR

O **amor** vibra exatamente em 528 Hertz. Ele está na média ou um pouco acima da frequência do Universo. No amor você está no fluxo constante, eterno e infinito do Universo.

O que isso significa?

Que você navega, naturalmente, pelo Oceano de Higgs,[14] pelo oceano da existência, e está completamente integrado e coeso a todas as manifestações da realidade e de suas cocriações observadas. Quando você está no seu fluxo, a partir da energia do amor, tudo passa a se manifestar em sua vida, em todas as áreas: amor, prosperidade, saúde, relacionamentos, sucesso, reconhecimento pessoal e financeiro.

Tudo prospera na vida pessoal, familiar e afetiva e todos os frutos desejados podem ser colhidos na Árvore da Vida, direto da Fonte Criadora de possibilidades ilimitadas e, por isso, o segundo passo ou movimento na Roda da Cocriação® é a liberação da energia do amor infinito e incondicional.

A minha dica de ouro é para você amar a tudo e a todos de modo incondicional. No entanto, primeiramente, ame a si mesmo: ame ser como você é, ame como se porta diante dos desafios financeiros e profissionais, eleve os pensamentos e as emoções de amor em suas relações no trabalho, na família, com seus colegas, pais, filhos e filhas.

Apenas doe amor, deseje muito amor e prosperidade, e isso refletirá imediatamente em sua vida. Assim um solo fértil, cheio de oportunidades, possibilidades e probabilidades quânticas será arado a seu favor para a manifestação de todos os seus sonhos.

O amor é a melhor escolha para acelerar a Roda da Cocriação®!

EMOÇÃO 3: ALEGRIA

A **alegria** é o turbo do seu foguete quântico que o levará à dimensão da cocriação de sonhos e eventos a seu favor. Ela vibra em 540 Hertz na Escala da Consciência e ultrapassa qualquer vibração mais sutil do Universo, por isso o coloca em uma situação privilegiada para alcançar a materialização ou cocriação de qualquer resultado que deseje, justamente porque é a energia essencial do Universo e rompe com qualquer cadeado que bloqueie o fluxo da cocriação de sonhos.

14 Ou campo de Higgs, responsável por atribuir massa a certas partículas. (N.E.)

Sugiro que você estimule a alegria dentro de si para elevar, automaticamente, a vibração de todo o seu Campo Quântico e relacional, pois a alegria é contagiante e ajuda a liberar hormônios do bem como serotonina, endorfina e oxitocina, responsáveis por acelerar a comunicação das sinapses cerebrais, aumentar o nível de potência energética das células e elevar a frequência das moléculas, despertando genes autoconscientes de manifestação de sonhos.

A alegria é uma emoção poderosa e deve contagiar todo o seu sistema relacional, pois quando o contagia profissionalmente, seus resultados em diferentes setores também serão afetados de maneira positiva, fazendo com que existam novas oportunidades de relacionamentos, mais saúde, mais amor, novas oportunidades de negócios, criação de possibilidades extraordinárias, disponibilidade de mais recursos financeiros, parcerias e novos fluxos de ideias sejam manifestadas rapidamente a seu favor.

Nesse contexto, posso citar um ícone da televisão brasileira, sempre com o sorriso no rosto, com alegria no olhar e em seu comportamento: o apresentador Sílvio Santos é a representação mais emblemática do poder da alegria na produção de prosperidade em várias áreas da vida: familiar, relacionamento, dinheiro, riqueza, solidariedade e oportunidade.

Obviamente, além do seu comprometimento com o público, *feelling* nos negócios e dedicação à vida empresarial, sua alegria contagiante o tem ajudado a magnetizar e a cocriar, mesmo inconscientemente, oportunidades, negócios extraordinários e possibilidades incríveis em sua vida pessoal, profissional e financeira.

Com seu sorriso cativante e espírito brincalhão, Sílvio Santos conquistou todo o Brasil. E você também tem esse poder natural para cativar, para se manter na frequência da alegria e para cocriar possibilidades indescritíveis.

Justamente porque você é filho do Criador, e o espírito da criação é alegre, feliz e cheio de vitalidade, você tem a mesma vibração da alegria universal dentro de si e só precisa cultivá-la para viver experiências extraordinárias no mundo.

Vibre na alegria e você se tornará uma máquina de cocriação compatível com a manifestação de todos os seus sonhos!

EMOÇÃO 4: PERDÃO

Vibre na alegria e você se tornará uma máquina de cocriação compatível com a manifestação de todos os seus sonhos!

O **perdão** é o impulso seguinte na Roda da Cocriação® para viver uma vida incrível em todas as áreas. Sua frequência varia de 500 a 700 Hertz. Ele libera do campo da pessoa todas as crenças limitantes, medos, fobias, bloqueios, autossabotagens e, sobretudo, a sensação de culpa.

Quando você aprende a perdoar, seja a si, seja outras pessoas, a sociedade, o mundo, ou a relação profissional com os outros, você libera processos cármicos e energias de baixa frequência e abandona a mentalidade de falta de permissão, passando, então, a se permitir cocriar todos os sonhos em alta frequência.

O perdão é um processo lindo, intenso e libertador. Ele é o passo necessário para você conseguir movimentar a Roda da Cocriação®, porque, sem perdão, a Roda para, nada funciona e você volta à estaca zero.

O perdão é um sentimento nobre que aliviará completamente a sua alma de culpas, dilemas existenciais, medos, preocupações e ansiedades.

O perdão é um sentimento nobre que aliviará completamente a sua alma de culpas, dilemas existenciais, medos, preocupações e ansiedades. Esse sentimento tem a capacidade natural de destruir sinapses conturbadas e criar novas conexões na sua mente voltadas para o processo de cocriação universal.

Ao liberar o perdão, você também potencializa a vibração do coração e começa a acionar o Fluxo da Coerência Cardíaca entre esse órgão fantástico e o seu cérebro, ou seja, você começa a harmonizar a frequência necessária para elevar ainda mais a vibração do seu campo, ultrapassar a barreira de 1.000, 2.000, 3.000 Hertz, acima até mesmo da Escala Hawkins, e começa uma revolução cocriativa em todas as áreas de sua vida.

Por isso, perdoe, perdoe e perdoe. Você potencializará sua capacidade para cocriar tudo o que desejar e transformar seus sonhos em matéria real no plano físico.

O perdão é o grande propulsor para materializar sonhos, diretamente no fluxo dinâmico da Roda da Cocriação®.

EMOÇÃO 5: HARMONIA

A **harmonia** é a sensação do Universo. Na harmonia, você não apenas sente, mas é o próprio Universo, simplesmente porque está no fluxo quântico da cocriação de tudo.

Porque o Universo é natural e originalmente uma vibração harmônica, tudo nele brota e floresce, pois o Universo é Deus, é o Criador de tudo o que é. E o Criador é feito de riquezas ilimitadas, infinitas e indescritíveis. Vibração 940 Hertz.

Portanto, se deseja manifestar tesouros incontáveis em sua vida, vibre na harmonia. Como? Mantendo um estado de tranquilidade, de calma e de pacificação íntima, o que se torna possível quando você aprende a dominar o teor dos seus pensamentos, controlar suas emoções mais exacerbadas e monitorar os próprios comportamentos diários.

Se deseja manifestar tesouros incontáveis em sua vida, vibre na harmonia.

EMOÇÃO 6: ACEITAÇÃO

A **aceitação** está em um nível próximo ou ainda superior à frequência da iluminação, porque quando você aceita seu poder para cocriar a realidade e para manifestar seus sonhos, você aceita a grandeza infinita do Criador e passa a vibrar na plenitude, no amor, na harmonia, na paz, na alegria, na gratidão, na rendição ao Universo e em todas as emoções elevadas conjuntamente.

O estado de aceitação é o percurso ideal na Roda da Cocriação® para você acessar a dimensão do seu Eu do Futuro Ideal ou Eu Holográfico®, que é sua versão completamente realizada e plena em todas as áreas e departamentos.

Aceitar passa pelo processo de compreender e receber as dificuldades, problemas, dilemas e transtornos que porventura possam surgir, lidando de modo equilibrado, harmônico e autoconsciente. Seja qual área for, você deve acolher, aceitar e entender que tudo parte de você e tudo ressoa com a sua frequência.

Quando você aceita – mesmo uma dificuldade –, consegue movimentar a Roda da Cocriação® e mexer o ponteiro para frente, modificando, em pouco tempo, o resultado indesejável para uma solução ideal.

Ao aceitar uma situação, você compreende que também tem poder para mudar a perspectiva do cenário indesejável, e isso altera automaticamente os seus circuitos neurais e inverte sua polaridade do negativo para o positivo.

É assim que você consegue sair da lama, deixar o caos e empurrar a Roda da Cocriação® para frente, sobretudo para vibrar em esferas ainda mais elevadas, ultrapassando as barreiras do tempo e do espaço, em contato direto e permanente com sua versão ideal.

Você alcança seu Outro Eu na aceitação, quando suas ideias viajam em forma de onda informacional por meio do campo do Universo e pelo impulso do seu Campo Quântico, trazendo, assim, possibilidades infinitas para que a vida que você sempre sonhou se manifeste no momento presente.

Quando você está em um estado de alta vibração e em um nível pleno de aceitação, acima até de 3, 4, 5 mil Hertz, numa velocidade estrondosa que ultrapassa qualquer barreira dimensional de tempo, espaço, som, luz e da curvatura no Universo, acessa um espaço divino, no qual tudo é possível de se manifestar.

Todas as versões da realidade mais incríveis experimentadas por seu Eu Ideal podem vir à tona e se plasmarem em seu Campo Quântico ou relacional, pois essas informações trazidas do futuro, do contato com o Eu Holográfico®, ficam impressas no campo informacional e se aderem ao fluxo da água e aos fluídos do seu corpo, gravando no seu inconsciente memórias do futuro e de experiências do tempo desejado.

Isso é manifestado no tempo presente com sonhos, *insights*, ideias inatas, encontros, sincronicidades, serendipidades e circunstâncias especiais. O Universo se torna perfeito e sincrônico quando você eleva a sua vibração para alcançar o estado de plena aceitação.

A Roda da Cocriação® sobe mais um nível e você se conecta com o campo de infinitas possibilidades do Universo!

EMOÇÃO 7: APRECIAÇÃO

A **apreciação** é uma energia de alta frequência, capaz de transcender até mesmo o nível máximo estabelecido na Escala Hawkins, pois essa emoção, sentimento ou sensação consiste na fusão quântica da harmonia, da alegria e da gratidão e, por isso, chega a vibrar de 2 a 3 mil Hertz facilmente.

A apreciação é uma emoção explosiva e eleva você ao patamar dos deuses da cocriação universal, porque o Criador está na frequência da contemplação de seu amor infinito e eterno, que condiz e se assemelha à energia essencial da apreciação, uma vez que apreciar significa contemplar, aproveitar, manter-se em um estado de compaixão, harmonia, benevolência, equilíbrio e fluxo elevado.

Por isso, quando há apreciação, tudo se manifesta naturalmente, de modo livre e espontâneo. Quando você sente, percebe e compreende o sentido da apreciação, sua fisiologia é afetada de maneira positiva, de modo que seus neurônios entram em um estado alfa, suas conexões sentem-se livres para sonhar e cocriar, todo seu Campo Quântico e relacional é expandido, as ideias mais avançadas borbulham e a vibração da cocriação de seu desejo penetra em todo o seu sistema emocional, mental, espiritual e energético.

Você é plasmado pela energia brilhante da cocriação em todo o seu ser. Sabe por quê? Porque sabe e sente que tudo já existe, tudo está disposto no Campo Quântico; sabe e sente que existe um manancial de infinitas possibilidades que lhe pertence; compreende que tudo pode ser cocriado infinitamente e todas as possibilidades já lhe pertencem, basta você programar a sua mente e sintonizar a sua energia emocional para viver uma verdadeira era de realizações.

Na apreciação, você harmoniza todos os fatores e consegue fortificar o efeito da coerência cardíaca em seu sistema, colocando mente, espírito, emoção, pensamento, razão e intuição em uma mesma frequência de cocriação ideal, ou seja, você consegue manter a mesma vibração elevada entre os batimentos do seu coração e a transmissão neurosináptica de pensamentos condizentes à cocriação de seus sonhos na sua mente.

Assim, coração e mente atuam de modo conjunto para gerar a vibração elevada, propensa à cocriação de seus sonhos. Simplesmente um fenômeno fantástico provocado por sua **consciência transcendental**.

Quando você aceita – mesmo uma dificuldade –, consegue movimentar a Roda da Cocriação® e mexer o ponteiro para frente, modificando, em pouco tempo, o resultado indesejável em uma solução ideal.

EMOÇÃO 8: COMPAIXÃO

O estado de **compaixão** transcende o tecido do Cosmos e pode alcançar a presença do Eu do Futuro fora do tempo e do espaço, pois o senso de compaixão acelera a Roda da Cocriação® e o coloca, no momento presente, sem qualquer escala no tempo, frente a frente com sua versão mais feliz e realizada de todas.

Basta fechar os olhos, pensar, sonhar e sentir! Pronto, você já está lá, no tempo ideal, no qual seu Eu Ideal se move e transita livremente para receber instruções e soluções para o momento imediato. Você entra em perfeita sintonia com o futuro e com a sua versão ideal que deseja plasmar no momento presente.

A compaixão é um sentimento universal, totalmente relacionado com o amor, a gratidão, a paz e a harmonia. Ela gira num fluxo de até 5 mil Hertz e pode romper com qualquer obstáculo físico, até mesmo quântico, pois o coloca em plenitude harmônica e afetiva com a energia do Criador.

Personalidades como Jesus Cristo, Buda e Conde de St. Germain experimentaram e vivenciaram esse sentimento elevado. Todos eram prósperos em conhecimento, sabedoria, amor, paz interior, benevolência e harmonia universal.

Por meio da Roda da Cocriação®, esse mesmo sentimento pode ser canalizado para liberar o fluxo da cocriação universal e integrá-lo à dimensão holográfica do Eu do Futuro, pois, ao manifestar a compaixão, além de potencializar ao extremo o seu campo de manifestação de sonhos em diferentes áreas, você se permite entrar em sintonia e se integrar à onda primordial do Criador para se abastecer de energia vital, de substância amorfa, de potencialidade pura, abrindo o horizonte infinito da cocriação para experimentar os tesouros mais desejados e uma sensação íntima indescritível de realização e plenitude.

A compaixão é essencial, pois essa vibração íntima, real e poderosa de alta voltagem é responsável por colapsar, em qualquer dimensão do tempo e do espaço, preciosidades em todas as áreas de sua existência.

EMOÇÃO 9: DIVINDADE

A emoção da **divindade** vibra na velocidade da luz, pode atravessar as fronteiras da existência e sintonizar-se com ela significa que você acessou seu **poder divino absoluto**, que se tornou onda de luz, energia e informação, que é um espectro de luz que trafega por todo Universo em fase e em profusão com sua versão perfeita e ideal, o Outro Eu de você, bem-sucedido, amado, respeitado, admirado, abundante, saudável, cheio de vitalidade e de energia, capaz de cocriar, apenas por impulso emocional e mental, realidades extraordinárias, absolutamente fantásticas e esplendorosas.

Você é plasmado pela energia brilhante da cocriação em todo o seu ser.

Na divindade, você é o próprio Deus, a própria potencialidade pura, em plena ação. Você determina o futuro, cria as condições ideais para viver no nível da cocriação instantânea e ativa o poder secreto do Criador para colapsar eventos potenciais em todas as áreas, em todos os sentidos e para todos os segmentos da sua existência, seja nessa dimensão ou em realidades paralelas e mundos alternativos.

Como você consegue transitar, instantaneamente, em qualquer ponto do espaço e da realidade e tem plena consciência do princípio da inseparabilidade universal e do entrelaçamento quântico da vida, consegue visualizar, sentir, prever, vivenciar e experimentar o futuro desejado em perfeita profusão com seu Eu do Futuro no momento presente.

A frequência da Divindade representa o estado de perfeição, com ondas emocionais muito elevadas, amor em essência, paz universal, harmonia plena, alegria constante, iluminação integrada ao pensamento e ao sentimento do Criador de tudo o que é.

Com toda essa profusão de sensações, vibrações e alto estado de consciência, você se transforma em um cocriador acelerado da realidade, fazendo com que a Roda da Cocriação® entre em um ritmo de potência inigualável para lhe permitir conquistar, em tempos desconhecidos e inimagináveis, a manifestação de todos seus sonhos.

Na Divindade, você pisa em um acelerador quântico ultraveloz que rompe qualquer bloqueio, barreira ou obstáculo da existência para receber os frutos gerados pelo Criador e pelo Universo.

EMOÇÃO 10: ABUNDÂNCIA

Na **abundância**, você se integra à Onda Primordial, ao Estado de Potencialidade Pura, à própria Matriz Holográfica® ou, melhor ainda, você é a Onda de Riqueza e Abundância do Universo. Quando está no alto da Roda da Cocriação®, já alcançou o estado de divindade, integrou-se às emoções mais elevadas e esse passa a ser seu espírito natural.

Em outras palavras, você é a energia de luz e de cocriação invisível de sonhos. Com a consciência da abundância plasmada ao seu sistema, ativando neuroassociações e vibrações elevadas por todo o corpo, todas as cocriações e projeções de prosperidade em diferentes áreas da vida são, automaticamente, produzidas dentro e fora do seu ser universal, uma vez que atinge uma potência elevada, fazendo o ponteiro da Roda da Cocriação® bater no teto de tanta potência, em um ritmo muito acelerado, avançado e assertivo.

EMOÇÃO 11: PAZ UNIVERSAL

A **paz universal** é um nível de consciência relacionado com a harmonia, que não promove apenas sossego para você ou acalma o seu coração, mas é elevada e expandida ao horizonte de todo o Universo por efeito de ressonância.

O que isso significa?

Significa que a emoção da paz tem o poder de chegar em qualquer ponto e cruzar o horizonte de todo o Universo, colocando você em fase com seu Eu Ideal, o seu eu que já é feliz, amado, saudável, reconhecido, próspero, abundante e com recursos favorecidos em todas as áreas.

Eu sempre digo que o verdadeiro sentimento de paz é indispensável para alcançar a vibração original da cocriação no Universo, pois, sem paz, você não consegue entrar em ressonância e nem em estado harmônico com nenhuma frequência de luz e de cocriação, seja na área que for e, em vez de colapsar, você descolapsa seus desejos.

Sabe por quê?

Porque sem paz não existe harmonia dentro de você e nem em sua relação com o Universo. Sem harmonia, você não estará em ressonância com a natureza do Criador.

Sem paz, resumidamente, a frequência emocional necessária para materializar seus sonhos não é ativada, e o que vai imperar serão apenas emoções e sentimentos de desconforto, vazio, falta, abnegação, conflitos emocionais e espitituais e contrassenso energético, o que torna impossível desfrutar verdadeiramente de cocriações no mesmo fluxo do Criador.

O efeito positivo, entretanto, é provocado no seu ser quando você desperta o sentido real da paz e da harmonia. Quando resolve seus conflitos interiores, ilumina-se e ascende às dimensões da cocriação expansiva no Universo, o que o coloca em valores potenciais de até 10 mil Hertz, fazendo com que você brilhe como uma pérola no fundo do oceano e se transforme em um designer de sonhos e desejos de pura vibração.

Ao encontrar a verdadeira **Paz Universal**, você também identifica seu propósito de vida e consegue se alinhar vibracionalmente com a natureza próspera e abundante da criação. Tudo passa a reluzir, começando pelo interior de suas células, passando pela conexão das sinapses do seu cérebro até a vibração irradiada pelo seu campo relacional, tudo em profusão com a energia essencial de cocriação de Deus.

Ao encontrar a verdadeira Paz Universal, você também identifica seu propósito de vida e consegue se alinhar vibracionalmente com a natureza próspera e abundante da criação.

EMOÇÃO 12: AFETO

O **afeto** é a frequência 1.000 Hertz, ativado na Roda da Cocriação® com base em todas as outras onze emoções. Surge desse poder maior universal. É tão poderoso porque, além de carregar as onze emoções de alta vibração, ele é junção química da empatia + compaixão + solidariedade + humildade + servir e ajudar o próximo. Bingo! Afeto está correlacionado com a energia e com o comportamento da empatia universal, que nada mais é do que o amor incondicional, a benevolência do Criador de tudo o que é, ou seja, de Deus, Poder Superior (ou como preferir chamar), que ama incondicionalmente e infinitamente a todos os seres.

Todos os seres representam e são a expressão quântica do Seu próprio amor em eterna e contínua expansão no Universo e nos multiversos afora, por isso, o afeto remete à empatia e, consequentemente, ao amor incondicional, isto é, ao amor universal, que tem uma frequência infinita infiltrada em nossos genes, na vibração celular, na conexão dos neurônios do cérebro humano, no núcleo do DNA e em suas fitas instrutivas.

Tudo passa pelo amor, pelo afeto provocado pelo amor, pela empatia e pelo sentido incondicional de amar infinitamente. Assim, quando você entende e tem empatia pelo outro, por si e por seus níveis quânticos de consciência, por todos os seres, pelo planeta, pela natureza, pela galáxia, pelo Universo, por toda existência e por Deus, efetivamente transcende qualquer barreira e se torna apto para experimentar o sentido mais puro e mágico da vida.

Você está pronto para cocriar seus mais lindos sonhos e para viver a essência da cocriação, que transpõe tudo, até mesmo a matéria e o sentido perceptivo do mundo físico, pois tudo vai muito além e de modo ainda mais profundo existencialmente, o que o leva a uma euforia indescritível, a uma sensação provocante e estimulante, fazendo-o se sentir pleno, completo, abundante e próspero em todos os campos da vida.

Quando você é afetado pelo amor universal e pela energia da criação, torna-se um ser completamente integrado ao seu Eu Ideal, ao seu Eu do Futuro, com todas às infinitas possibilidades de cocriação em ressonância com você e com a vida dos sonhos.

Ao navegar no momento presente, atingindo uma vibração esplendorosa, de pura luz e velocidade, acima de 10.000 Hertz, você acessa o seu Novo Eu Ideal, completamente acionado, que já atravessou todo o raio dimensional da Roda da Cocriação®, capaz de manifestar qualquer tesouro com a faísca do pensamento ou uma simples intenção emocional.

Em posse do conhecimento sobre as doze emoções da Roda, vamos à prática da reprogramação vibracional – Ressonância para ativar a coerência cardíaca das emoções elevadas para cocriação de sonhos

www.dnareveladodasemocoes.com.br

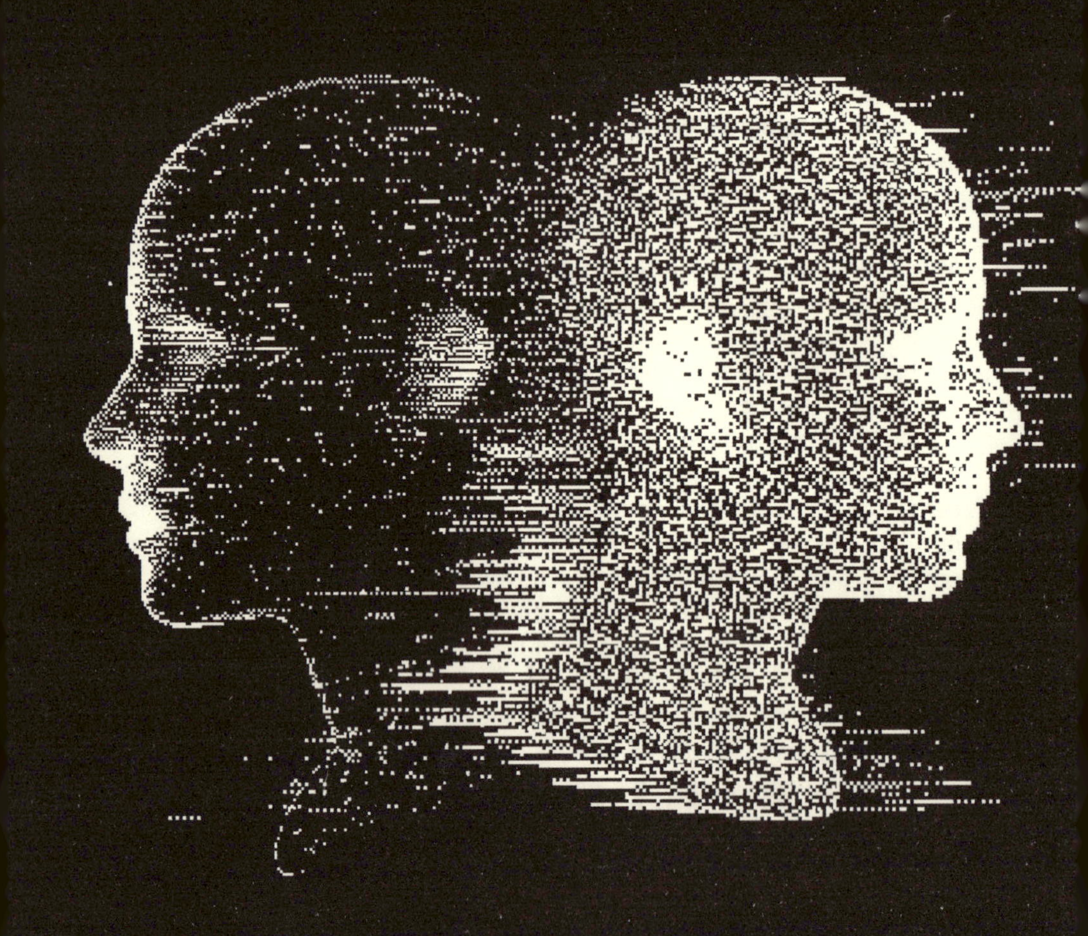

CONCLUSÃO: CELEBRAÇÃO DO NOVO EU

ATIVANDO A FREQUÊNCIA QUE HOLO COCRIA O ALINHAMENTO 1.000 HERTZ®

Comemorando uma Nova Vida!

Chegamos à conclusão e a revelação da Frequência Vibracional® da coerência harmônica e do alinhamento vibracional à frequência (dimensão) 1.000 Hertz.

Quero reforçar alguns pontos fundamentais do que aprendemos neste livro. Falamos que nossas emoções Holo cocriam o futuro e que nossa assinatura vibracional determina o que vamos viver, ter, ser e fazer. Bingo! Então, chegou o momento de comemorar sua nova vida, de celebrar seu novo eu, a conquista de todos os seus sonhos. Chegou o momento de dar adeus à sua antiga versão, porque agora você é o dono da sua vida. Até aqui está claro algo essencial: os nossos ciclos de pensamentos, sentimentos e comportamentos são responsáveis por produzir e vibrar os campos eletromagnéticos ao redor do nosso corpo físico e cocriar tudo, sendo o caos ou a ordem, a escassez ou a vida milionária. Pois estamos emitindo e recebendo frequências que carregam energia e informações a todo momento (quando oramos, reclamamos, julgamos, atacamos etc.).

Ou seja, quer tenhamos consciência ou não, estamos sempre Holo Cocriando®, 24 horas por dia, dormindo ou acordados, enviando e recebendo energia eletromagnética. Esse processo também chamamos de frequência criada pelas emoções humanas, Frequência Vibracional®. Essa energia emanada de maneira consciente (acordado) ou inconsciente / estado de vigília (dormindo), valida, reforça e cocria o que está no nosso campo, Matriz Holográfica®.

A conclusão dessa soma é exatamente a Fórmula da Holo Cocriação® de tudo:

P + RN = DE / S+RN = CM / A + RN = CE

Em que:
Pensamentos produzem redes neurais e ativam descargas elétricas;
Sentimentos produzem redes neurais e ativam cargas magnéticas;
Ações produzem redes neurais que ativam o Campo Eletromagnético.

- Quando temos um pensamento, ativamos as redes neurais e sinapses com imagens e memórias daquilo que está em nossa mente;
- As redes neurais criadas pelos pensamentos produzem descargas (ondas) elétricas;
- As descargas elétricas (ondas) liberam a química cerebral para o corpo, conforme informação que as ondas (descargas) elétricas portam, amor ou ódio, escassez ou prosperidade;
- A liberação dessa informação, criada pela imagem do pensamento, é somada à substância química ativa das emoções correspondentes (positiva ou negativa);

- As emoções ativadas por esta informação e energia despertam sentimentos;
- Estes sentimentos (emoção em ação) ativam e produzem as ondas e cargas magnéticas;
- Ações e comportamentos criam cargas eletromagnéticas ao nosso redor. Logo, o Campo Quântico é a soma de pensamentos, sentimentos e ações;
- As descargas elétricas criadas pelas imagens e desejos dos pensamentos juntam-se por ressonância vibracional, vibração compatível ou, como Joe Dispenza cita em seus cursos, afinidade subatômica;
- Nossos pensamentos (carga elétrica) e sentimentos se unem por vibração semelhante às cargas magnéticas dos sentimentos, uma vez que são mais potentes e mais fortes do que o pensamento;
- Pensamento se une ao sentimento e ao comportamento por vibração predominante, alinhando na mesma Frequência Vibracional® – quando pensamento, sentimento e ações estão todos na mesma frequência. Eu penso riqueza, sinto riqueza e me comporto como rico;

Assim se forma nosso campo eletromagnético, que emite frequência com as informações correspondentes ao nosso estado de ser (nossa "assinatura energética" ou nosso "código de barras", que será lido pelo Universo, como costumo falar).

Apesar de serem poucas as pessoas com essa compreensão cientificamente fundamentada, todo mundo, em algum momento, já constatou as evidências empíricas da existência e atuação dos campos de vibração eletromagnéticos pela simples sensação e percepção das informações emitidas pela energia de outra pessoa. O famoso "Não sei porque, mas não gostei dela!", "Achei ela abatida, triste", "Não sei porque, ela não me fez nada, mas a achei arrogante e nojenta". Por isso somos capazes de perceber o estado de ser de uma pessoa, sabendo, instintivamente, se ela está em sofrimento, raiva, alegria, amor ou até interesse sexual, entre outras coisas.

Eu tenho uma habilidade especial que adquiri no decorrer dos meus vinte e cinco anos de pesquisas e experiências no campo da mente, emoções e frequência: consigo saber em que Frequência Vibracional® uma pessoa está vibrando. Certamente, temos nossas opiniões sobre o estado emocional das pessoas, assim como todos. Inclusive você! Não porque somos excelentes terapeutas, especialistas em comportamentos, expressões e falas, mas sabemos porque nosso campo eletromagnético capta a informação do campo magnético de outra pessoa.

Como você já aprendeu, as emoções variam em frequência. Eu costumo usar o termo amplitude e comprimento de onda para essa compreensão. Ou seja, quanto mais lenta (amplitude e comprimento de onda) mais denso, mais negativo. Quanto mais forte, mais alta a vibração. Emoções positivas, criativas e elevadas como gratidão, amor, paz e alegria possuem frequências muito mais altas do que emoções negativas de estresse e sobrevivência, como medo, raiva, culpa e vergonha.

Agora relembre a Escala Hawkins para, em seguida, fazermos uma comparação:[15]

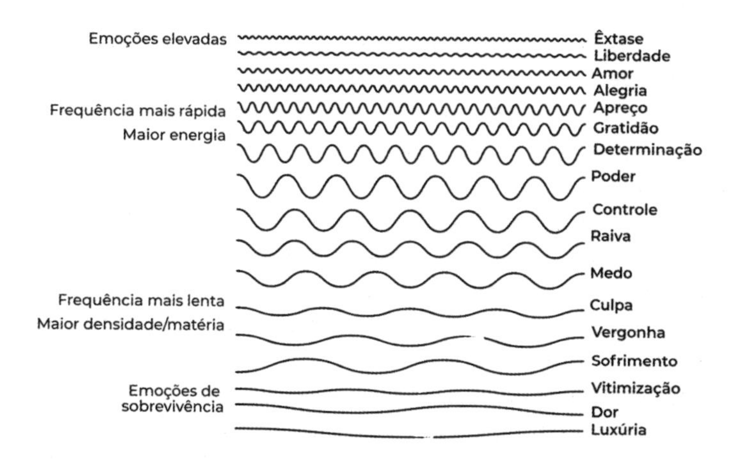

Você pode ver a variação dos comprimentos das ondas conforme a frequência das emoções. O Hertz é a unidade de medida que mensura os ciclos da onda por segundo. Ou seja, quantas vezes, por segundo, a onda se eleva e se abaixa, o que determina sua frequência vibratória. Então, quanto mais rápida, mais alta é a frequência, quanto mais lenta, mais baixa. Bingo!

Por isso deixei para conclusão a revelação da emoção de maior frequência e poder vibracional, embora falei sobre ela várias vezes no decorrer do livro. Para entender o poder dessa emoção e entrar neste nível de consciência, não depende de ler, ouvir ou saber qual é, e sim desenvolver, por meio do conhecimento e aumento da frequência, o nível de consciência ideal para compreender, realmente, o que está sendo ensinado.

A leitura e experiência sensorial com as técnicas do livro vão despertar sua mente para experimentar uma vida como um Holo Cocriador® da realidade. Até o momento dessa revelação, você poderá comprender e expandir sua consciência para o mundo de infinitas possibilidades. Ou seja, para o estado de consciência plena, uma vez que ela é 100% responsável pela frêquencia de alinhamento.

Esse nível elevado de consciência também é o único responsável pelo alinhamento vibracional, pois ele é ativado pela frequência do Amor, Gratidão, Perdão, Harmonia, Alegria e Paz. Todos esses padrões ou níveis de consciência estão situados acima de 500 Hertz. Portanto, eles ativam essa emoção, que vibra em 1.000 Hertz, o mesmo nível da frequência da consciência final.

---

15 DISPENZA, J. **Como se tornar sobrenatural**: pessoas comuns fazendo o extraordinário. Porto Alegre: Citadel, 2020.

A leitura e experiência sensorial com as técnicas do livro vão despertar sua mente para experimentar uma vida como um Holo Cocriador® da realidade.

Bingo! Desse modo, com o poder desses alicerces e bases emocionais harmônicos, ela (frequência elevada ideal de transformação do Novo Eu, que logo será revelada) neutraliza, limpa e cura emoções de baixa energia, como medo, em 100 Hertz, ou culpa, em apenas 30 Hertz, pois você pode observar como os ciclos da onda são espaçados. Da mesma forma, você visualiza esse poder porque o amor vibra tão alto (500 Hertz), comparando a frequência oscilatória das ondas com a medição correspondente.

Fica claro, assim, que toda emoção é energia em movimento, que toda energia tem uma frequência e que toda frequência transmite uma informação específica. Essa informação materializa a realidade. Deste modo, quando pensamos, sentimos e agimos nas mesmas emoções todos os dias, mantemos o mesmo campo eletromagnético (ou o mesmo "código de barras"). Esse campo transmite a mesma energia e informação. Exatamente por isso, você continua criando o mesmo futuro com base no passado conhecido.

A única maneira de romper com o ciclo dos mesmos eventos repetidos, o chamado *looping* infinito de energia negativa, registrado a partir de acontecimentos do passado, é mudar quem você é. Mudando seu Ser (essência), seu estado de ser, mudar quem você é, mudar sua assinatura vibracional, mudar as informações você vibra a partir da soma de quem é. Assim, você muda a energia que transmite para o campo eletromagnético. Em resumo, para mudar a realidade, é preciso mudar a forma de pensar, sentir e agir. Como começar essa mudança? Limpando as emoções, desprogramando a mente. Bingo!

Isso me leva a querer reforçar tudo o que aprendeu até aqui. Perceba que a energia negativa emitida para o Campo Quântico eletromagnético jamais vai corresponder vibracionalmente com a possibilidade de manifestação do que deseja. Sabe por quê? Porque sua intenção está vibrando em uma faixa de frequência alta, suas emoções em faixa de vibração baixa, logo seu comportamento será de baixa frequência e vibração, porque o sentimento programa a ação. Bingo!

Mas também porque o Campo Quântico funciona por meio de frequência compatível. Isso quer dizer que o campo só responde àquilo que já é conhecido, familiar e ressonante. Semelhante atrai semelhante. Bingo!

Pela Física Quântica, você aprendeu aqui, que o desejo (pedido/sonho) começa na mente. Além disso, que o pensamento afeta o mundo ao nosso redor e dá forma a matéria. Desse modo, a consciência do observador (você) colapsa a função de onda. Você, com base em suas emoções de alta e baixa vibração, se transforma no observador da sua realidade. Quando você tira o olhar, atenção e foco do sonho, aqui chamado de matéria, a partícula volta a ser onda (energia). Isso quer dizer que tudo volta a ser apenas uma possibilidade, volta para o oceano de infinitas possibilidades. Mil vezes Bingo!

É isso que você precisa fazer com seus problemas, com suas emoções de baixa vibração, suas feridas, dores e medos. Por isso, no Método Blindagem Emocional 1.000 Hertz® e na Meditação Consciência Estado de Não Eu®, você é conduzido a tirar a atenção do seu corpo, do local onde está e do tempo. É convidado a abrir o seu foco para direcionar sua atenção ao Ponto Zero, que chamamos de Ponto de Deus, ou ainda às famosas infinitas possibilidades.

Nesse método infalível, você não intenciona o que quer, você acessa e sintoniza as possibilidades do futuro ao parar de pensar, desejar, querer, intencionar e analisar. Basta apenas sentir enquanto consciência pura, conforme já ensinei, para cocriar livremente. Esse estado de plena consciência ocorre quando você sente aquele famoso momento "Meu Deus, perdi a noção de tempo e espaço", "Parece que saí do meu corpo, parece que não estava aqui". Bingo! É exatamente essa sensação!

Propositalmente, preciso mostrar e reforçar essa sensação ou estado de ser, para você tomar consciência e compreender qual é a Frequência Vibracional® do alinhamento total, em que a Holo Cocriação® instantânea para mudança de realidade acontece. Pois a emoção 1.000 Hertz, responsável pela Emosentização® e o novo estado de ser, ocorre quando você esquece de si mesmo, quando começa a se conectar com a Inteligência Superior do campo das infinitas possibilidades. No momento em que isso acontece, o cérebro, que antes estava trabalhando para adminstrar a realidade externa, começa a sincronizar e a entrar em estado de coerência harmônica com o coração.

A coerência é o estado que chamo de Alinhamento Harmônico. Nele, coração, mente, emoções e corpo estão alinhados e funcionam em sincronia, em níveis de coerência. A partir desse estado incrível, a consciência ou o observador (você) promove o aumento dos seus níveis de energia e de resiliência, desencadeando as condições perfeitas para cocriar em seu máximo potencial. Para isso, basta soltar e não resistir. Ou ainda render-se ao Criador e à criação natural do Universo.

Quanto mais você desapega, solta, deixa de resistir aos acontecimentos da realidade exterior e investe seu tempo na aceitação e apreciação, maiores são as suas chances de criar o desconhecido, o novo, em sua vida. Mas, se você, enquanto observador quântico, retornar seguidamente sua atenção para o conhecido, para as coisas e pessoas familiares, aí, infelizmente, você traz de volta sua atenção para a realidade tridimensional, para as partículas, para o estado de matéria imutável.

Quanto menos atenção você der para os seus problemas, mais facilmente eles voltam a ser possibilidades. Por isso, preste atenção e faça uma autoanálise. O que você quer? Observe a solução! Você está com dívidas? O que precisa para sair daí? Dinheiro! Mas onde está seu foco? O que você vibra e observa o tempo todo? Dívidas, dúvida, falta e escassez. Então, é disso que estamos falando! Bingo! Quanto mais atenção você der às novas possibilidades, mais facilmente e rapidamente, elas se materializarão. Não é mágica, é um processo fundamentado em uma Lei, mas que demanda disciplina. É apoiado em uma frequência libertadora, que indicarei ainda nesta conclusão.

Saiba também que o Campo Quântico contém energia e informação vibrando em alta velocidade, além do nosso espaço e tempo. Por isso, o contato com ele só pode ser feito transcendendo espaço e tempo, neste estado de Consciência Não Eu®, como consciência pura ou frequência de origem, frequência natural, nata. Fazendo isso, você retira sua energia e atenção do que não quer (problemas e dificuldades). Ao mesmo tempo, se você consegue permanecer somente como uma consciência, sem pensar, sem desejar, sem corpo, sem espaço e sem tempo, começa a existir no desconhecido com seu corpo-energia, ou seja, como consciência pura divina.

FÓRMULA PARA ALINHAMENTO EMOCIONAL E VIBRACIONAL PARA MUDAR SUA ENERGIA: INTENÇÃO COM CLAREZA + EMOÇÕES DE ALTA VIBRAÇÃO

Aqui você já entendeu que o Campo Quântico eletromagnético é o campo das infinitas possibilidades. Além disso, o objetivo desse livro foi ensiná-lo a sintonizar esses potenciais futuros, as possibilidades ilimitadas do Universo e, assim, manifestar o que deseja na sua realidade material.

Todo o processo não é simples, mas pode ser muito fácil, desde que tenha o método certo! Eu quero, especificamente, reforçar isso, pois tudo requer congruência entre intenção clara, pensar, sentir, agir e tudo estar em alinhamento vibracional de emoções elevadas. Bingo! Tenha consciência também de que a intenção representa seu pensamento sobre o que deseja cocriar. Para isso, você precisa ser específico, realista e rico em detalhes. Já as emoções elevadas são os sentimentos que você experimentará quando sua intenção se manifestar.

Juntando intenção (pensamento), que tem carga elétrica, emoções (sentimento), que têm carga magnética e atitudes (corpo), você cria a assinatura eletromagnética ou código de barras, correspondente ao estado de ser desejado. Então, agir em coerência harmônica com pensamento e sentimento é o princípio ativo do combustível para o colapso de onda e a Holo Cocriação® materializar imediatamente.

E olha que, mesmo com todos esses fundamentos, você ainda não aprendeu qual a emoção elevada de 1.000 Hertz. Aquela emoção que garante manter esse alinhamento todos os dias! Com certeza, deve estar ansioso ou, no mímino, curioso. Mas ainda falta uma coisinha.

Quero exemplificar e recapitular alguns fatores, pois você precisará dessa conclusão para acessar a Frequência Vibracional® responsável pela emosentização® e por todo o alinhamento imediato para Holo Cocriação®. Quando estiver se conectado com o Campo Quântico, em estado de Consciência Não Eu®, ou pensando em sua intenção clara, sentindo as emoções elevadas, agindo, se comportando, vibrando e emosentizando, você estará infalivelmente emitindo uma frequência nova. Ou seja, vai criar a assinatura energética dessa possibilidade, entrando em ressonância com a possibilidade já existente e compatível no Campo Quântico. Isso é o que possibilita o Colapso da função de onda e o acesso ao Campo Quântico. Certo? Mas ainda vamos mais longe.

Quando sentir e vibrar na emoção 1.000 Hertz, somada aquelas emoções de frequência superior a 500 Hertz da Tabela de Hawkins, você estará alinhado com o seu sonho. Essa é a garantia da Holo Cocriação® instantânea. O famoso Pensa e Cria. Sobretudo porque o coração entra em coerência harmônica com o cérebro e o corpo. Há, portanto, uma expansão no coração, pois a energia (ondas de comprimento e amplitude) em direção a ele é amplificada e potencializada. Com isso, você aumenta o campo energético em volta do corpo, como algo comprovado cientificamente e totalmente mensurável.

Como os potenciais do Campo Quântico não têm existência material, encontrando-se em estado de onda, você precisa estar alinhado para garantir o colapso de onda. Do contrário, você descria, descolapsa, anula e bloqueia o seu sonho. Como frequências eletromagnéticas não podem ser percebidas pelos sentidos, para entrar em contato com elas e sintonizar o melhor futuro das infinitas possibilidades, você só precisa vibrar, harmonicamente, a emoção correta.

Para manifestar os seus sonhos na matéria, você precisa emitir o campo eletromagnético correspondente. De maneira exata, quando houver uma correspondência vibracional entre a sua energia, a energia do potencial quântico e aquilo que você deseja, os campos serão compatíveis (ressonantes). Bingo! A sua assinatura vibracional começa, simultaneamente, a Holo Cocriar®, atrair, sintonizar ou acessar a experiência para sua realidade material. Essa realidade vai ao seu encontro quando você estiver alinhado, ao ponto de se tornar o vórtice do seu futuro!

Para acessar a Frequência Vibracional® de alinhamento, você vai precisar estar totalmente no agora, pois só assim poderá acessar as infinitas possibilidades do Campo Quântico. Concluindo em seu estado de presença no agora (ausência de passado e futuro), mais uma intenção clara com emoções elevadas, comportamentos e experiências congruentes, transmitimos nossa assinatura eletromagnética para o campo. Correto? Sim! Nesse estado, quando corresponde exatamente à assinatura eletromagnética da possibilidade desejada, tudo entra em fase, provocando o colapso da função de onda. Bingo! Existe uma forma de acelerar tudo isso!

Aceleradores são emoções psicossomadas (entrelaçadas) a outras. A empatia, compaixão e serviço (solidariedade, humildade, ajuda ao próximo) são as mais poderosas, pois são ativadas pelas emoções primárias como amor, alegria, harmonia, perdão, gratidão e fé. Elas levam qualquer ação ou campo a uma frequência cósmica, divina. Quando você experiencia viver essas emoções, a mudança de realidade é muito rápida, pois você entra em fase, passa a aceitar a livre expressão dos sonhos e a influência que a Matriz Holográfica® exerce, em plenitude na sua vida, a toda e qualquer circunstância.

Nesse ponto, você passa, literalmente, a sentir a benevolência e perfeição em tudo, sendo impactado pela frequência do milagre. Exatamente no nível de amor incondicional, ativado por esse combo de emoções transformadoras e curativas, nasce e resplandece o poder do afeto ou o poder da Frequência do Afeto. O afeto do criador e da criação, compreendendo a frequência e a força da consciência pura, mobiliza toda a cocriação em alta frequência, mantendo sua vibração em 1.000 Hertz todos os dias.

Esse era o ponto harmônico de cocriação espontânea a que queria chegar. Essa é a frequência de poder infinito do obsrevador revelada a você. Algo que decodifiquei, presenciei e experimentei livremente a partir de conhecimento, pesquisas, ciência, compreensão e transformação interior. Porque a força do afeto entre você, o Campo Quântico e todos os seres, dá a liga, é o ponto de combustão e forma energética para Holo Cocriar® sonhos de maneira abundante, ilimitada e instantânea.

Se busca manifestar seus desejos livremente, sem dúvida, é preciso reconhecer esse poder. Aceitar e reconhecer a força do afeto, sua representação interna, de emoções e comportamentos e desvendar tudo aquilo que mais lhe afetou, em toda a vida, ao estabelecer o alinhamento vibrátil com a Matriz Holográfica®.

Pois esse sempre foi o objetivo principal de todo o conhecimento decodificado e transmitido por mim, a partir de todas as evidências científicas demonstradas, por diferentes linhas de pensamento contemporâneo e por minha história. Tudo o que eu trouxe no livro é ressignificado nesse ponto de transmutação ao revelar o poder da Frequência do Afeto. Porque os afetos ou representações internas são, de fato, os condutores emocionais, comportamentais e energéticos de cada ser.

De modo estratégico, eu trouxe você até esse momento de celebração. Mas deixei toda essa informação para o final porque você precisava, antes de tudo, adquirir consciência para receber esse conhecimento sagrado, de ponta, de alto nível experimental. Pois somente agora, com tudo o que apredendeu e sentiu, ao longo de todas as páginas, explicações, conceitos, teorias, experiências e conhecimento científico, você está habilitado e capacitado para compreender a verdadeira dimensão do afeto, ao receber algo tão poderoso.

Certamente, você está preparado para receber um conhecimento fabuloso e transformador, que vai curar sua alma, aliviar toda dor emocional e cicatrizar tantas feridas do passado. Essa é a celebração da vida, do Novo Eu, e você está convocado a participar, a partir de agora, como protagonista e observador quântico da própria existência. Pois você já está pronto, emocional e mentalmente, para construir uma nova história e celebrar a plenitude do Novo Eu.

O Novo Eu existe e passa a se manifestar livremente quando você ativa a Frequência do Afeto 1.000 Hertz. O afeto é o sentimento máximo da expressão humana no Universo, pois ele somente é sentido e experienciado quando seu coração está vibrando na compaixão, empatia e no servir. Bingo! Mas estas emoções, como você aprendeu, estão ligadas às consciências superiores do amor, da alegria, da paz, do perdão, da gratidão, da harmonia, da apreciação etc. Ele é o segredo aberto do livro *DNA Revelado das Emoções®*, pois representa e significa o alinhamento harmônico da cocriação da realidade. O poder do afeto parte das altas frequências, da união e da experiência vibracional de emoções superiores. Está totalmente implicado à compaixão, ao sentimento de servir, de ajudar, da solidariedade, de sentir afeto e empatia pelo outro.

Isto é, quando você compreende, sente e percebe a integração que existe entre todos e tudo, quando o bem que faz, o amor que espalha ou o afeto por tudo e todos é espelhado de maneira natural e espontânea. Afinal, todos somos um corpo quântico. O que desejamos e sonhamos, quando sentimos afeto, compaixão, empatia, nos voluntariamos, doamos ou, simplesmente, queremos o bem, isso é refletido dentro e fora de nós, é espalhado ao mundo, às pessoas e também repercute no campo de energia ao nosso redor. Quando alcançamos o afeto, a vibração se expande, sentimos leveza, alívio, cura física e emocional, a partir do potencial infinito e do amor incondicional ampliado no coração.

Ao sentir afeto, você, automaticamente, traz consigo todas essas emoções valiosas e nobres em fase com o Universo. Porque, quando acessa a Frequência do Afeto, também transporta, em cada célula, no núcleo do DNA, em cada neuroassociação e em volta de todo o próprio Campo Quântico o sentimento do amor, gratidão, perdão, harmonia, alegria e paz. Todas essas frequências estão acima de 500 Hertz na Escala Hawkins. Somadas, elas impulsionam ainda mais o seu poder energético para a cocriação acelerada, acionando a frequência do afeto.

Por isso, em ressonância com a emoção do afeto, você carrega todas essas frequências juntas e fundidas energeticamente, o que aumenta mais e mais a vibração do Campo Quântico, até alcançar a vibração 1.000 Hertz, iluminando-se completamente. Criando, assim, sinergia com a Matriz Holográfica® e com o campo de infinitas possibilidades, para cocriar todo e qualquer desejo, em alta potência, ilimitadamente, na dimensão do Novo Eu.

O afeto é, portanto, a frequência do alinhamento harmônico entre coração, mente, corpo, emoções e campo energético com o Universo. Essa vibração tem a função de celebrar uma nova vida e possibilitar a você curar as feridas emocionais, ressignificar todas suas crenças limitantes, libertar-se de medos, traumas, culpa, da profunda tristeza, de mecanismos de autossabotagem, de todo bloqueio emocional e energético.

Ou seja, essa emoção transcendente vai permitir livrar-se de tudo o que tem mantido você no caos em diferentes esferas da vida até esse momento. Com certeza, eu posso garantir que a cura completa

Certamente, você está preparado para receber um conhecimento fabuloso e transformador, que vai curar sua alma, aliviar toda dor emocional e cicatrizar tantas feridas do passado.

está na ativação da Frequência do Afeto. Essa manifestação vai mudar, plenamente a sua vida.

Quando há a expressão do afeto, o corpo, as funções bioquímicas e neurológicas se fortalecem e se expandem. Evita-se, assim, na visão de Freud, qualquer sentido ou sentimento internalizado de inibição ou repressão emocional, tal qual ansiedade, fobia, neuroses, obsseção ou rituais compulsivos. Especificamente, quando o afeto, de diferentes maneiras, é manifestado, inibe a ansiedade ou, propriamente, a repressão das emoções.

No aspecto da energia, isso representa o fortalecimento, em torno de si, dos campos de poder e de expansão eletromagnética. Logo, com o afeto e a expressão das emoções, você eleva o nível de energia, acelera a frequência e evita os campos de força mais contraídos.

Para entender melhor, campo contraído ocorre quando o alinhamento está desarmônico, descolapsando e descriando. O afeto leva à coerência e ao alinhamento harmônico entre coração, mente, emoções e corpo, conforme destaquei acima. Coloca a fisiologia em movimento, as emoções em um ritmo acelerado, contagiando positivamente todo o campo relacional, até alcançar a vibração 1.000 Hertz.

A emoção do afeto é acionada em todos os momentos por meio das nossas ações cotidianas. Sobretudo, por meio do servir, do ato de ajuda espontânea ao próximo, de benevolência, do amor próprio, do amor incondicional que emanamos ao mundo e às pessoas, quando desejamos e compartilhamos o saber, a compaixão e o bem querer.

Quando nos colocamos a serviço da humanidade e avaliamos o propósito que temos na vida, seja pessoal, afetivo, familiar, espiritual e profissional. Ou seja, quando fazemos o balanço dos próprios sonhos e analisamos até que ponto vão impactar e beneficiar a vida das demais pessoas. Por isso, lembre-se: o propósito de vida deve estar alinhado com o impacto positivo na sociedade e nas demais pessoas para ativar, com mais eficiência, o poder do afeto.

Portanto, para ativar a frequência do afeto, é preciso, antes de tudo, tomar consciência sobre esse poder e o quanto ele pode ajudar o semelhante. Seja com gestos simples do dia a dia, como pensar, sentir e se portar bem, positivamente, com ações mais avançadas de programação da própria existência, com o foco mais coletivo e humanitário.

Nesta conclusão, eu prefiro chamar ainda esse alinhamento harmônico de celebração à sua nova vida. Para tanto, quero fazer algumas comparações sobre as principais frequências emocionais de alta vibração do Universo. O afeto representa a frequência do alinhamento harmônico; o amor é relacionado à frequência da Holo Cocriação da realidade; e a alegria, à prosperidade e ao dinheiro.

Diante de todos esses argumentos, é preciso compreender melhor o sentido e o verdadeiro significado do afeto. A psicanálise e a psicologia trazem versões complementares entre acadêmicos e clínicos dessas áreas. De acordo com especialistas, o afeto está plenamente relacionado à linguagem das emoções. Na verdade, podemos classificar ambos os termos como sinônimos, segundo o pesquisador Robert Plutchik, já citado nessa obra. Basicamente, tanto emoção como afeto representam experiências corporais internas. Ou seja, sensações decorrentes de estímulos internos que criam a ação e o agir em cada pessoa.

Nas duas visões humanistas, os psicólogos reconhecem essas experiências sensoriais internas como emoções, enquanto os psicanalistas, como afeto. Em minha visão, os termos equivalem e representam a percepção, consciente ou inconsciente, atual ou pré-existente, que carregamos do Universo. Pois tudo isso fica registrado no Campo Quântico, nos filamentos do DNA emocional, nas células, em cada sentimento mais profundo ou pensamento alinhado vibracionalmente com a Matriz Holográfica®.

Resta-nos, portanto, saber como apropriar-se positivamente desses afetos ou emoções, das marcas que temos impressas na intraconsciência de cada um, para programarmos uma existência feliz, próspera e repleta de possibilidades. Especialmente quando unimos as emoções mais genuínas e puras do Universo, como amor, gratidão, paz, harmonia e alegria, na direção perfeita, reflexiva e exata da Frequência do Afeto, 1.000 Hertz.

Diante dessa explicação geral, o mais impressionante é que elas (emoções ou afetos) podem ocorrer de maneira consciente ou mesmo inconsciente. Por isso, se deseja cocriar na Frequência Elevada do Afeto Positivo, em 1.000 Hertz, você deverá reprogramar e limpar sua mente inconsciente. Pois, ao ressignificar crenças e emoções (afetos) densas, por exemplo, poderá transbordar afetivamente, abrir o fluxo de energia interna em comunhão com o Campo Quântico do Universo, para cocriar de modo livre.

Tanto emoção como afeto geram, em todo o sistema humano, mudanças:

- Cognitiva;
- Sentimento subjetivo;
- Fisiológica;
- Regulação hormonal;
- Corporal e Energética.

Além disso, as respostas aos estímulos causados por afetos emocionais são muitas. A primeira mudança observada é a fisiológica. Essas expressões modificam o padrão do ser, físico, mental e vibracional. Trazem respostas periféricas, autonômicas, endócrinas e esqueletomotoras. Isso envolve ainda estruturas límbicas e subcorticiais, como a amígdala, o hipotálamo e o tronco encefálico. Portanto, todo afeto emocional provoca reações imediatas e também a alteração orgânica funcional.

E isso pode trazer benefícios, ao criar novos laços de empatia, por exemplo, com alguém, com alguma situação ou com o mundo. Ou, então, causar mais repressão emocional, baixa frequência – como o caso da ansiedade, da culpa, do medo e da tristeza, abaixo de 100 Hertz, segundo a Escala da Consciência.

Tudo depende do seu nível de consciência elevada e de percepção da realidade. Por isso, eu optei por revelar o segredo desse livro – que é a ativação da Frequência Emocional do Afeto – depois de você adquirir um nível mais avançado e apropriado de consciência, a partir de todo o processo que experienciamos aqui.

Nessa análise, para alcançar dimensões mais elevadas, como o caso do afeto, compaixão + empatia = humildade. O afeto está nesta perspectiva da cocriação, você pode fazer a combinação de duas emoções básicas positivas, por exemplo: na combinação entre emoções primárias e secundárias, entre Alegria + Confiança = Amor. Por efeito comparativo, o estado emocional do amor, na métrica da Escala da Consciência, ativa a frequência de 500 Hertz. Bingo!

A confiança, que faz parte da junção dessa díade, representa o comportamento de socialização, agregamento e segurança pela criação de laços sociais, ou seja, amizade. A amizade é uma forma também de afeto, de empatia e de compaixão. Ela representa a relação afetiva entre os indivíduos, o receconhecimento mútuo de afeto e carinho, o próprio espelhamento quântico. **Amizade** é, propriamente, a relação afetiva entre os indivíduos. É o relacionamento que as pessoas têm de afeto e carinho por outra.

O sentimento da alegria também integra essa díade das emoções. Na Escala Hawkins, essa emoção alcança a frequência 540 Hertz. Já para Plutchik, na análise da Roda das Emoções, a alegria é uma espécie de padrão comportamental ou emocional, que gera eventos benéficos e a manutenção do bem-estar.

O bem-estar mantém uma relação direta com o estado de harmonia. Ou melhor, com a coerência harmônica e vibracional, necessária para acionar a Frequência do Afeto 1.000 Hertz. Precisa nutrir-se de muitos afetos ou afetos emocionais positivos e elevados, como o amor, a alegria, a confiança, além da sensação da surpresa, do bem-estar, da harmonia e da satisfação. Toda essa soma gera o estado emocional elevado, um campo de puro amor, de afeto compartilhado e de afetividade, necessário para a cocriação de sonhos.

A partir de toda essa base, o importante é saber ainda qual é o momento ideal para alcançar a Frequência do Afeto. Quando você deve vibrar dessa maneira e quais os comportamentos que precisa manter para atingir a própria iluminação e ativar o poder do afeto dentro de si? Porque, na Frequência Afetiva, você garante o alinhamento e a cocriação instantânea, sem esforço ou força, mas no fluxo, na autopermissão e na plena aceitação.

O que quero passar para você é a essência de todo o livro. Algo que parte de conceitos, mas transcende a realidade do dia a dia. Pois o nível do afeto acontece desde quando acorda, no primeiro pensamento, na meditação para o novo amanhã, quando deseja o bem ao próximo, dá um beijo no rosto do filho, deseja um excelente dia aos colegas de trabalho e se solidariza com a necessidade das outras pessoas, quando existe empatia e você se coloca no lugar do outro, quando o sucesso de alguém também lhe satisfaz, quando você agradece e é grato pelo o que tem e por tudo aquilo que ainda terá, com a certeza interna de que tudo já lhe pertence, no momento em que perdoa a si e aos outros, quando a vida é compreendida como um imenso privilégio e você se sente feliz por estar vivo, por respirar, pelo corpo que tem e pela fase que passa, seja ela boa ou ruim. Pois, afinal, todas as coisas, sem excessão, foram criadas e cocriadas por você, consciente ou inconscientemente.

Portanto, você realmente vai alcançar a Frequência do Afeto 1.000 Hertz quando se sentir parte do Todo, de tudo, do Universo, quando compreender que suas emoções ou marcas afetivas também marcam e deixam registros energéticos em outras pessoas e no mundo. Porque quando entender a dimensão do afeto, vai adotar um comportamento mais humanista, solidário, empático, autoconsciente, paciente, cheio de esperança, de alegria, de satisfação, de bem-estar e de harmonia com todas as coisas do céu e da Terra.

Nesse exato momento você já vai estar vibrando na Frequência do Afeto, em coerência harmônica e em alinhamento vibracional, entre corpo, mente, espírito, emoções e padrão energético, para Holo Cocriar® tudo instantaneamente, no fluxo natural do Criador, no campo de infinitas possibilidades, todos os seus mais lindos sonhos.

Foi exatamente isso que ensinei neste livro: decodificar, interpretar e harmonizar o campo emocional interno, independentemente dos afetos ou mesmo feridas emocionais que passou nesta vida ou que ainda estejam implicados aos registros pré-conscientes. Até encontrar a verdadeira frequência e dimensão do afeto, na escala de luz infinita 1.000 Hertz.

Pois somente dessa forma você conseguirá transmutar o que a psicologia chama de afeto embotado – reconhecido como retração emocional – campo de força ou campos de poder baixo/expansão energética reprimida. Transmutado alquimicamente, assim como chumbo em ouro, para afeto benevolente – que é reconhecido como coatração de alta vibração – campo de força ou campos de poder em alta vibração/expansão energética expadida.

Ou seja, você transmuta nestes campos de poder (Matriz Holográfica®) se tiver alinhado harmonicamente. Então, você precisa sentir o poder do afeto benevolente para vibrar em ressonância e em fase com o amor-próprio, com o amor incondicional e com o afeto ressignificado dentro de si, a partir do *DNA Revelado das Emoções®*, com a vibração elevada das células, de suas moléculas, de cada nova neuroassociação transmutada, com este novo nível de consciência adquirida.

Nesse nível elevado de consciência, todo afeto embotado é transformado em frequência afetiva elevada ou afeto benevolente. Algo que dialoga com a concepção trazida pela psicologia. Nessa linha de estudos, a afetividade é a capacidade do ser humano de experimentar sensações, alegria, entusiasmo, felicidade, tendências, emoções, paixões e sentimentos. Pois é por meio do afeto que revelamos os nossos sentimentos e criamos laços de convivência. E como é bom recebermos e demonstrarmos afeto! Como faz diferença no enfrentamento das crises pelas quais passamos!

Com isso, medo se torna coragem. Ódio é polarizado ao ritmo do amor. Tristeza vira alegria. Confusão mental em estado harmônico. Incoerência emocional em alinhamento vibrátil. Apego em estima. Desafeto em ternura. Desavenças internas e do mundo exterior em paz e iluminação transcendental, alcançando a vibração 1.000 Hertz e o estágio ultra-avançado do NOVO EU.

Aqui, todo o código para se transformar em sua melhor versão no Universo é decodificado. Isso acontece quando todos os afetos são ressignificados e os comportamentos emocionais transmutados para o padrão vibratório do afeto positivo, do amor incondicional, da compaixão, da humildade, de servir, de ajudar ao próximo, da aceitação, do merecimento, da pemissão, da rendição ao infinito e à cocriação ilimitada de sonhos.

Basicamente, você deixa de sofrer, de viver amarguras ou não mais se entristece a partir de lembranças emocionais negativas, que geram cargas de baixa vibração, porque já reformulou internamente todas essas vivências catastróficas, deu um novo significado afetivo positivo e passa, desde já, a encarar as novas possibilidades, como oportunidades evolutivas para a reconexão afetiva com a Fonte Criadora em 1.000 Hertz.

Porque também compreendeu o próprio papel como Holo Cocriador® da realidade, assumiu 100% da responsabilidade sobre todos os eventos, modificou o impacto neuroassociativo dos pensamentos e calibrou as emoções para polaridades elevadas.

Pronto, todo o código de ativação para Holo Cocriar® os próprios sonhos foram plenamente desvendados a seu favor. Aproveite e viva a experiência real do afeto incondicional, dentro de si, do seu *DNA Revelado das Emoções®*.

Do fundo do coração, espero que, com todas essas informações e explicações, você tenha conseguido dimensionar toda a autonomia que possui em relação ao seu próprio destino. E que agora, com este livro, você realmente possa mudar suas emoções para Holo Cocriar® a nova vida que quiser!

Espero também que você enxergue muito além dos seus interesses pessoais e que, assim, além de cocriar coisas incríveis, também seja capaz de cocriar um "você" incrível para o mundo. Pois a verdadeira consciência de Holo Cocriador® é permeada pela generosidade, altruísmo e compaixão.

O *DNA Revelado das Emoções®* é o que eu chamo do quarto ciclo da Holo Cocriação®, eu não conhecia este lugar até então, eu precisava experienciar esta dimensão da realidade para compreender que este lugar de fluxo existia. Então, agora, é só você se apaixonar profundamente pela sua nova vida e visão do seu futuro de maneira que a emoção decorrente dessa paixão seja extremamente impactante quando experienciada na sua imaginação, pelos seus pensamentos e sentimentos.

Quando você dedica seu tempo para esse tipo de experiência, direcionando sua atenção e sua energia, seu inconsciente começa a memorizar sua realidade interna. Assim, as conexões neurais do seu futuro são criadas, preparando biologicamente o seu corpo para que você se torne um Novo Humano.

Quanto mais profundamente você amar e se apaixonar pelo seu futuro, mais você coloca energia nele. E como, em última instância, o afeto é a energia que liga todas as coisas, você se vincula positivamente ao seu futuro de uma maneira tão intensa, que a única possibilidade é que ele seja atraído por você, para se manifestar na sua realidade física. Então, fixe a imagem holográfica do que deseja, dentro e fora de si, pois, se você quer manifestar, só precisa fazer o que ninguém faz. Ou seja, se transformar na sua melhor e mais extraodinária versão, vivendo o agora como se o que deseja já fosse realidade.

Aqui, todo o código para se transformar em sua melhor versão no Universo é decodificado.

Seu desafio, portanto, é acolher afetuosamente essas inseguranças, dúvidas e o desconforto inicial. Para acontecer, você realmente vai precisar confiar no desconhecido, no campo de infinitas possibilidades, no futuro potencial maravilhoso que já existe para você. Confiar que você pode ser tudo que quiser.

Assim, voltamos para concluir e reforçar pela décima vez! Sim, você entendeu certo, quis escrever isso mesmo. Quero repetir de novo e denovo o que sempre repito: SER PARA TER! Se você deseja Holo Cocriar® abundância na sua realidade material, você precisa ser abundância no campo imaterial (quântico e invisível); se você deseja criar um lindo relacionamento na sua realidade material, você precisa ser completo internamente, na sua mente, pois para a inteligência Superior a Mente Cósmica, você já é. Por isso você é o coautor da sua vida e Deus, o Criador de tudo.

A Inteligência Superior (Deus, Vácuo Quântico, se preferir) "mora" no Campo Quântico. Por isso, para acessá-la, você precisa se conectar com o campo. Se Deus é amor, você precisa ser amor para sintonizar Deus. Bingo! Ser Deus é se amar, se perdoar, se aceitar do jeito que você é. Por isso, se você deseja a presença do Divino na sua vida, precisa treinar para também estar presente com Ele. Tudo que você precisa para isso é assumir 100% da responsabilidade sobre tudo o que está na sua vida. Pois o contato com essa Inteligência jamais pode ser feito na condição de vítima.

Para fazer contato com o Divino, com o Criador de tudo o que é, você precisa estar na mesma sintonia, você também precisa ser Divino, ser amor e ser alegria para, humildemente, pedir que essa inteligência se mova dentro de você. Fazendo isso, certamente, você está batendo na porta das infinitas possibilidades! E como você entra?

Apenas enquanto consciência (energia) é possível. Bingo! Ou seja, para que a mudança na matéria ocorra, você não pode estar no mesmo nível da matéria. Precisa estar em um nível superior, o nível da frequência do afeto puro, pois precisa estar em estado de energia ou consciência. Quando isso acontecer, haverá uma liberação de energia impressionante, que o fará ir de matéria à energia, de partícula à onda. Então, você terá toda essa energia para cocriar o que desejar, para permitir que a Inteligência Amorosa superior se manifeste por meio de você.

Sabe aquela orientação para "soltar" o seu sonho? Soltar + Afeto = Rendição. Bingo! Esta é a chave. A entrega é a ação que não é ação propriamente, que permite navegar como onda e mexer na estrutura da não-localidade. Com Fé + Confiança = Merecimento. Bingo!

Ao fazer isso (soltar-se ou render-se), você reconhece humildemente a limitação da sua consciência humana e reconhece que você, sozinho, em seus esforços de tentar modificar a matéria pela própria matéria, não é capaz de manifestar seu sonho. Então, você o solta e o entrega à Inteligência Superior de Deus, o Criador de tudo! Bingo! E Ele, como Consciência Superior e Cósmica em sua benevolência, organiza tudo para você. Mil vezes Bingo!

Um beijo afetivo com partículas de ouro!
Elainne Ourives